Abhandlungen zur Kunst-, Musik- und Literaturwissenschaft,
Band 261

Ludwig Rubiner

Eine Einführung mit Textauswahl und Bibliographie

von Klaus Petersen

1980

Bouvier Verlag Herbert Grundmann · Bonn

This book has been published with the help of a grant from the Canadian Federation for the Humanities, using funds provided by the Social Sciences and Humanities Research Council of Canada.

CIP-Kurztitelaufnahme der Deutschen Bibliothek
RUBINER, LUDWIG: [Sammlung]
Ludwig Rubiner: e. Einführung mit Textausw. u. Bibliogr. / von Klaus Petersen. – Bonn: Bouvier 1980.
(Abhandlungen zur Kunst-, Musik- und Literaturwissenschaft; Bd. 261)
ISBN 3-416-01412-X

ISSN 0567-4999
NE: Petersen, Klaus [Hrsg.]
 Printed in Germany. Satzherstellung: Computersatz Bonn GmbH, Bonn. Druck und Einband: Hövelborn Druck und Verlag GmbH, Siegburg.

Vorbemerkung

Die Vorarbeiten zu diesem Buch wurden durch ein Stipendium des *Social Sciences and Humanities Research Council of Canada* großzügig unterstützt. Ein Zuschuß der *Canadian Federation for the Humanities* förderte den Druck. Diesen beiden Institutionen möchte ich hier meinen Dank aussprechen. Mein besonderer Dank gilt ferner Frau Claire Goll in Paris und Herrn Wolfgang Hartmann in Luzern für wertvolle biographische Hinweise zu Ludwig Rubiner, Herrn Dr. Gerhard Seidel von der *Akademie der Künste der DDR* für seine Hilfe bei der Einsicht von Autographen und Herrn Friedemann Berger in Weimar für ausführliche Angaben zu Rubiners Tätigkeit im Gustav Kiepenheuer Verlag. Die Tuschpinselzeichnung am Anfang dieser Arbeit stammt von Wilhelm Lehmbruck. Dem *Deutschen Literaturarchiv* in Marbach a. N. und Herrn Guido Lehmbruck in Stuttgart danke ich für die Erlaubnis zur Veröffentlichung.

Inhaltsverzeichnis

Einleitung

In einem 1974 erschienenen Aufsatz bemerkte Wolfgang Rothe: „Die eifrigen Wiederentdecker revolutionärer Schwarmgeister und sozialistischer Schriftsteller der deutschen Vergangenheit sind sonderbarerweise bisher an der herausragenden Figur Ludwig Rubiners achtlos vorübergegangen."[1] Ein Blick auf die wenigen bekannten Lebensdaten, ein anderer auf die vom Stil her schwer zugänglichen, gedanklich widersprüchlichen Schriften Rubiners, macht das Zögern vor der Beschäftigung mit diesem Aktivisten jedoch plausibel. Wie interessant ist ein Rebell im Geiste, der sich nach dem Scheitern seines idealistischen Programms einer Revolution anschloss, deren Gesetze und Bedingungen er nicht anerkennen wollte? Wie reizvoll sind seine dichterischen Versuche, denen ein prominenter Kritiker nicht zu unrecht „schreckliche Phrasenhaftigkeit" attestierte?[2] Von neueren Arbeiten zu ideologischen Themen abgesehen, wird Rubiner in der kritischen Literatur denn auch vor allem dort erwähnt, wo es darum geht, das Scheitern einer ganzen Generation zu begründen.

Tatsächlich ist aber Rubiner keineswegs so unbeachtet geblieben, wie Rothes Bemerkung vermuten lässt, in der jüngsten Forschung hat sich die Beschäftigung mit ihm sogar deutlich intensiviert. Allerdings ging es hier nie um Rubiner selbst, um die Entwicklung und Vielschichtigkeit seiner aktivistischen Ideologie im Zusammenhang mit seinem persönlichen Werden und Wirken, seinem Freundeskreis wie seinen vielgestaltigen publizistischen Anstrengungen vom Anfang bis zum Ende, sondern um seine Stellung innerhalb grösserer thematischer Zusammenhänge, dem Aktivismus zum Beispiel, dem expressionistischen Wandlungsdrama oder den Anfängen einer proletarischen Literatur in Deutschland. Weil aber hier nur solche Texte berücksichtigt wurden, die unter der jeweiligen Perspektive ergiebig waren, entstand dann in der Regel ein oberflächliches oder einseitiges Bild Rubiners. Lämmert zum Beispiel versucht in seiner bekannten Arbeit über das expressionistische Verkündigungsdrama mit einem Zitat aus Rubiners Aufsatz „Der Dichter greift in die Politik" von 1912 nachzuweisen, dass bei Rubiner „der Einsatzwille zur Tugend an sich" werde.[3] Er verlegt den Aufsatz dabei in das Jahr 1916 und lässt unberücksichtigt, dass Rubiner seinen Aktivismus

[1] Wolfgang Rothe, Nachbemerkung zu zwei Texten Rubiners in: *Zet*, 2(1974), 38.
[2] Walter Muschg, *Von Trakl zu Brecht. Dichter des Expressionismus*, München 1961, S. 36.
[3] Eberhard Lämmert, „Das expressionistische Verkündigungsdrama", in: *Der deutsche Expressionismus. Formen und Gestalten*, hrsg. von Hans Steffen, Göttingen 1965, S. 151.

während des Krieges ethisch begründete. Wenn Lämmert dann behauptet, Rubiner habe mit seiner Anthologie *Kameraden der Menschheit* zum proletarischen Klassenkampf aufgerufen, verwischt er die bedeutenden ideologischen Gegensätze zwischen der aktivistischen Position auf der einen und der proletarischen Bewegung um 1919 auf der anderen Seite.[4]

Hermann Kesser hat festgestellt, dass Rubiner „mit den politischen Zügen der expressionistischen Bewegung entstehungsgeschichtlich verwachsen" war.[5] Die unmittelbare Wirkung Rubiners auf manche seiner Zeitgenossen wird lebendig in den Worten, die Rudolf Leonhard im Februar 1921 zum Gedächtnis des toten Freundes schrieb:

> Das war Rubiners Tat: uns – uns Entfremdeten und allen fast Verworfenen – die Tat aufzurichten, die Tat vorzustellen, nahe vor uns. Er war – das versteht sich, da er ganz in die Zukunft gerichtet war – ohne Vergangenheit. Er war irgendwo geboren, hatte in Berlin und Paris und sonst in Europa ein Literatenleben geführt und einiges angezettelt, und eines Tages war, nachdem wir einige Gedichte und einige glutflüssige Essays gelesen hatten, sein Buch da: der Mensch in der Mitte. Das Buch ist für eine ganze Generation zum Schicksal geworden. Hier, dieses Buch eines Entschiedenen, verlangte Entscheidung, und darum war es der Wegweiser an der Weltenwende. Mit Teufeln hatten wir alle gekämpft, hier wurde mit den Engeln gekämpft, und darum fanden wir hier unsere Parolen: der Dichter greift in die Politik; das humanozentrische Zeitalter; der Mensch in der Mitte.[6]

Die Bewertung Rubiners in der kritischen Literatur hingegen hing bisher weitgehend von der Einschätzung des politischen Expressionismus überhaupt ab. Jene Kritiker, die in dieser Bewegung ein positives Bemühen um eine geistig-moralische Erneuerung der Menschen oder um eine Alternative zur bürgerlichen Lebensordnung sehen, neigen auch dazu, Rubiners Leistungen innerhalb derselben positiv zu bewerten. Andere, die das Scheitern der Expressionisten herausstellen oder ihre Ziele aus ideologischer Sicht angreifen, machen ihn sowohl für die Irrealität der Aktivisten als auch für negative Folgeerscheinungen mitverantwortlich. Schon die Liste der Schlagworte, mit denen man Rubiner gemeinhin etikettiert, „führender Theoretiker der jungen literarischen Generation" (Albrecht), „typischer Vertreter eines idealistischen Expressionismus" (Mennemeier), „Vertreter eines sozialistischen Humanitätsdenkens" (von Wilpert), „Prototyp des aktivistischen und anarchoiden Caféhaus-Literaten" (Peter), „Gefühlskommunist" (Muschg), „Pro-

[4] Vgl. Eberhard Lämmert, ibid., S. 152.

[5] Hermann Kesser, „Überblick über den Expressionismus", in: *Expressionismus. Der Kampf um eine literarische Bewegung,* hrsg. von Paul Raabe, München 1965, S. 223.

[6] Rudolf Leonhard, „Zum Gedächtnis Ludwig Rubiners", *Freie Deutsche Bühne,* 2(1920/21), S. 586/87.

tagonist des proletarischen Klassenkampfes" (Lämmert), macht diese Unterschiede deutlich.

Lukács' Hauptvorwurf gegen die Expressionisten, ihre sozialutopischen Vorstellungen seien nicht an der politischen Wirklichkeit orientiert, ihre Rebellionsstimmung gründete in einer bloss bohémehaften Antibürgerlichkeit und hätte aus diesem Grunde erstens keine praktisch-politischen Auswirkungen gehabt und zweitens dem Faschismus in die Hände gespielt,[7] kehrt in der ideologischen Kritik an Rubiner immer wieder. Walter Muschg zum Beispiel schreibt, dass die „hysterische Apotheose des kommenden Führers" in Rubiners *Mensch in der Mitte* wie dessen expressionistische Botschaft vom neuen Menschen überhaupt „ungewollt den Führerkult des Dritten Reiches vorbereitete."[8] Gegen diese Art von Kritik hat sich vor allem Rothe gewandt: „Hämisch auf die Erfolglosigkeit der ‚Geistigen' zu deuten und als Zeugnis der grundsätzlichen Folgenlosigkeit des Wortes, der Ratio vorzuweisen, mag jenem Ungeist des ‚bürgerlichen Typus' anstehen, der in allen politischen Lagern zu finden ist und gegen den sich im letzten der Aufstand der Geister gerichtet hatte." Die Expressionisten als „Vorbereiter des Faschismus" abzustempeln, stelle ein Fehlurteil dar, das von einem groben ideologischen Raster bestimmt und von Einordnungswahn diktiert sei. „Wir haben, statt solcher malevolenten Denunziation, vielmehr allen Grund, in der aktivistischen Bewegung der Kriegs- und Revolutionsjahre eine respektgebietende Äusserung des deutschen Geistes zu sehen. Ihr Scheitern war nicht selbstverschuldet und erfüllt im Rückblick mit Melancholie."[9]

Von einem ähnlichen Ansatz her haben Kritiker wie Paulsen, Raabe und Denkler auf die Bedeutung Rubiners im Kreis der politisch aktiven Expressionisten hingewiesen und seine Schriften wie sein Wirken im Zusammenhang mit der besonderen historischen Situation zwischen 1910 und 1920 zu sehen versucht.[10] Besonders dann in den Arbeiten von Eva Kolinsky und Lothar Peter zu expressionistischen Zeitschriften wird schon ein wesentlich differenzierteres Bild Rubiners geboten.[11] Beachtenswert ist auch, dass eine

[7] Vgl. Georg Lukács, „Größe und Verfall des Expressionismus" (1934), in: G.L., *Probleme des Realismus*, Bd. I, Neuwied, Berlin 1971, S. 109-149.

[8] Walter Muschg, op. cit., S. 39.

[9] Wolfgang Rothe, „Einleitung", in: *Der Aktivismus 1915–1920*, hrsg. von W. Rothe, München 1965, S. 21.

[10] Vgl. Wolfgang Paulsen, *Expressionismus und Aktivismus. Eine typologische Untersuchung*, Bern, Leipzig, 1935; Paul Raabe, in seinen Vorbemerkungen zum Neudruck der *Aktion*, Bd. I, Stuttgart, 1961, S. 1 – 128; Horst Denkler, „Das Drama des Expressionismus", in: *Expressionismus als Literatur. Gesammelte Studien*, hrsg. von W. Rothe, Bern und München 1969, S. 148/49.

[11] Eva Kolinsky, *Engagierter Expressionismus. Politik und Literatur zwischen Weltkrieg und Weimarer Republik*, Stuttgart, 1970; Lothar Peter, *Literarische Intelligenz und Klassenkampf. Die „Aktion" 1911 – 1932*, Köln 1972.

gründlichere Analyse der Rubinerschen Programmschriften und dichterischen Versuche die marxistische Kritik inzwischen veranlasst hat, Lukács' pauschales Verdammungsurteil weitgehend zu korrigieren. Während Friedrich Albrecht zum Beispiel einerseits wiederholt, dass Aktivisten wie Rubiner die Ursachen und treibenden Kräfte der Wirklichkeit, auf die ihr Bemühen sich richtete, fremd geblieben seien,[12] so betont er doch andererseits, dass demokratische Schriftsteller wie Rubiner im Ersten Weltkrieg noch keine der später vergleichbaren Positionen einnehmen konnten, und daß das nicht schlechthin als individuelles Versagen zu werten sei. „Auch die leidenschaftlichsten Anstrengungen – an denen es wahrhaftig nicht fehlte – vermochten die Ungunst der nationalgeschichtlichen und nationalliterarischen Voraussetzungen nicht mit einem Schlage ausser Kraft zu setzen. Ebenfalls bleibt ständig zu bedenken, dass angesichts der Grösse der Zeitereignisse die Forderungen an den verantwortungsbewussten Schriftsteller immens gewachsen waren und Unzulänglichkeiten weit schärfer als in der Vorkriegszeit hervortraten."[13]

Mit der für Expressionisten nicht untypischen Geste der Bescheidenheit, aber auch in Übereinstimmung mit seinem Programm, hat Rubiner sich über sein Leben gründlich ausgeschwiegen. Kurt Pinthus musste in seinem biobibliographischen Anhang zur *Menschheitsdämmerung* sich mit dem Hinweis begnügen:

> Ludwig Rubiner wünscht keine Biographie von sich. Er glaubt, dass nicht nur die Aufzählung von Taten, sondern auch die von Werken und Daten aus einem hochmütigen Vergangenheitsirrtum des individualistischen Schlafrock-Künstlertums stammt. Er ist der Überzeugung, dass von Belang für die Gegenwart und die Zukunft nur die anonyme, schöpferische Zugehörigkeit zur Gemeinschaft ist.[14]

Schon den Zeitgenossen, den wenigen wirklichen Freunden auch, war kaum etwas von der persönlichen Geschichte Rubiners bekannt. Die Zeichnungen von Wilhelm Lehmbruck und Hans Richter in der *Aktion* geben einen Eindruck von seinem Äusseren.[15] Hiller beschrieb ihn einmal als „einen starken, hohen, nie kranken . . . baumhaften, blonden Juden."[16] Wolfgang Hartmann, dem er in der Schweiz begegnet war, berichtet: „Er sah gut aus, war

[12] „Vorwort" zu: Ludwig Rubiner, *Kameraden der Menschheit,* hrsg. von Friedrich Albrecht, Leipzig 1971, S. 8.

[13] Friedrich Albrecht, *Deutsche Schriftsteller in der Entscheidung. Wege zur Arbeiterklasse 1918 – 1933,* Berlin und Weimar, 1970, S. 70.

[14] *Menschheitsdämmerung. Symphonie jüngster Dichtung,* hrsg. von Kurt Pinthus, Berlin, 1920, S. 296.

[15] Wilhelm Lehmbruck, „Ludwig Rubiner", (Zeichnung), *Die Aktion,* 7(1917), Sp. 219; Hans Richter, „Ludwig Rubiner", (Holzschnitt), *Die Aktion,* 7(1917), Sp. 222.

[16] Kurt Hiller, „Ludwig Rubiner tot", *Das Ziel,* 4(1920), S. 55.

eine imponierende, aber nicht von sich eingenommene Erscheinung."[17] In den vielen Nachrufen in deutschen Zeitungen und Zeitschriften bei seinem Tode zählte nicht sein Leben, sondern sein Wort. Und das zu recht. Denn nach allem was wir von Rubiner wissen, waren die leidenschaftlichen Aufrufe an die Menschheit tatsächlich die Biographie dieses Menschen; es gab nichts zu verbergen, was darüber hinaus bemerkenswert gewesen wäre. Trotzdem: Rothes Vermutung, sein Leben sei „ohne aufregende Höhen und Tiefen" verlaufen,[18] geht schon, was die äusseren Lebensumstände betrifft, fehl. Und für die innere Situation trifft gar das Gegenteil zu: da Rubiner, wie wohl kaum ein anderer, seine ganze Existenz in dieser Zeit gewaltiger Umwälzungen an das Wohlergehen der Mitmenschen knüpfte, durchlebte, ja durchlitt er seine Zeit in aufreibender innerer Turbulenz, die ihn in die höchsten Hoffnungen und die grösste Niedergeschlagenheit trieb. Sein jeweiliger Aufenthalt, seine persönlichen Bekanntschaften wie sein Handeln waren mit seltener Ausschliesslichkeit von einer leidenschaftlichen Revolte gegen die Zeitkräfte bestimmt. Selbst sein plötzlicher Tod im Frühjahr 1920 noch erschien mehr als einem seiner Freunde als der konsequente Abschied in dem Moment, wo der Sinn seines Lebens, die „Überwindung der Materie durch den Geist," gescheitert war.

Von frühen journalistischen Arbeiten abgesehen, stellte Ludwig Rubiner auch gerade sein schriftstellerisches Talent gänzlich in den Dienst der Ideologie einer neuen Menschengemeinschaft. In zahlreichen Programmen und Manifesten wurde er zum Anreger für eine Generation von Autoren, die sich während des Ersten Weltkrieges dem Drang nach Erneuerung anschlossen. Hierin liegt seine historische Bedeutung. Da, wo sie sich einer literarischen Form bedienen, enttäuschen seine Schriften ästhetische Erwartungen. Umso deutlicher aber werden an ihnen die geistesgeschichtlichen Wurzeln von Ideen, die sich dann einer ganzen literarischen Bewegung mitteilten. Wenn man die abstrakten Gedanken seiner Aufrufe nicht isoliert betrachtet, sondern sie von der lebendig-wirkenden Persönlichkeit Rubiners und den historischen Bedingungen seiner Zeit her sieht, werden an ihnen wie an einem Testfall Grösse und Grenzen der öffentlichen Verantwortung des Schriftstellers, das für die Literatur dieses Jahrhunderts so bedeutsame Spannungsverhältnis von Ideologie und Kunst überdeutlich. Diese Einführung geht daher von der Person Rubiners aus, versucht seinen Begriff des „politischen Dichters" zu klären, das eklektische Geist-Konzept aufzuschlüsseln und sein Verhalten angesichts der proletarischen Revolution von diesem Hintergrund her zu interpretieren. Dieses Bemühen liegt auch der anschliessenden Textauswahl zugrunde. Hier geht es weder um eine blosse Beispielsammlung aus

[17] In einem Brief an den Verfasser vom 5. 3. 1976.

[18] Wolfgang Rothe, Nachbemerkung zu zwei Texten Rubiners, in: *Zet,* 2(1974), S. 38.

allen Schaffensperioden Rubiners, noch um eine Auswahl nach ästhetischen Gesichtspunkten. Vielmehr wurden solche Texte ausgewählt, die nach den in der Einführung gewonnenen Ergebnissen repräsentativ erschienen. Die Rubiner-Bibliographie dagegen strebt – soweit die Texte auffindbar waren – den möglichst grössten Umfang an.

Kulturbetrieb

In seiner „Deutschen Ansprache" vom Oktober 1930 hat Thomas Mann trotz seiner Vorbehalte gegen die „Anhänger des unerbittlich sozialen Aktivismus" eine Situation gerechtfertigt, „wo der Künstler von innen her nicht weiterkann, weil unmittelbare Notgedanken des Lebens den Kunstgedanken zurückdrängen, krisenhafte Bedrängnis der Allgemeinheit auch ihn auf eine Weise erschüttert, dass die spielend leidenschaftliche Vertiefung ins Ewig-Menschliche, die man Kunst nennt, wirklich das zeitliche Gepräge des Luxuriösen und Müssigen gewinnt und zur seelischen Unmöglichkeit wird."[19] Was hier im Hinblick auf den Künstler als eine persönliche Krise bezeichnet wird, war bei Ludwig Rubiner Programm. Er war kein Dichter, der sein Werk in einer Zeit allgemeiner Not ohne Rücksicht auf ästhetische Konsequenzen auf die Vermittlung geistig-politischer Inhalte reduziert hätte, sondern Journalist, Kritiker und Übersetzer, der angesichts unmenschlich gewordener Gesellschaftszustände während des Ersten Weltkrieges ein aktivistisches Literaturprogramm aufstellte, propagierte und zu verwirklichen suchte, das zur Heilung der Zeitsituation beitragen sollte.

Die sporadischen literarischen Versuche Rubiners vor 1914 sind kaum der Rede wert: seine ersten, an Rilke geschulten Gedichte erschienen 1904 und 1905 in den Berliner Zeitschriften. *Der Kampf* und *Charon*,[20] das Gedicht „Die Stadt", das 1911 im ersten Jahrgang des *Pan* abgedruckt ist, verrät den Einfluss Georg Heyms, den er im Jahr davor kennengelernt hatte.[21] Sein „Attentat in der Rue . . . ", das er Ferdinand Hardekopf widmete, erschien ein Jahr später in der gleichen Zeitschrift und ist der antibürgerlichen Tendenz wie der Form nach dem Frühexpressionismus zuzurechnen.[22] Auch ist Rubiner mit drei Gedichten in der ersten Anthologie expressionistischer Lyrik, Kurt Hillers *Kondor*, vertreten.[23] 1913 entstand für Kurt Pinthus' *Kinobuch* die Pantomime „Der Aufstand", ein für den Stummfilm verfasstes, auf das Ungewöhnliche und Übertriebene zielendes Hin und Her von sozia-

[19] Thomas Mann, „Deutsche Ansprache", *Gesammelte Werke*, Bd. XI, Oldenburg, 1960, S. 870/71.

[20] Ludwig Rubiner, „Zu den Höhen", *Der Kampf*, N.F. (1904), S. 775; „Der Brunnen" und „Nach dem Streit", *Charon*, 2(1905), S. 193 und 234/235.

[21] Ludwig Rubiner, „Die Stadt", *Pan*, 1(1910/11), S. 666/67.

[22] Ludwig Rubiner, „Attentat in der Rue . . . ", *Pan*, 2(1911/12), S. 1208/09.

[23] Ludwig Rubiner, „Der Herrscher", „Die Stadt", „Der Tänzer Nijinski", in: *Der Kondor*, hrsg. von Kurt Hiller, Heidelberg, 1912, S. 110, 111 – 113, 114.

len Unruhen, Entführungen, Eifersuchts- und Liebesszenen.[24] Einem undatierten Brief Ferdinand Hardekopfs an Olly Jaques nach zu urteilen, hat Rubiner vor 1914 auch mehrere Detektivromane verfasst.[25] Nur einer davon, die unter dem Pseudonym Ernst Ludwig Grombeck erschienenen *Indischen Opale*, konnten nachgewiesen werden.[26] Alle anderen Veröffentlichungen Rubiners vor dem Ersten Weltkrieg waren journalistischer Art.

Rubiner entstammte einer ostjüdischen Familie aus Galizien. Der Vater, Wilhelm Rubiner, siedelte nach Berlin um, wo Ludwig am 21. Juni 1881 geboren wurde und heranwuchs. Nach dem Besuch eines evangelischen Gymnasiums schrieb er sich am 10. Oktober 1902 an der Universität Berlin als Student der Medizin ein, wechselte nach einem Semester zur Philosophischen Fakultät über und studierte bis Ende 1906 Musikwissenschaften, Kunstgeschichte, Philosophie und Literatur. Er schloss sich der *Berliner Freien Studentenschaft* an und wurde Vorsitzender ihrer literarischen Abteilung, für die er Vorträge über Tolstoi, Strindberg und Wedekind hielt. Auch besorgte er Theateraufführungen ihrer Studentenbühne.

Schon während seines Studiums nahm Rubiner zur Berliner Bohéme Kontakt auf. Mit Erich Mühsam und Paul Scheerbart traf er 1903 zusammen, er machte die Bekanntschaft von René Schickele, Ferdinand Hardekopf, Wilhelm Herzog und Herwarth Walden, einer Gruppe avantgardistischer Berliner Literaten also, die mit ihren Vereinen und Zeitschriften bald zu den ersten Förderern und Führern des Expressionismus zählten. Vor allem die Bekanntschaft mit Walden wurde für Rubiner wichtig. Dieser gab schon vor dem *Sturm* eine ganze Reihe von Zeitschriften heraus, wenn auch oft nur für jeweils ein paar Monate, *Morgen* zum Beispiel, *Das Theater, Nord und Süd* und *Der Neue Weg* – Zeitschriften, die er seit 1906 Rubiners zahlreichen Rezensionen zur Verfügung stellte. Auch führte er Rubiner in seinen 1903 gegründeten *Verein für Kunst* ein, wo dieser unter anderem Alfred Kerr, Heinrich Mann und Frank Wedekind kennenlernte, die alle später einen besonders grossen Einfluss auf ihn ausübten.

Rubiner hatte an jenem „Kriegszustand" zwischen Bild und Wort im expressionistischen Berlin, wie Heinrich Jacob ihn für die Zeit bis zum Krieg beschrieb, keinen Anteil.[27] Wie bei Walden beschränkte sich sein Interesse nicht auf die Literatur, sondern erstreckte sich auch auf Musik und bildende Kunst. 1906 schrieb er das Libretto für Waldens Oper „Der Nachtwächter",

[24] Ludwig Rubiner, „Der Aufstand. Pantomime für das Kino", in: *Das Kinobuch,* hrsg. von Kurt Pinthus, Leipzig, 1914, S. 107 – 117.

[25] Original im Deutschen Literaturarchiv, Marbach.

[26] Ernst Ludwig Grombeck [d. i. Ludwig Rubiner], *Die indischen Opale,* Berlin, Leipzig, 1910.

[27] Heinrich E. Jacob, „Berlin – Vorkriegsdichtung und Lebensgefühl", in: *Expressionismus. Aufzeichnungen und Erinnerungen der Zeitgenossen,* hrsg. von Paul Raabe, Olten und Freiburg i. Br., 1965, S. 15.

für das beide vergeblich Gustav Mahler zu interessieren versuchten. Ein Jahr später lud Walden ihn ein, an einem Klavierauszug mitzuarbeiten, und 1910 verfassten sie gemeinsam für den *Schlesinger'schen Opernführer* eine Einführung zu Puccinis *Madame Butterfly*.[28] Rubiners zunehmend politisches Engagement nach 1910 führte dann aber zur Entfremdung mit Walden; nur im ersten Jahrgang des *Sturm* (1910/11) erschienen Beiträge von ihm. Der persönliche Kontakt hielt allerdings noch mehrere Jahre an. So berichtete Rubiner, nachdem er sich 1912 in Paris niedergelassen hatte, regelmässig an Walden über Ausstellungen, Konzerte und Theateraufführungen und vermittelte zwischen ihm und französischen Künstlern. Schliesslich überredete er Walden, selbst nach Paris zu kommen, wo er ihn mit Apollinaire bekanntmachte. Erst der Ausbruch des Krieges, der Rubiner veranlasste, gegen alle ins Feld zu ziehen, die sich nicht eindeutig und lautstark pazifistisch gebärdeten, veranlasste dann offenbar den Bruch. Als sich Chagall 1915 an Rubiner um Hilfe wandte, seine bei Walden in Berlin verbliebenen Bilder sicherzustellen, liess dieser seine Frau an Walden schreiben, und als Chagall diese Bemühungen nach Kriegsende fortsetzte, ergriff Rubiner in dem unerfreulichen Streit zwischen Walden und Chagall die Partei des Malers. Er schrieb ihm: „Weisst Du, dass Du hier berühmt bist? Deine Bilder haben den Expressionismus begründet. Sie werden sehr teuer gehandelt. Doch rechne nicht auf das Geld, das Dir Walden schuldet. Er wird Dir nichts zahlen, denn er behauptet, der Ruhm sei für Dich genug."[29]

Paul Raabe, der Rubiner der Berliner Bohème zurechnete, die „müde und passiv mit anarchistischen Ideen im Kopf" dahinlebte, vermittelt einen falschen Eindruck.[30] Rubiner hat sich, wie seine Veröffentlichungen beweisen, während der vier Jahre seines sehr regelmässigen Studiums bedeutende Fachkenntnisse erarbeitet. 1906 dann begann er die gleiche journalistische Tätigkeit wie der Vater.[31] Als freier Kritiker veröffentlichte er zwischen 1906 und 1914 zahlreiche Beiträge in den genannten Zeitschriften Herwarth Waldens und in den Organen *Die Gegenwart* (1906 – 1910), *Der Demokrat* (1910), *Pan* (1910 – 11) und *Die Aktion* (1911 – 1914). Es handelt sich um Glossen zu literarischen Themen und Persönlichkeiten, Aufsätze über bestimmte

[28] *Madame Butterfly. Die kleine Frau Schmetterling. Tragödie einer Japanerin in drei Akten von Illica und Giacosa. Musik von Giacomo Puccini,* erläutert von Herwarth Walden und Ludwig Rubiner, *Schlesinger'sche Musikbibliothek, Opernführer,* Bd. 121, Berlin und Wien, 1910.

[29] Zitiert nach: Marc Chagall, *Mein Leben,* aus dem Französischen von L. Klünner, Stuttgart, 1959, S. 171.

[30] *Ich schneide die Zeit aus. Expressionismus und Politik in Franz Pfemferts ,,Aktion" 1911 – 1918,* hrsg. von Paul Raabe, München, 1964, S. 11.

[31] Wilhelm Rubiner war Mitarbeiter an der illustrierten Berliner Zeitschrift *Die Woche* und der „Literarischen Umschau" des *Berliner Lokal-Anzeigers.* Seine Rezensionen erschienen hier unter den Pseudonymen „Gerhard Stein" und „Otto Waldeck", Namen, unter denen er dann auch einige seiner zahlreichen Unterhaltungsromane veröffentlichte.

Autoren, Komponisten und Maler, Rezensionen einzelner literarischer oder musikalischer Werke und Kommentare zu Kunstausstellungen. Im Stil subjektiv und vom persönlichen Erlebnis her geschildert, sind diese Aufsätze und Kritiken durchaus fachmännisch abgefasst. Rubiner beschränkte sich auf Themen und Werke, die er genau kannte, präzise Formulierungen und abgewogene Urteile herrschen vor.

Fast alle diese Arbeiten handeln von moderner Kunst. Aus der deutschen Literatur bespricht er Bücher von Else Lasker-Schüler, Max Brod, Ernst Blass, Arthur Holitscher, Peter Hille, Heinrich Mann. In Artikeln zu musikalischen Themen schreibt er über Debussy, Pfitzner, Schönberg, Richard Strauss und Busoni; was die Malerei angeht, behandelt er Henri Rousseau, Matisse und Künstler der *Berliner Neuen Sezession.* Im Hinblick auf Rubiners spätere Schriften fällt auf, daß alle diese Kritiken bis 1912 gänzlich unideologisch sind, das Urteil zielt noch allein auf den ästhetischen Wert. Bemerkenswert ist zweitens der Blick aufs Ausland. Rubiner sprach fließend Russisch und Französisch, was ihm die Literaturen dieser Länder im Original zugänglich machte, und er bemühte sich in einer Reihe von Beiträgen, sein deutsches Publikum auf noch wenig bekannte ausländische Autoren aufmerksam zu machen, auf die Belgier Karl Huysmans und Crommelynck zum Beispiel und auf die Russen Sollogub und Kusmin. Wer die späteren Schriften Rubiners kennt, wird auch interessant finden, daß er der symbolischen Darstellung der Schilderung persönlicher Erlebnisse in der Literatur den Vorzug gab, daß er alle Musik verwarf, die nur berauschen will. Er haßte Wagner.

Ausgedehnte Reisen ins Ausland erleichterten Rubiner die Bekanntschaft mit dortigen Autoren und ihren Werken. Die erste Hälfte des Jahres 1908 verbrachte er in Italien. Von Chiavari wanderte er über Spezia und Pisa nach Florenz, im April war er dort. Bei seiner Rückkehr im Juli erkrankte er und begab sich für eine Zeit in ein Sanatorium in Feldberg in der Mark. Im August war er wieder in Berlin, wo er in der Bendlerstraße 13 Quartier bezog. Im Oktober reiste er nach Weimar. Den größten Teil des Jahres 1909 brachte er in Rußland zu, fuhr von dort aus nach Österreich und in die Schweiz. Die meisten seiner Artikel schickte er von diesen Auslandsaufenthalten aus ein. Er war ganz offenbar auf die Honorare angewiesen, bat Walden wiederholt um Vorschüsse und gab ihm bei jeder Zusendung genaue Anweisungen, wohin das Geld zu schicken sei. Der Aufenthalt in Rußland resultierte 1910 auch in Übersetzungsarbeiten. Gedichte Fjodor Sollogubs übertrug Rubiner für die Zeitschriften *Die Gegenwart* und *Die Schaubühne,* [32]

[32] Fjodor Sollogub, „Zwei Herrscher" und „Die Phantasie", übers. v. Ludwig Rubiner, *Die Gegenwart,* 38 (1909), S. 343; „Der Scharfrichter von Nürnberg", übers. v. Ludwig Rubiner, *Die Schaubühne,* 5(1909), S. 621.

in Franz Bleis Hyperion-Verlag erschien seine Übersetzung von Michael Kusmins Alexander-Roman.[33] Mit der Russin Frida Ichak, seiner späteren Frau, übersetzte er für eine neue Werkausgabe im Georg Müller Verlag Gogols Novellensammlung *Abende auf dem Gutshof bei Dikanka.*[34]

Im November 1912 zog Rubiner nach Paris um, von wo aus er weiterhin über kulturelle Ereignisse berichtete, jetzt für die Zeitschriften *Die Schaubühne, März* und *Die Aktion*. Er verkehrte in dem Künstlerlokal „Café du Dôme", wo man, wie Emil Szittya berichtet, jedem deutschen Künstler begegnete, „der mit dem modernen Frankreich etwas zu tun hatte."[35] In der von dem holländischen Maler Kees van Dongen gegründeten Künstlerkolonie in Fleury lernte er van Rees, Cendrars, Otto Freundlich kennen und schloß Freundschaft mit Chagall, dessen Bilder er 1913 an Waldens „Ersten Deutschen Herbstsalon" vermittelte. In Paris selbst wohnte Rubiner zusammen mit Carl Einstein, einem Freund aus dem „Aktions"-Kreis, in einem kleinen Hotel bei St. Sulpice.

In einem Hinterstübchen des Bistro „Au Cocher Fidèle" schrieb Rubiner gemeinsam mit Friedrich Eisenlohr, einem weiteren Mitarbeiter der *Aktion* und dem reichen Amerikaner Livingstone Hahn die *Kriminal-Sonette.*[36] Es sind 30 Gedichte über zwei Gentlemen-Einbrecher, „Fred" und dessen „Freund", die in grotesken Abenteuern Millionären Schecks abzwingen, reiche Witwen berauben und Erbgüter erschleichen. Dabei entziehen sie sich der Verfolgung von Kommissar Greiff durch unerschöpfliche, mit eleganter Präzision ausgeführte Fluchtpläne:

> Auf steilen Dächern rennt ein Herr im Frack,
> Ein Polizeihelm stieg aus dunklem Schachte.
> In Höfen ward es laut. Ein Browning krachte.
> Man prügelt Fremde. Einen rührt der Schlag.
>
> Im Haus der Gräfin tanzte man und lachte;
> Die Kenner freuten sich am Japan-Lack.
> FRED nebenan schob Erb-Schmuck in den Sack,
> Indes DER FREUND die offne Tür bewachte.
>
> Der Spürhund wedelt eifrig durch die Stadt;
> Ein Kommissar führt wichtig seine Liste.
> Die Zeugensprüche füllen manches Blatt.

[33] Michael Kusmin, *Taten des großen Alexander,* übers. v. Ludwig Rubiner, München, 1910.
[34] Nikolaus Gogol, *Abende auf dem Gutshof bei Dikanka. Phantastische Novellen,* Deutsch von Ludwig Rubiner und Frida Ichak, N. Gogol, *Sämtliche Werke,* Bd. 3, München und Leipzig, 1910.
[35] Emil Szittya, *Das Kuriositäten-Kabinett,* Konstanz, 1923, S. 106.
[36] Ludwig Rubiner, Friedrich Eisenlohr, Livingstone Hahn, *Kriminal-Sonette,* Leipzig, 1913.

Zu Haus greift Fred in die Importenkiste.
Der Freund am Spiegel streicht den Scheitel glatt.
Dann führt man Tagebuch als Belletriste.

Jedes Gedicht präsentiert in knapper Form eines der Abenteuer, bis sich das Ganze mit dem Blick auf die drei Autoren, die sich zu diesem Spaß zusammengesetzt hatten, parodistisch auflöst. Als „kultivierten Ulk aus internationaler Sphäre, Ulk etwa im Sinne der Morgensternschen Galgenlieder und des Palmström," zeigte der Verlag Kurt Wolff in Leipzig die Gedichte an.[37] Sie sind aber über den Spaß am Grauen, der sich auch in anderen Arbeiten Rubiners von 1913 zeigt, hinaus ein unmißverständlicher Angriff des in Paris weilenden Kritikers auf das bürgerliche Deutschland. Und sie sind auch Teil der lyrischen Revolution gegen das strenge Schema, das durch Stefan George in Deutschland zu einer neuen Autorität gelangt war, und zwar gerade dadurch, daß Überfall, Raub und Totschlag in diese der präzisen Durchführung der Verbrechen durchaus angemessenen strengen klassizistischen Form des Sonetts gezwungen sind. Gemessen an Rubiners ganzer Entwicklung entstanden sie in einer Periode des Übergangs, in der er eine ausgeprägt politische Position gewinnt, zugleich aber noch bereit ist, sich einer unernst gemeinten Form zu bedienen, die auf ästhetisches Vergnügen zielt.

[37] „Verlagsverzeichnis 1910 – 1913" in: *Das bunte Buch,* Kurt Wolff Verlag, Leipzig, 1914, S. 187.

Der Politische Dichter

Vergleicht man Rubiners bekannten Aufsatz „Der Dichter greift in die Politik", der 1912 in der *Aktion* erschien, mit seinen vorhergehenden Publikationen, so überrascht nicht nur der polemische Ton und das politische Engagement, sondern vor allem der Umstand, daß hier ein durchaus noch unbekannter Kritiker sich plötzlich zum Sprecher einer ganzen Generation aufwirft und wie ein Berserker versucht, die soziale Isolation des Schriftstellers aufzuheben und seine literarische Praxis als politische Aktion zu propagieren. Und eine ganze Generation junger Autoren fühlte sich angesprochen. „Sein Essay ‚Der Dichter greift in die Politik' hat genau das getroffen, was wir alle damals gefühlt haben," bezeugt Franz Jung.[38]

Die Wurzeln von Rubiners politischem Engagement, wie es jetzt plötzlich in die Öffentlichkeit ausbricht, reichen in seine Studienzeit zurück. Wilhelm Herzog, der mit ihm die Universität besuchte, berichtet über ihre gemeinsamen Ideale jener Zeit zwischen 1902 und 1906:

> Wonach wir uns sehnten, als wir Studenten waren, das war: die Verwandlung unserer Ideen in die Wirklichkeit. Wir wollten erzwingen, daß die selbstverständlichsten menschlichen Forderungen endlich erfüllt würden: auf sozialem, wirtschaftlichem, politischem, kulturellem Gebiet. Und da wir am Anfang junge Literaren waren, so wollten wir, daß die schöpferischen Menschen, die vom Bürger verlacht, verhöhnt, verleumdet, besudelt wurden, also alle Kämpfer, Neuerer, Aufrührer unter den Dichtern gerechtere Anerkennung erführen. Auf daß sie sich durchsetzten. Wir wollten, daß gegenüber den Suder- und Hauptmännern die vorgeschrittensten und menschlichsten Geister der modernen Literatur gehört wurden. Und deshalb priesen und feierten wir Frank Wedekind und Heinrich Mann als unsere Führer.[39]

Rubiners persönliche Beziehungen zu Herzog, Heinrich Mann, René Schickele, Franz Blei und Ferdinand Hardekopf weisen ihn einer Gruppe zu, die an der Ausbildung einer bürgerlich-demokratischen Literaturbewegung innerhalb des Kaiserreiches maßgeblich beteiligt war. Ihre politischen Vorstellungen wurzelten in der liberalen Tradition der westeuropäischen Republiken, der Revolutionen von 1789 und 1848. Sie bewunderten Frankreich als die Heimat von Geist und Freiheit und beneideten die französischen Intel-

[38] Franz Jung, *Der Weg nach unten. Aufzeichnungen aus einer großen Zeit,* Neuwied, 1961, S. 86.

[39] Wilhelm Herzog, „Dem toten Kameraden Ludwig Rubiner", *Das Forum,* 4(1919/20), S. 474.

lektuellen um ihre Anerkennung und Wirkung. „Sie haben es leichter gehabt, die Literaten Frankreichs," schrieb Heinrich Mann 1910. „Sie hatten ein Volk mit literarischen Instinkten, das die Macht bezweifelt, und von so warmem Blut, daß sie ihm unerträglich wird, sobald sie durch die Vernunft widerlegt ist."[40] Die Erfahrungen dieser minoritären Gruppe teilte Ludwig Rubiner. In fast allen seinen Artikeln, die er 1912/13 in Frankreich schrieb, findet sich eine emotionelle Wendung gegen das deutsche Bürgertum, die Gegenüberstellung von liberaler Freiheit und verkrustetem Konservatismus. Er schrieb von Paris aus an Alfred Richard Meyer: „Ach ... die Sitten in Berlin sind ordinär und roh; das Bürgertum hält sich gewaltsam durch Reserveoffiziersallüren zusammen. Unter geistigen Menschen gibt es keine Kameradschaft (wie sie so wunderbar unter den Ernsten von Frankreich besteht)."[41]

Klaus Schumann hat auf Ansätze zur Kritik am kaiserlichen Deutschland in Rubiners bereits erwähnten frühen journalistischen Arbeiten hingewiesen.[42] Von den nach 1912 bestimmenden Themen in seinem Schaffen lassen all diese Kritiken jedoch noch überhaupt nichts ahnen. Nur die Auswahl der Zeitschriften, die er zur Veröffentlichung seiner Aufsätze und Gedichte wählte, zeigen, in welchem politischen Lager er stand. Sein erstes Gedicht („Zu den Höhen") erschien 1904 in der anarchistischen Zeitschrift *Der Kampf.* 1910 publizierte er vornehmlich in dem Organ *Der Demokrat,* einer „Wochenschrift für freiheitliche Politik und Literatur", die der *Demokratischen Vereinigung* nahestand, der einzigen bürgerlichen Partei, die vor 1914 gegen Militarismus und Rüstung und für den Ausbau demokratischer Rechte stritt. Als Wilhelm Herzog, der sich schon vorher für die Organisation demokratischer Kräfte in der Literatur eingesetzt hatte, 1910 die Redaktion des *Pan* annahm, gewann er Rubiner zum Mitarbeiter, neben dessen Beiträgen dann Heinrich Manns berühmter Aufsatz „Geist und Tat", die „Initialzündung" des Aktivismus,[43] erschien.

Wesentlich aber für Rubiners Wendung ins Politische wurde seine Bekanntschaft mit Franz Pfemfert. Dieser war seit Januar 1910 Redakteur des *Demokraten.* Mitarbeiter waren neben Rubiner unter anderem Georg Heym, Jakob van Hoddis, Carl Einstein und Kurt Hiller. Als Georg Zepler, der Herausgeber dieser Zeitschrift, sich Ende Januar 1911 weigerte, einen Artikel Hillers zu drucken, legte Pfemfert die Redaktion nieder und gründete

[40] Heinrich Mann, „Geist und Tat", *Pan,* 1(1910/11), S. 138/39.

[41] Ludwig Rubiner, Brief an Alfred Richard Meyer vom 4. Februar 1913. Zitiert nach dem Original im Deutschen Literaturarchiv, Marbach.

[42] Vgl. Klaus Schumann, „Nachwort", in: Ludwig Rubiner, *Der Dichter greift in die Politik. Ausgewählte Werke 1908 – 1919,* S. 338/39.

[43] Als „Initialzündung" von Rothe bezeichnet; vgl. Wolfgang Rothe, „Einleitung" in *Der Aktivismus 1915 – 1920,* S. 7.

die *Aktion,* wohin ihm die meisten Mitarbeiter, auch Ludwig Rubiner, folgten. Wenn Herzogs oben zitierten Erinnerungen an Rubiners frühe Sorge um die Erfüllung „menschlicher" Forderungen in der Gesellschaft und um gerechte Anerkennung junger, vom bürgerlichen Kunstbetrieb ausgeschlossener Intellektueller korrekt sind, dann mußten Pfemferts Ruf nach einer „menschlichen Politik" und die *Aktion* als das Organ der unbeachteten, jungen, um Anerkennung und Wirkung ringenden Literaten Rubiner höchst gelegen sein. Zwar setzte er sich auch jetzt nicht in dem Maße wie Pfemfert mit dem politischen Tagesgeschehen auseinander, sondern faßte den Begriff „Politik" von vornherein in einen abstrakten, philosophischen Rahmen. Aber das galt auch für andere Mitarbeiter der *Aktion*; Pfemfert zwang seine politischen Meinungen niemandem auf. „Wer überhaupt etwas zu sagen hatte, in welcher Form immer, in glatten oder holprigen Versen, es kam auf den Willen zur Aussage an, den inneren Zwang, den dynamischen Druck zur Aussage , hatte Zugang zu der Zeitschrift; er war willkommen", berichtet Franz Jung.[44] Und gerade in diesem Sinne wurde Rubiner bald zu einem der ausgezeichnetsten Mitarbeiter der *Aktion.* Alle seine wichtigen Programmschriften aus der Vorkriegszeit erschienen hier und auch später hat er mit ganz wenigen Ausnahmen entweder nur hier oder in solchen Zeitschriften publiziert, die den gleichen aktivistischen Charakter trugen. Auch im persönlichen Verkehr gewann er innerhalb der Gruppe offenbar schnell eine hervorragende Stellung. Franz Jung bezeugt: „Im engeren Kreis um Franz Pfemfert und die Geschwister Ramm war Ludwig Rubiner die überragende Persönlichkeit . . . Zu diesem Kreis gehörten Karl Otten, zeitweise Kurt Hiller, Carl Einstein, Sternheim und Landauer, und als gute Freunde, so zu sprechen, die großen Verleger Fischer, Kurt Wolff und Rowohlt, so seltsam das heute scheinen mag, weiterhin Alfred Kerr und Maximilian Harden."[45]

Rubiners persönliche Bekanntschaften gehen – abgesehen von den Freunden des Schweizer Exils – über diesen Kreis der ersten Mitarbeiter der *Aktion* nicht hinaus, und zweifellos erhielt sein aktivistisches Programm aus ihm entscheidende Anregungen. Er teilte den Wunsch dieser Intellektuellen nach Wirkung, ihren Glauben an die Macht des Wortes, ihre Hoffnung, daß die Menschheit dem Typus des „geistigen Menschen" nachstreben würde. Fasziniert blickte er auf die Verhältnisse in Rußland, die er so interpretierte:

> Die Dichter sind in diesem abenteuerlichen Lande, in dem die Duma als ein spukhaftes Theorem erscheint, Volksführer von fast utopischer Macht. Sie sprechen, und Sekten bilden sich nach ihrem Wort, verborgene Leidenschaften schießen zu Weltanschauungen auf, vergessene Neigungen werden organisiert.

[44] Franz Jung, op. cit., S. 84.
[45] Franz Jung, op. cit., S. 86.

> Das geht so telegraphisch schnell über riesenhafte Flächen hin, als ob in diesem Lande alle Leute lesen könnten, und das Unterrichten von hundertdreißig Millionen Menschen nicht Privatsache wäre![46]

Heinrich Mann sah Ähnliches in Frankreich. Die Französische Revolution faßte er als einen Erfolg Rousseaus auf: „Sie haben nicht gefragt, diese Franzosen, wohin der Vernunfttraum eines Dichters, eines fragwürdigen Kranken, sie führen werde. Sie haben nach ihm gehandelt, weil er ihnen auf einmal die Welt erhellte; haben alles durch ihn erfahren, Schuld, Sieg, Buße." Sie seien daher der Vergeistigung heute näher als andere, „haben im ganzen der Nation einen Ausgleich und Gewinn errungen an Menschenwürde und sittlicher Kraft."[47] Nach solchen Denkmustern verlaufen auch die Vorstellungen von dem Erneuerungsprozeß der Menschheit in der expressionistischen Dramatik von Sorge und Hasenclever bis zu Toller und Kaiser.

In seinen programmatischen Schriften von 1912 bis 1914 lieferte Rubiner die Thesen des für den Frühexpressionismus chrakteristischen Aufbegehrens gegen die „Civilisation". Dieser Begriff steht für alle Bedingtheit des Menschen durch Geschichte, gesellschaftliche Normen, wissenschaftliche Erkenntnisse, technische Errungenschaften und wirtschaftliche Gesetzlichkeiten. Sie beraubt in Rubiners Bewußtsein den Menschen seiner Herrschaft über sich selbst und die Welt, lähmt seine schöpferischen Kräfte und isoliert ihn. „Es gilt zu überzeugen, daß ein Jahrhundert, dessen Aufgabe war, um Eßnäpfe, Einheitsstiefel, Wagnerpartituren herzustellen, nicht mehr als ein Hindernis für den Geist besteht," schrieb er in der *Aktion.*[48] „Geist" bestimmte Rubiner in der Vorkriegszeit damit als Antithese zur materiell bedingten „Civilisation." Und da ihm dieser „Geist" als das eigentlich Menschliche galt, propagierte er die Befreiung von ihr als geistige Tat und als die Befreiung des Menschen zu sich selbst. Im Rahmen dieser Vorstellungen fand er noch 1916 diese gültige Definition des Expressionismus als Kunstbewegung:

> Der Expressionismus in der Literatur und in der bildenden Kunst ist jene Bewegung neuschöpferischer Menschen, die sich der deterministischen Abhängigkeit von der realen Umwelt, vom Milieu, von der Atmosphäre – kurz von dem was man gemeinhin „Natur" nennt – durch einen ungestümen Befreiungsakt entledigt hat. Die schöpferischen Begabungen des Expressionismus finden nicht mehr ihre Vorstellungen in der sie umgebenden Natur, um sie dann etwa möglichst illusionistisch zur Beschreibung zu bringen. Im Gegenteil. Sie stellen gerade jene Vorstellungen, die dem rein geistigen Leben des Menschen am vollkommensten entsprechen, als absolute, gewissermaßen das Leben regie-

[46] Ludwig Rubiner, „Ein Dichter des neuen Rußland: Fjodor Sollogub", *Die Gegenwart,* 38(1909), Nr. 33, S. 594.

[47] Heinrich Mann, „Geist und Tat", loc. cit., S. 139.

[48] Ludwig Rubiner, „Die Anonymen", *Die Aktion,* 2(1912), Sp. 300.

rende Gebilde fest; und diese Gebilde, die oft nichts mit den vertrauten Formen der sichtbaren Natur zu tun haben, projizieren sie aus sich heraus, mit allen Mitteln der Darstellungskunst, als wär's ein Stück Natur. Bei der Schöpfung des Expressionismus tritt der Mensch sich gleichsam selbst entgegen, nur in reinster, abgezogenster Gestalt. Der Mensch, der so lange die Natur durchschaut hat, bis er sich ihr hingab und in Denken und Fühlen völlig von ihr abhängig wurde, hat auf einmal sich selbst entdeckt.[49]

Wie für andere Expressionisten galt Rubiner „Geist" als die eigentlichste, edelste Qualität im Menschen, eine absolute Größe, „unzufällig, unzeitlich, unbesitzlich,"[50] die keiner Gesetzlichkeit oder Entwicklung unterliegt, sondern ewig und frei ist. In seinem Aufsatz „Der Dichter greift in die Politik" gebraucht er die Metapher der „Erdkruste", mit der er in seinen Schriften immer wieder die „Civilisation" zu verbildlichen suchte. Wird sie zerbrochen, so sieht er es hier, bricht das Eigentliche, Ursprüngliche notwendig daraus hervor: der Geist. „Alte Dreckschalen werden durchschlagen, heraus siedet das Feuerzischen des Geistes."[51] In dieser Hinsicht ist schon die bloße Destruktion des Gegebenen sittlich wertvoll. Es kommt darauf an zu zerstören. . . „Hindernisse zu sprengen, die Klumpen der Materie zur Explosion zu bringen. Auf daß ein Funke, ein Wissen ums Erste, eine *Gewißheit vom Geist* in uns allen plötzlich und gemeinsam hinauf springe."[52] Bloßer Einsatz wird zur Tugend: „Sittlich ist es, daß Bewegung herrscht."[53]

Diese „Moral der Katastrophe" liegt in diesen Jahren Rubiners Begriff des Politischen zugrunde, das er als die „katastrophenrührende Aktivität des Geistigen" definiert.[54] Politik geht hier nicht vom Gegebenen aus, sondern von seiner Antithese, vom „Geist". Und daher sind die geistigen Menschen, die Künstler, die eigentlichen und berufenen Politiker: „Der Dichter greift in die Politik, dieses heißt: er reißt auf, er legt bloß. Er glaube an seine Intensität, seine Sprengungskraft. Es geht ja weder um unsere Zivilisation noch um ihre Entwicklung. Der politische Dichter soll nicht seine Situation in Erkenntnissen aufbrauchen, sondern er soll Hemmungen wegschieben."[55] Dichtung wurde unter diesem ideologischen Auftrag zu Propaganda, wurde „bedingungslose Rede vom freien Geist."[56] Die Form hatte sich anzupassen:

[49] Ludwig Rubiner, „Zur Krise des geistigen Lebens", *Zeitschrift für Individualpsychologie*, 1(1916), S. 235.
[50] Ludwig Rubiner, „Brief an einen Aufrührer", *Die Aktion*, 3(1913), sp. 346.
[51] Ludwig Rubiner, „Der Dichter greift in die Politik", *Die Aktion*, 2(1912), Sp. 645/46.
[52] Ludwig Rubiner, „Brief an einen Aufrührer", *Die Aktion*, 3(1913), Sp. 344.
[53] Ludwig Rubiner, „Der Dichter greift in die Politik", *Die Aktion*, 2(1912), Sp. 649.
[54] Ludwig Rubiner, „Homer und Monte Christo", *Die Weißen Blätter*, 1(1914), Nr. 11/12, S. 1155.
[55] Ludwig Rubiner, „Der Dichter greift in die Politik", *Die Aktion*, 2(1912), Sp. 715.
[56] Ludwig Rubiner, „Brief an einen Aufrührer", *Die Aktion*, 3(1913), Sp. 343.

„Nur darum geht es, daß man zu jeder Zeit die Grundantriebe unserer überhaupt möglichen Existenz der Öffentlichkeit bloß zeigt. Meinetwegen in der schmierigsten Illumination eines billigen Transparents. Oder mit Pathos. Oder mit Sentimentalität."[57] Die Beschreibung oder Erklärung der Dingwelt oder des subjektiven Erlebnisses geißelte Rubiner als Symptome der persönlichen Eitelkeit und des feigen Entzugs. Und die Tendenz, sich ihrer öffentlichen Verantwortung zu entziehen, sah er bei den deutschen Intellektuellen besonders ausgeprägt: „Nichts auf der Welt ist gemeiner, verschmitzter, tiefer in . . . Hilflosigkeit versunken als die Künstler unserer Zeit und ihre Schriftsteller. Jeder ein Ego, jeder ein Erleber, jeder ein besonderer Beschauer der Dinge! und jeder Lump ein Erklärer."[58]

Die Affinität der expressionistischen Künstler zum „anonymen Volk" resultierte nicht nur aus ihren Erfahrungen als von der Macht ausgeschlossene und Unterdrückte, sondern gleichzeitig in ihrer Geistkonzeption, die den Geist als die dem Menschen eigentümlichste und damit auch allgemeinste Qualität fasste. Der ethische Prozess der Vergeistigung wird dem politischen Vorgang einer demokratischen Revolution gleichgesetzt. „Der Geist ist nichts Erhaltendes und gibt kein Vorrecht," formulierte Heinrich Mann. „Er zersetzt, er ist gleichmacherisch."[59] Von hierher verstärkte sich die Hoffnung auf Breitenwirkung des Geistes, zugleich aber ergab sich die Aussicht, dass der Geistige, sollte er in der Konversion der Menschheit erfolgreich sein, sich schliesslich von dieser nicht unterscheiden würde. Auch damit ist schon hier ein anderes Grundmuster der expressionistischen Erneuerungsdichtung gegeben: der Führer, der schliesslich in der Masse untergeht – ein Muster, das übrigens dann auch für Rubiners politisches Wirken noch von grosser Bedeutung werden sollte.

Rubiner forderte, dass der Dichter zum „Volksmann" werde und alles aufgab, was ihn bisher auszeichnete, den originellen Gedanken, die subjektive Perspektive, die besondere Form: „Er wagt es, für uns das Wort zu sprechen, auf das Glück und die tolle Gefahr hin, dass es das Wort des Tages ist. Er stürmt für uns vor; er ist der Führer; und um den Preis, dass wir ein Ohr, ein Herzzucken, eine schwingende Masse sind, nimmt er selbst das ewige Vergessen von morgen auf sich,"[60] Er begrüsste 1912 Franz Bleis neue Zeitschrift *Der lose Vogel* als ein „Manifest der Moral," weil hier alle Beiträge anonym erschienen: „Denn wer innerhalb dieser Anonymität noch in Gleichnissen sprechen würde, wer sich spiegeln und gefallen wollte, wer sich

[57] Ludwig Rubiner, ibid., Sp. 342.
[58] Ludwig Rubiner, ibid., Sp. 343.
[59] Heinrich Mann, „Geist und Tat", op. cit., S. 143.
[60] Ludwig Rubiner, „Homer und Monte Christo", in: L.R., *Der Mensch in der Mitte,* Berlin, 1917, S. 62.

genösse, auf den würden seine in die Welt geschickten Kräfte wieder wirkend zurückprallen. Den würden sie verzerren und verzierlichen, den würden sie vereinzeln,"[61]

Auch nach 1912 noch und bis zu seinem Tode 1920 schrieb Rubiner zahlreiche kunstkritische Aufsätze und Rezensionen. Im Unterschied zu früher jedoch lässt er jetzt allein seine neugewonnenen aktivistischen Massstäbe gelten. Während er der Musik als der bequemsten Art, „sich seinen Verpflichtungen zu entziehen," zunehmend misstraute,[62] begrüsste er in der modernen Malerei die Auflösung der räumlichen Wirklichkeit und den visionären Ausdruck. Picasso, Delaunay, Rousseau, Léger fanden seinen besonderen Beifall, von den deutschen Künstlern Schmidt-Rottluff, Kokoschka und die Grafiker Max Oppenheimer und Hans Richter, ein Mitarbeiter der *Aktion.* Den andern rief er zu:

> Maler, wisst, dass Ihr geistige Wesen seid, oder bleibt uns vom Halse! Ihr seid da, um mit der Gabe des Auges unser Geistiges, von dem wir alle herkommen, als Raum in die Welt zu setzen. Wer das tut – weniger: wer das nur versucht -, ist so stark, dass er diese Welt um uns, diese Welt des Angeschwemmten, Versandeten, des selig Breiartigen, des Ruhenden, dass er diese *Welt des Daseienden* in die Luft sprengt. Immer wieder. Maler, du willst; du stürzest die Welt um! oder du bleibst Privatmann.[63]

Von den 344 Bildern der „Freien Secession" die er in Paris ausgestellt sah, genügten diesen Ansprüchen nur die wenigsten. „Dreihundert von ihnen zeigen konzentriert die grösste Schande, die der Gedanke an Deutschlands Willen, Mut und Geist je vorstellen könnte."[64]

Carl Einstein, mit dem Rubiner bis dahin freundschaftlich verkehrt hatte, wehrte sich in der *Aktion* in einem offenen Brief gegen Rubiners Unterfangen, die Kunst „als polemisches Fahrzeug auszuleihen." Malerei sei mehr als die Darstellung von Rubiners „visionärem Raum."[65] Rubiner geht in seiner jetzt folgenden Besprechung der „Neuen Secession" auf diesen Angriff nicht direkt ein, versteift sich aber noch in seiner ideologischen Haltung, wenn er jetzt betont: „Gesinnung, nur durch gefrässige Talentlosigkeit verrufen, ist die Form, in der sich die Leidenschaft der wirklichen Begabung äussert."[66] Unter diesem aktivistischen Aspekt wurde seine Kritik zunehmend zu einem Prozess des Aussonderns nach dem Für und Wider-Prinzip. Heinrich Manns *Untertan* habe nichts mit Kunst zu schaffen, lobte er 1914 in der *Aktion*. Dem

[61] Ludwig Rubiner, „Die Anonymen", *Die Aktion,* 2(1912), Sp. 300/01.
[62] Vgl. Ludwig Rubiner, „Die Anonymen", ibid., Sp. 301.
[63] Ludwig Rubiner, „Maler bauen Barrikaden", *Die Aktion,* 4(1914), Sp. 355.
[64] Ludwig Rubiner, ibid., Sp. 359.
[65] Carl Einstein, „Brief an Ludwig Rubiner", *Die Aktion,* 4(1914), Sp. 383.
[66] Ludwig Rubiner, „Um die Neue Secession", *Die Aktion,* 4(1914), Sp. 405.

Autor gehe es hier um „Geistiges, um Politisches;" die Absicht des Romans sei der „Umsturz," er bewirke, dass „ahnungslose Frauen und Männer politisches Blut eingespritzt bekommen."[67]

Dass Rubiner sich mit diesem „Erzvater des Aktivismus"[68] in dem gleichen Lager glaubte, kann nicht überraschen, nimmt doch dessen Schrift „Geist und Tat" alle wesentlichen Gedanken von Rubiners aktivistischen Aufrufen bis 1914 vorweg. Heinrich Mann geht es hier um die Vergeistigung der Welt, das zentrale Thema auch des Rubinerschen Erneuerungswillens. Er leitet jedoch diesen Vorgang im Gegensatz zu Rubiner von einem konkreten historischen Ereignis her, der Französischen Revolution, die er als die Realisierung einer Idee, von Rousseaus demokratischem Gedanken auffasst. Während Mann die Franzosen für ihren Mut lobte, „den Traum eines Dichters auf die Erde herabzureissen,"[69] betrauerte er die politische Indifferenz seiner Landsleute, ihre Unfähigkeit, Erkenntnisse zur Tat werden zu lassen. „Weder die Abschaffung ungerechter Gewalt noch die Befreiung von den Ansprüchen eines lächerlich gewordenen Glaubens hat Hände bewegt," klagt er. „Man denkt weiter als irgendwer, man denkt bis ans Ende der reinen Vernunft, man denkt bis zum Nichts: und im Lande herrscht Gottes Gnade und die Faust."[70] Statt der tätigen Verbrüderung, „die ein Volk gross macht," habe man sich von einzelnen grossen Männern korrumpieren lassen. Und der „Mensch des Geistes," der Literat, habe diesen Zustand noch gerechtfertigt und beschönigt, sich aus Eitelkeit vom Volk ferngehalten und das parlamentarische Regime verachtet, anstatt sich mit dem Volk gegen die Macht zu verbünden.[71]

Rubiner hat sich trotz dieser erstaunlichen Übereinstimmungen in seinen Manifesten selbst nie auf Mann berufen. Nicht ihn wählte er zum Vorbild des „politischen Dichters", sondern einen anderen Mitarbeiter des *Pan:* Alfred Kerr. Denn obwohl er mit Heinrich Mann in der Aussage konform ging, als politischer Schriftsteller war er ihm nicht konsequent genug, blieb er zu sehr Dichter, und auch als Person eignete er sich in seinem vornehmen Abstand zur jungen Generation nicht zum Muster des Agitators und Volksmannes. Kerrs Forderung nach einer Literatur, die sich moralisch, gesellschaftlich und politisch engagierte, unterschied sich grundsätzlich nicht von der Position Heinrich Manns. Er war aber vager in seiner Benennung konkreter gesellschaftlicher Bedingungen, die eine Veränderung verhindern oder

[67] Ludwig Rubiner, „Der Untertan", *Die Aktion* 4(1914), Sp. 336.

[68] Die Bezeichnung ist Rothe entliehen; vgl. W. Rothe, „Einleitung", in: *Der Aktivismus 1915 – 1920,* hrsg. v. W. Rothe, S. 7.

[69] Heinrich Mann, „Geist und Tat", *Pan,* 1(1910/11), S. 137.

[70] Heinrich Mann, ibid., S. 140.

[71] Vgl. Heinrich Mann, ibid., S. 141 – 143.

fördern konnten. Stattdessen nahm er in seinen Schriften jene agressive Pose ein, die durch das Wort wirken will – eine Pose, die sich Rubiner mitsamt schlagkräftiger Formulierungen und Schimpfwörter gänzlich zu eigen machte. In einem „Brief an die Herausgeber", der in der ersten Nummer des *Pan* erschien, bezieht sich Kerr auf Gespräche, die er mit Paul Cassirer und Julius Meier-Graefe über ihren Plan, eine Zeitschrift zu gründen, geführt hatte und beschreibt nun, wie er sich diese neue Zeitschrift vorstellt:

> Ich wünsche, weil in meinem Dasein die Literatur bloss eine der Ecken ausfüllt, – ich wünsche der Zeitschrift ein ähnliches Dasein. Dem Leben zugewandt. Arm erscheint mir noch die glänzendste Theaterkritik: wenn ein Kampf nicht hindurchschwillt – über das Thema hinaus. Ein elender Kritiker, der nicht Menschen erzittern oder kreischen macht mit Worten, Weisungen, Klängen, woran die (vorwiegend so unbedeutenden) Dichteriche keinen Teil haben. Kritiken bleiben Vorwände. Über das Theater hinaus. . . . Ich weiss, Sie empfinden das.[72]

Er fordert die Herausgeber auf, ohne Furcht, alltäglich zu erscheinen, mit „Fahnen und Fanfaren" hart ins Politische zu gehen, die Leser „zu Handelnden auszubilden" – ein Blatt zu schaffen, „welches die Erbärmlichkeit des gegenwärtigen Bürgers zerpeitscht":

> Helfen Sie: die gebildete Tatlosigkeit der anständigen Menschen als etwas Unanständiges ihnen einzubläuen. Vielleicht kommen Sie dann über Ironie, Kopfschütteln und hochstehend fortschrittliche Feigheit hinweg. Stellen Sie denen als Ideal solche vor: die bei letzter Kultur, bei klingender Künstlerkraft ein Stück Pöbel in sich tragen; ein Stück Waldtier bei aller verfeinten Stadthaftigkeit, sprungmächtig. Die brauchen wir.[73]

Rubiner wurde der hervorragendste Vertreter der „Gabe des Rüdigseins" und der „Lust des Loslegens", wie Kerr sie in diesem Brief von dem idealen Künstler forderte. Kerr habe, so schrieb er 1911 auf eine Anfrage der *Aktion*, „die Notwendigkeit des Ethischen in der Kunst enthüllt" und schreibe eine allgemeinverständliche Sprache: „Er sagt dasselbe, was die Dichter sagen, aber seine Waschfrau kann ihn verstehen."[74] Er empfand seinen agressiven, pathetischen, oft überpointierten Stil als Ausdruck jener „sittlichen Kraft des Destruktiven," die ihm zum Freisetzen des Geistes unerlässlich erschien,[75] und bekannte in seinem Aufsatz „Der Dichter greift in die Politik," der sich im ganzen auf Alfred Kerr als das Vorbild des Aufrührers durch das Wort bezieht:

[72] Alfred Kerr, „Brief an die Herausgeber", *Pan*, 1(1910/11), S. 8.
[73] Alfred Kerr, ibid., S. 10.
[74] Ludwig Rubiner, Antwort auf eine Rundfrage der *Aktion*, *Die Aktion* 1(1911), Sp. 621.
[75] Vgl. Ludwig Rubiner, „Der Dichter greift in die Politik", *Die Aktion* 2(1912), Sp. 649.

> Wir lieben diesen politischen Dichter so, weil er es nicht aushalten kann. Wir waren noch Schuljungen, da hat uns dieser Europäer gelehrt, dass man nicht zu warten braucht. Und dass „Geduld, alles wird sich schon entwickeln" eine Stammtischparole ist. Der Mann, Deutschland von Gnaden geschenkt, war immer eine lebendige Katastrophe. Sein Leben ist ein schon mythenhaftes Beispiel unseres Nicht-Warten-Könnens. Er kam immer mit Sprengungen in eine deutsche Öffentlichkeit, die gewöhnt ist, Schweinereien so lange entrüstet zu bemurmeln, bis sie sich einkalken.[76]

Als Rubiner im Frühjahr 1913 von Paris zu einem kurzen Aufenthalt nach Berlin zurückkehrte, stellte er zu seinem Missvergnügen fest, dass der Psychoanalytiker Otto Gross im Aktionskreis einigen Einfluss gewonnen hatte. Gross, ein Schüler Siegmund Freuds, der sich mit seiner Familie in Österreich überworfen hatte, war nicht lange vorher nach Berlin gekommen, um sich hier eine neue Existenz aufzubauen und fand die tatkräftige Unterstützung der Literaten um Franz Pfemfert. Er hat wesentlich zur Verbreitung Freudscher Theorien unter den Expressionisten beigetragen, versuchte auch ganz bewusst, sich und seine wissenschaftlichen Kenntnisse ihrer Kulturrevolution dienstbar zu machen. Für Rubiner nun aber repräsentierte Gross als Wissenschaftler genau jene intellektuelle Position, von der er das Geistige zu befreien suchte. Nach Paris zurückgekehrt, veröffentlichte er daher eine Reihe von Artikeln gegen ihn in der *Aktion*, gegen die Gross sich dann in der gleichen Zeitschrift verteidigte. Die Kontroverse erhellt Rubiners „Geist"-Begriff als ein viel umfassenderes Konzept als das Wort gemeinhin bezeichnet.

Gross propagierte eine auf Selbsterkenntnis und das Verstehen anderer gegründete Ethik „mit wirklichen Lebenswurzeln," und schrieb, es sei gerade die Aufgabe der Kunst, „durch die letztmöglichen Fragen der Unterbewusstseins-psychologie hindurchzugehen," wenn sie Gemeinschaft schaffen wolle.[77] Dieser grundsätzliche Angriff zwang Rubiner, die gänzlich metaphysische, unwissenschaftliche Bestimmung des Menschen in seiner Idiologie blosszulegen. Er warf Gross „Ahnungslosigkeit" vor, die eine Technik mit dem „Grundantrieb unseres Daseins" verwechselte. Eine Diskussion mit ihm sei gar nicht möglich; Gross spreche die Sprache der Wissenschaft, des Fortschritts, er, Rubiner, die des „Glaubens an den Geist." Er schrieb: „Dem Psychoanalytiker kommt es im wichtigsten (seinem tiefsten) Fall auf die Natur an. Für uns, die wir die Menschen an den Geist erinnern, handelt es sich um den Menschen. Um diese einzige, gläubige Inselexistenz, die – will." Während die Wissenschaft durch die Analyse des individuellen Falles nach seinem Dafürhalten zur Atomisierung der Menschheit beitrug, ging es

[76] Ludwig Rubiner, ibid., Sp. 648.
[77] Otto Gross, „Ludwig Rubiners Psychoanalyse", *Die Aktion*, 3(1913), Sp. 507.

ihm um die „Entgrenzung der Menschen," die ihm nur durch „Bewusstmachung ihrer Existenz als geistiger – ja, unnatürlicher! – Wesen" möglich schien. Statt Abbau psychologischer Hemmungen propagierte er „Befreiung durch die beispielhafte Erinnerung an die absolute Existenz des Geistigen."[78] Ganz ähnlich wie Rubiner die gesellschaftlichen Gegebenheiten pauschal als materialistisch ablehnte und beiseite stellte, lässt seine Erneuerungskonzeption also auch alle psychologischen Gebundenheiten im Individuum ganz bewusst ausser acht, ja sie leugnet sie, ersetzt sie durch eine metaphysische, der Wissenschaft unzugängliche, irrationale, absolute, eben mit „Geist" bezeichnete Qualität.[79]

[78] Ludwig Rubiner, „Uff . . . die Psychoanalyse", *Die Aktion,* 3(1913), Sp. 565 – 567.

[79] Als Otto Gross im Herbst 1913 durch seinen Vater, einen einflußreichen Staatsrechtler, mit Hilfe der deutschen Polizei aus der Jung'schen Wohnung in Berlin entführt und in eine österreichische Heilanstalt verschleppt wurde, unterstützte Rubiner durch einen öffentlichen „Aufruf an Literaten" (*Die Aktion,* 3, 1913, Sp. 1175 – 1180) die Befreiungskampagne, die Erich Mühsam und Franz Jung in der *Revolution* betrieben und die bald auch zur Freilassung des Psychologen führte.

Die Front des Geistes

Im Jahre 1903 hatte sich Rubiner an dem Plan Erich Mühsams und Paul Scheerbarts beteiligt, eine Tageszeitung zu gründen. Der Titel sollte „Das Vaterland" sein, womit aber, wie Mühsam erzählt, „jene weitere Heimat gemeint war, die keine Grenzen hat und den ganzen Kosmos umfasst."[80] Auf Rubiner bezogen ist diese Nachricht aufschlussreich. Weder seine Schriften noch seine Briefe verraten eine emotionelle Bindung an Deutschland, nicht einmal an die Heimatstadt Berlin. Im Schweizer Exil trug er einen österreichischen Pass. Hermann Kesser, ein schweizer Freund, erinnerte sich:

> Er war aus dem Osten stammend, in Berlin in die Welt gekommen und wuchs wie geborenes Ideen-Schicksal, ohne Blick für Himmel, Wolken, Wasser und Wälder, ohne jede tröstende Bodenverbundenheit in die verzehrende Zeit hinein. Er flackerte immer; er ruhte niemals. Einmal frug ich: „Wo fühlen Sie sich am wohlsten?" – „In den ganz grossen Millionenstädten. New York wäre, glaube ich, das Richtigste."[81]

Rubiners Gedicht „Mein Haus" von 1913 drückt dieses Lebensgefühl aus. In einem langen Rundblick registriert es Grossstadtleben: „Die Briefträger führen dicke Taschen auf runde Treppen./ Schläfer träumen oder sind bleich. Laute Lastkutscher schleppen./ Eilige gehn über dunkle Steine. Wagen gleiten./ auf Strassen. Mein Haus. Aus / dem Schornstein steigt Rauch./ Umher sind Sonne. Mond. Die Abendsterne auch."[82] Der Titel signalisiert körperliche Nähe zu dieser Szenerie, das Gedicht geht aber über blosse Feststellungen nicht hinaus. Jeder Ausdruck innerer Beteiligung fehlt, die Gegenstände, die Verrichtungen sind allgemeinster Art.

Rubiners jüdische Abstammung, die ferne Herkunft der Familie, mögen zu dieser Wurzellosigkeit beigetragen haben, die sich auch in seinem frühen Blick über die Grenzen und in seinem rastlosen Wanderleben ausdrückt. Vielleicht bewirkte auch gerade diese Unabhängigkeit, dass ihm die expressionistische Ideologie, die die Menschen unter einer philosophischen Perspektive sah, die das Besondere der gegebenen Lebensbedingungen unberücksichtigt liess und auf den „Geist" als das allen Menschen Gemeinsame zielte, mehr als anderen zur persönlichen Haltung wurde. Sie bewahrte ihn beim Kriegsausbruch vor jeder chauvinistischen Gefühlsregung. Früher als

[80] Erich Mühsam, *Unpolitische Erinnerungen,* Berlin, 1961, S. 96.
[81] Hermann Kesser, „Ludwig Rubiner", *Neue Zürcher Zeitung,* 7. März 1920.
[82] Ludwig Rubiner, „Mein Haus", *Die Aktion,* 3(1913), Sp. 351.

andere empfand er den Krieg als ein Unglück für Europa, als Schicksal des in die totale Abhängigkeit der Materie geratenen Menschen und als Herausforderung an die „Geistigen", ihr Programm in die politische Tat umzusetzen, den Militarismus zu bekämpfen und die Versöhnung der Völker zu betreiben.

Wann er aus Frankreich zurückkehrte, ist nicht genau zu ermitteln. Noch im Mai 1914 berichtete er für die *Aktion* über eine Ausstellung der Berliner „Neuen Sezession" in Paris. Erst fürs Ende des Jahres ist sein Aufenthalt in Berlin nachweisbar. Unter dem 29. Mai 1915 dann verzeichnete in Zürich Hugo Ball in sein Tagebuch: „L. R. ist auch da. Soeben angekommen, traf ich ihn mit seiner Frau beim Café Terrasse."[83] Nach und nach versammelte sich in dieser Zeit in Zürich eine bunte Anzahl politischer Flüchtlinge aus den kriegsführenden Staaten. Hans Arp berichtet:

> Damals war Zürich von einer Armee von internationalen Revolutionären, Reformatoren, Dichtern, Malern, Neutönern, Philosophen, Politikern und Friedensaposteln besetzt. Sie trafen sich vorzüglich im Café Odeon. Dort war jeder Tisch exterritorialer Besitz einer Gruppe. Die Dadaisten hatten zwei Fenstertische inne. Ihnen gegenüber sassen die Schriftsteller Wedekind, Leonhard Frank, Werfel, Ehrenstein und ihre Freunde. . . . Kunterbunt steigen andere Herrschaften in meiner Erinnerung auf: die Dichterin Else Lasker-Schüker, Hardekopf, Jollos, Flake, Perrottet, der Maler Leo Leuppi, der Gründer der „Allianz", der Tänzer Moor, die Tänzerin Mary Wigman, Laban, der Erzvater aller Tänzer und Tänzerinnen, und der Kunsthändler Cassirer.[84]

Rubiner traf in Zürich manche Bekannte aus dem Berliner *Aktions*-Kreis wieder: Schickele hatte seine *Weissen Blätter,* die wegen ihrer pazifistischen Haltung nach Ausbruch des Krieges in Zensurschwierigkeiten gerieten, im April 1915 nach Zürich gerettet, wo sie zum Sprachrohr der bürgerlichen Kriegsgegner wurden. 1914 noch hatte Rubiner in diesem Organ seine Programmschrift „Homer und Monte Christo" veröffentlicht. Jetzt erschienen hier eine ganze Reihe seiner Aufsätze und Rezensionen, ebenso sein Gedichtzyklus „Das Himmlische Licht."[85]
Schickele propagierte 1917 auch Rubiners *Zeit-Echo* als das führende Organ des Aktivismus und druckte dessen Beitrag „Neuer Inhalt" daraus in seinen *Weissen Blättern* ab.[86]

[83] Hugo Ball, *Die Flucht aus der Zeit,* München und Leipzig, 1927, S. 23. Ball bezeichnet Rubiner auch an anderen Stellen dieses Tagebuchs sowie auch in seinen Briefen mit diesen Initialen.

[84] Hans Arp, *Unsern täglichen Traum,* Zürich, 1955, S. 59.

[85] *Die Weißen Blätter,* 3(1916), H. 5, S. 91 – 114.

[86] *Die Weißen Blätter,* 4(1917), H. 2, S. 264/65.

Ferdinand Hardekopf, den Rubiner einmal als seinen „einzigen Freund" und „den einzigen ganz ehrenhaften Mann" den er kenne, bezeichnete,[87] traf Anfang 1916 in Zürich ein. Wie Rubiner war er einer der frühen Mitarbeiter an Waldens Zeitschriften *Der Morgen, Das Theater* und *Der Neue Weg* gewesen, beide hatten sich 1911 dem Kreis um Franz Pfemfert angeschlossen. Rubiner widmete ihm das Gedicht „Attentat in der Rue. . ." und sein lyrisches Werk „Das Himmlische Licht." Wie weit seine Bewunderung für Hardekopf ging, demonstriert 1916 seine Rezension von dessen *Lesestücken* in den *Weissen Blättern*. Hier preist Rubiner diese Sammlung von Gedichten, Essays und Novellen als ein in jeder Zeile vollkommenes Kunstwerk, als eine Bereicherung der deutschen Literatur, obwohl ihm klar ist, dass es „allein für die Beseligung des Aufnahmeprozesses zwischen Leserauge und Leserglück" geschrieben wurde.[88] Der Leser werde nach der Lektüre des Buches entlassen. Handeln sollc cr danach nicht. Die Welt werde „als Gegebenes" hingenommen, und das Erhabenste, was ein Mensch erreichen könne, sei es, aus den Ereignissen Abstraktionen zu gewinnen. Hardekopf verzweifle an der Wirklichkeit, merkte Rubiner an. „Aber sein Schluss ist nicht (wie ich persönlich ihn ziehen müsste): wenn das Dasein nicht richtig gelingt, müssen wir . . . es richtig *machen!*" Daher helfe das Buch nicht weiter.[89] Niemand anders verzieh Rubiner in diesen Jahren eine solche Resignation, niemandem sonst, der diesen Mangel an Aktivismus zeigte, hielt er ästhetisches Können zugute.

Andere Bekannte aus dem *Aktions*-Kreis, die sich in Zürich einfanden, waren der Graphiker Hans Richter, der 1917 Rubiners *Zeit-Echo* illustrierte, Christian Schad und Albert Ehrenstein. Mit Iwan und Claire Goll, die das Nachbarhaus in der Harlaubstrasse bewohnten, kam Rubiner viel zusammen, im Hause von Vera und Charlot Strasser begegnete er Franz Werfel. Mit diesem gehörte er zu dem Züricher Kreis um Ferruccio Busoni, zu dem auch Schikkele, Leonhard Frank und Iwan Goll zählten. Auch Stefan Zweig, Fritz von Unruh und der Berliner Verleger Paul Cassirer wohnten damals in Zürich.

Rubiner versuchte eine Gruppe von Intellektuellen an sich zu ziehen, die Hugo Ball dann spottend als „Moraliker" bezeichnete.[90] Zu ihr gehörten Ehrenstein, Frank, Hardekopf, Schickele, Charlot Strasser und Hans Richter. Sie verband ein unbedingter Pazifismus und das Streben nach Völkerversöhnung. Und ihr Zusammenschluß bedeutete für Rubiner nichts weniger als

[87] In einem Brief an Alfred Richard Meyer vom 4. Februar 1913, zitiert nach dem Original im Deutschen Literaturarchiv, Marbach.

[88] Ludwig Rubiner, „Das Paradies in Verzweiflung", *Die Weißen Blätter,* 3(1916), H. 7, S. 98.

[89] Ludwig Rubiner, ibid., S. 100.

[90] Hugo Ball, Brief an August Hofmann vom 26. Juni 1917, zitiert nach: Hugo Ball, *Briefe 1911 – 1927,* Einsiedeln, Zürich, Köln 1957, S. 82.

das Umsetzen seines auf die Gemeinschaft der Geistigen zielenden Programms in die Tat. Unermüdlich suchte er daher auch den Kontakt mit französischen Pazifisten wie Romain Rolland und Jean Jouve, die wegen ihrer pazifistischen Schriften von französischen Militärgerichten verfolgt ins Valis geflüchtet waren und Henri Guilbeaux, der nach der Veröffentlichung seiner Antikriegsschrift „Demain" in absentia zum Tode verurteilt worden war und jetzt in Genf lebte.

Hans Richter gibt ein anschauliches Bild von der Anteilnahme Rubiners an dem Zeitgeschehen, seinem leidenschaftlichen Wunsch zu wirken:

> Seinen schweren grossen Körper rastlos in den Zimmern seiner Wohnung in der Hadlaubstrasse hin- und hertragend, posaunte er seinen Zorn, ein wahrer Cherubiner. Seine Frau Frida beugte sich in solchen Stürmen wie ein Rohr im Winde und blieb unbeschädigt. Sein rosiges Babygesicht, dem er einen kleinen Schnurrbart zugefügt hatte, errötete vor Wut, wenn er von dem Entsetzen in der Welt sprach, das ihn nicht mehr losliess. Er litt. Was er tat, schrieb, sagte, verdammte, war nur der Ausdruck dieses steten Leidens, das er für die Leiden (und in diesen für sich) fühlte. Sich selbst aufgeben, eingehen in diesen Leiden, war seine Natur.[91]

Richter gibt auch ein Beispiel für Rubiners Auftreten in der Öffentlichkeit:

> Als Friedrich Adler, der österreichische Sozialist, 1917 in einem Verzweiflungs-Protest gegen den Krieg den Grafen Stürk erschoss, ging eine Welle von leidenschaftlicher Emotion durch die Antikriegs-Kreise, auch in der Schweiz. Leidenschaftlich erregte Versammlungen wurden veranstaltet. In einer solchen Versammlung, in der Eintracht in Zürich, stand Rubiner auf und richtete vom Podium her eine Ansprache an die Versammelten. Die Rede schien mir konfus, aber die Erregung, mit der sie dargeboten wurde, ersetzte den Inhalt.[92]

Seine grosse persönliche Empfindlichkeit machte es Rubiner schwer, ein unbeschwertes Verhältnis mit anderen zu pflegen. Er fühlte sich leicht angegriffen, vermutete überall Denunzianten und sparte nicht mit Grobheiten jenen gegenüber, von denen er sich beleidigt fühlte. Seine Korrespondenz liefert dafür schon früh beredte Beispiele. An Walden zum Beispiel hatte er am 8. Mai 1902 bemerkt, ihm sei die „Abwehr von Schweinen" wichtiger als der Ruhm, „in Differenzen einen Stiernacken zu haben."[93] Glaubte er sich von Bekannten missverstanden, so legte er in seitenlangen Briefen an sie seinen Standpunkt dar oder zog sich verletzt vor ihnen zurück. Bezeichnend ist eine Briefstelle vom 20. Januar 1916 an Franz Blei, wo es heisst:

[91] Hans Richter, *Dada-Profile,* Zürich, 1961, S. 90.
[92] Hans Richter, ibid., S. 44.
[93] Ludwig Rubiner, Brief an Herwarth Walden vom 8. Mai 1902, zitiert nach dem Original in der Staatsbibliothek Preußischer Kulturbesitz, Berlin.

> Ich war bis in den Sommer vergangenen Jahres hinein in Berlin. Zu gern hätte ich Sie aufgesucht und mit Ihnen gesprochen. Indessen, eine ebenso dumme wie ekelhafte Denunziation gegen mich und deren Folgen brachten mich in einen Zustand äusserster Verletztheit. Ich hielt mich notgedrungen vollständig isoliert und glaubte fest, dass es jedem anderen ebenso ergehe.[94]

Zunehmend auch engte sein weltanschauliches Engagement seinen Umgang ein. Seine Denkart ging so sehr aufs Grundsätzliche, dass ihm alles Private und Persönliche immer gleichgültiger wurde. „Seit 1911 waren wir Freunde," berichtet Kurt Hiller schon über die Zeit vor dem Krieg. „Sehr unprivate Freunde, jeder vom persönlich-äussern Sein des anderen wenig wissend, auch wenig willens zu wissen; dafür im Sachlichen um so leidenschaftlichere Freunde. Unsere Gespräche, oft viele Stunden während, jede Minute dichtest angefüllt, in Stuben, Cafés, Strassen ... Gespräche immer in gerader Richtung auf das Wesentliche, zeitlich sich abwandelnd Zeitlose los."[95]

Wolfgang Rothe schrieb über die Aktivisten vom Schlage Rubiners, sie seien keine engen Ideologen, keine romantisch-schwärmerischen Jünglinge gewesen, „denen die Fülle der Wirklichkeit nicht in die Augen kam."[96] Gewiss, Rubiner war weder ein bloss wirrer Hitzkopf noch ein blosser Abstraktionist. Und doch war sein Blick auf die Wirklichkeit schon früh durch seine starke Neigung zu werten verengt. Er ging Probleme nicht fragend sondern urteilend an und schied damit ganz bewusst alles von einer näheren Betrachtung aus, was ihm im Lichte seines Wollens unwesentlich schien. Das „Ja zu einem unbegrenzt offenen Horizont des Denkens und Fühlens," das Rothe in allen Aktivisten sehen möchte,[97] will daher auf Rubiner nicht passen. Und gewiss: der „typisch deutsche Diskussiönchenstil" kommt, wie Rothe meint, hier nicht auf;[98] umso mehr jedoch eine vielleicht nicht weniger typische Unart jener Idealisten: nämlich die des Belehrens.

Wer bereit war, auf seine Denkart einzugehen, entzündete seinen Drang, sich zu erklären. Hermann Kesser erinnert sich:

> Niemand, der ihm begegnete, entzog sich. Er war eine Atmosphäre, immer mit Auseinandersetzung und Diskussion geladen, immer „prinzipiell." Er verbreitete nicht nur die eigenen Grundsätze, er pflanzte allgemein die Neigung ein, Grundsätze zu haben und sich durch den Zustand der Welt hindurchzudenken, sich zu positiven und negativen Vorzeichen zu entschliessen.[99]

[94] Ludwig Rubiner, Brief an Franz Blei vom 20. Januar 1916, zitiert nach dem Original in der Deutschen Staatsbibliothek, Berlin.
[95] Kurt Hiller, „Ludwig Rubiner tot", *Das Ziel*, 4(1920), S. 53.
[96] Wolfgang Rothe, „Einleitung", in: *Der Aktivismus 1915 – 1920*, S. 8.
[97] Wolfgang Rothe, ibid., S. 12.
[98] Wolfgang Rothe, ibid., S. 12.
[99] Hermann Kesser, „Ludwig Rubiner", *Neue Zürcher Zeitung*, 7. März 1920.

Manche fühlten sich durch Rubiners Hang zum Unbedingten, seine heftige Art und seine Empfindlichkeit abgestossen. „Der bleiche, verfolgte, gejagte Tasso," nannte ihn Hugo Ball abfällig.[100] Umgekehrt hatte Rubiner für die grotesken Spässe der Dadaisten im „Cabaret Voltaire" kein Verständnis. Zwar waren auch sie für den „ganzen Menschen" und gegen den Krieg, aber die Auseinandersetzung ging für sie doch stets im Gebiet der Kunst vor sich, der Rubiner längst die Autonomie abgesprochen hatte. So hing schliesslich seine ganze Hoffnung an den wenigen Menschen des Geistes: „Immer wieder richtet er sich weithin sichtbar auf in Einzelnen und in kleinen Gruppen, den Frühen, den inspirierten Eingeweihten der menschlichen Freiheit, jenen, die nie Vergleiche mit der Macht des Ungeistes schlossen und die märtyrerhaft geschmäht und verfolgt noch im qualvollsten Tode verkünden, dass sie Söhne der Idee waren.[101] Auf einer Postkarte an Franz Blei bezeichnete er diese Gruppe von Eingeweihten als „Urchristen."[102] Und wie bitter ernst es ihm mit diesem Wort war, zeigt seine Antwort auf Bleis Einwand, die Welt würde über Rubiners Ideen nur lachen: „Nein, die Welt lacht nicht, wie Sie behaupten. Nur Esotheriker lachen. . . . Die Menschen, die die Wandbilder in der Lucina-Katakombe malten, hätten nicht gelacht."[103]

Diese Äusserungen bestätigen, was Richter über Rubiners Leiden für die Menschen schrieb (siehe oben), ein Märtyrerbewusstsein, das mit einem ausgeprägten Hang zur Selbstgerechtigkeit einherging. Die eigene unbedingte Prinzipientreue geriet ihm zum Massstab der Bewertung anderer. Er teilte die Menschen ein in solche, die der „Idee" folgten und alle anderen, die er mit einem nicht versiegenden Schwall von Schimpfworten bewarf. Nie verzeihen konnte er jenen, die sich erst im Verlaufe des Krieges zu Pazifisten wandelten. Als der Dichter Klabund, der sich seit 1916 ebenfalls in der Schweiz aufhielt, im Mai 1917 einen offenen Brief an Kaiser Wilhelm II. richtete, um ihm „den letzten möglichen Weg zur Umkehr" zu zeigen, wie er später erläuterte,[104] hielt Rubiner ihm im *Zeit-Echo* ein Gedicht Klabunds vom Kriegsbeginn vor, das zum freiwilligen Felddienst aufruft und beschimpfte ihn als „Konjunkturbuben", der, um sich beliebt zu machen, nun plötzlich mit revolutionären Phrasen hervortrete.[105] Klabund wehrte sich mit einem offenen Brief: Wenn er im August 1914 gefehlt habe, so liege seine Schuld in seiner früheren Gefühlspolitik, die allerdings weniger verwerflich sei als Rubiners

[100] Hugo Ball, Brief an Emmy Hennings vom Januar 1918, *Briefe 1911 – 1917,* S. 103.
[101] Ludwig Rubiner, „Mitmensch", *Zeit-Echo,* 3(1917), Maiheft, S. 12.
[102] Ludwig Rubiner, Postkarte an Franz Blei vom 2. November 1916, zitiert nach dem Original in der Deutschen Staatsbibliothek, Berlin.
[103] Ludwig Rubiner, Postkarte an Franz Blei vom 2. November 1916, zitiert nach dem Original in der Deutschen Staatsbibliothek, Berlin.
[104] Vgl. Klabund, „Pro Domo", *Menschen,* 2(1919), H. 5, S. 20.
[105] Ludwig Rubiner, „Kulturbuben", *Zeit-Echo,* 3(1917), Juniheft, S. 32.

gewissenloser Fanatismus: „Legen Sie ab den unerträglichen geistigen Hochmut, als hätten Sie und Ihresgleichen die Gesinnung gepachtet. Als sei es Kulturphilosophie, sich im Laufe von drei Jahren zu entwickeln und vielleicht gar ähnlicher Meinung zu werden wie Sie."[106]

Schliesslich veranlasste Rubiners Missionseifer auch Freunde, sich von ihm abzuwenden. „Auf die Mitarbeit am Sankt-Ludwigs-Blatt habe ich verzichtet," schrieb Hardekopf im Dezember 1916 an Olly Jacques.[107] Dieser Verlust für sein *Zeit-Echo* war Rubiner so schmerzlich, dass er sich fortan weigerte, mit Hardekopf zusammenzutreffen. Noch deutlicher setzte sich jener dann von Rubiners Partei ab, als er im Juni 1917 in der „Galerie Dada" las. Hans Richter schreibt über Ferdinand Hardekopf:

> Er bejahte die Zerstörungslust Dadas einer Zeit gegenüber, die wenig Nobles hervorbrachte, und einer Zukunft, die wenig versprach. Aber er misstraute doch gleichzeitig dem tolstoianischen Weltverbesserungsglauben, Golls allumfassender Menschenliebe oder der Behauptung, dass der Mensch etwa gut sei. . . . Er schüttelte den Kopf über Rubiners drohend vorgetragene Brüderlichkeit. Dabei war er in einem absoluten, nicht in einem sentimentalen Sinn für Frieden, Verständigung und Duldsamkeit. Aber wenn auch romantisch als Dichter, war er doch politisch realistischer als Frank, Rubiner und Goll, aus einem Herzen, das obgleich verletzt, den Menschen als die schwache Canaille und den noch schwächeren Heiligen sah.[108]

Auch Schickele muss jetzt Wert darauf gelegt haben, von anderen nicht zu sehr mit Rubiner in Zusammenhang gebracht zu werden. Jedenfalls bat er Franz Blei im November 1916, Beiträge für die *Weissen Blätter* nicht über diesen einzuschicken. „Lassen Sie doch den Rubiner aus dem Zwischenspiel. Er ist ein denkbar schlechter Agent und Liaison," schrieb er ihm. „Ausserdem verwechselt er seine Militärgeschichten mit einer pragmatischen Philosophie, seine hysterischen Ausbrüche mit Whitmannscher Rhythmik."[109]

Der einzig wirkliche und bleibende Freund Rubiners in der Schweiz scheint Busoni gewesen zu sein. Auch ihre Beziehung reicht in die Vorkriegszeit zurück. Als Rubiner studierte, spielte Busoni in Berlin als Förderer der zeitgenössischen und ausländischen Musik eine ähnliche Rolle wie Walden für die Malerei und Pfemfert dann für die jüngste Literatur. Rubiner war schon damals mit dem Werk Busonis vertraut, seine Musikästhetik besprach

[106] Klabund, „Herrn Ludwig Rubiner, Zürich", *Menschen,* 2(1919), H. 5, S. 21.

[107] Ferdinand Hardekopf, Brief an Olly Jaques vom 10. Dezember 1916, zitiert nach dem Original im Deutschen Literaturarchiv, Marbach.

[108] Hans Richter, *Dada-Profile,* Zürich, 1961, S. 47/48.

[109] René Schickele, Brief an Franz Blei vom November 1916, zitiert nach dem Original in der Deutschen Staatsbibliothek, Berlin. Mit „Militärgeschichten" sind vermutlich Rubiners Antikriegsschriften gemeint.

er 1910 in der *Gegenwart*.[110] Beide waren Mitarbeiter am ersten Jahrgang des *Pan*. Im Herbst 1915 zog Busoni nach Zürich, und seinen Briefen nach zu urteilen gehörte Rubiner dort zu seinen engsten Freunden. Er verehrte Rubiners Gesinnungskraft und Intelligenz, berichtet Hans Richter.[111] Er teilte dessen Pazifismus und fand wie dieser am Dada und seiner „gestammelten Dichtung" keinen Gefallen. In Schickeles *Weissen Blättern* pries Rubiner den Freund 1916 als „den grössten Musiker unter den heute Lebenden."[112] Der Beitrag ist mit „Tröster" überschrieben. Und er feiert hier Busoni als einen, der die Menschen in der Nacht des Krieges durch seine Musik heile: „Wer dem Riesenpfeifen der Katastrophe nicht nachläuft, wer den schrillen, schwirrenden Umlauf der Gigantenmesser nicht mitmacht, der kann unser Arzt sein. Und ist er mehr, ist er Schöpfer, so wird er uns führen."[113] Busoni dankte Rubiner, indem er in das erste Exemplar seiner Bearbeitung der Bachschen Fugen und Präludien schrieb: „Der Tröster dem Helfer."[114]

Während seines freiwilligen Exils in Zürich blieb Rubiner in enger Verbindung mit Franz Pfemfert. Die *Aktion* war inzwischen, was den Krieg angeht, der Zensur wegen zum Schweigen verurteilt. Nur die Rubrik „Ich schneide die Zeit aus", in der Pfemfert die schlimmsten Auswüchse von Kriegshetze in der bürgerlichen Presse kommentarlos abdruckte, dienten als eine getarnte Anklage gegen den Krieg. In den seit 1914 in der *Aktion* erschienenen „Versen vom Schlachtfeld" gewannen Chaos und Grauen des Krieges expressionistisch-ekstatischen Ausdruck. Ehrenstein, der sich neben Rubiner in Zürich aufhielt und an dessen *Zeit-Echo* mitwirkte, war hier ein Hauptbeiträger. Dass Pfemfert die Kunst immer ausschliesslicher in den Dienst der Politik gestellt wissen wollte, wurde erst am Ende des Krieges deutlich. Rubiners Schriften zeigen die gleiche Tendenz, er konnte ihr aber in der Schweiz schon offen Ausdruck geben.

Er machte 1917 in seinem *Zeit-Echo* auf die *Aktion* aufmerksam als die einzige deutsche Zeitschrift, die schon vor dem Krieg „bewussten Willens, unnachgiebig gegen bedrängende Kriegsmächte, eine Arche war, in der die Geistigen der Gegenwart ihre Kunst und ihr Denken in eine neue Epoche hinüberretten konnten."[115] Er druckte auch, um das zu dokumentieren, im Juliheft des *Zeit-Echo* einen vorausschauenden Artikel Pfemferts von 1912 ab, wo dieser vor dem Ausbruch eines Krieges und seinen Folgen warnt.

[110] Ludwig Rubiner, „Ferruccio Busonis Musikästhetik", *Die Gegenwart*, 39(1910), S. 29 – 31.
[111] Vgl. Hans Richter, *Dada-Profile*, S. 43.
[112] Ludwig Rubiner, „Tröster", *Die Weißen Blätter*, 3(1916), H. 5, S. 180.
[113] Ludwig Rubiner, ibid., S. 182.
[114] Vgl. Hans Richter, *Dada-Profile*, S. 43/44.
[115] Ludwig Rubiner, „Nachschrift", *Zeit-Echo*, 3(1917), Juliheft, S. 9.

Gleichzeitig verwies Pfemfert in Deutschland auf Rubiners *Zeit-Echo* als einem Bruderorgan der *Aktion.* Er widmete dem Kameraden 1917 ein Sonderheft der *Aktion,* in der Rubiners gewichtigste Programmschrift dieser Zeit, „Der Kampf mit dem Engel", erschien,[116] geschmückt mit einem Titelblatt Conrad Felixmüllers und Zeichnungen von Wilhelm Lehmbruck und Hans Richter. Im gleichen Jahr erschien in Pfemferts *Politischer Aktionsbibliothek* Rubiners *Der Mensch in der Mitte*[117] und in Pfemferts Lyrik-Anthologie *Das Aktionsbuch* von 1917 fanden fünf seiner Gedichte unter dem Titel „Zurufe an die Freunde" Aufnahme.[118]

Die Herausgabe der Zeitschrift *Zeit-Echo* übernahm Rubiner 1917. Das Organ war drei Jahre vorher als „Kriegstagebuch der Künstler" gegründet worden und hatte sich in seinem ersten Jahrgang bemüht, Schriftstellern und Malern jeder Richtung Gelegenheit zu geben, die Wirkung des Krieges auf ihr Werk zum Ausdruck zu bringen und zum Krieg selbst Stellung zu nehmen. Eine politische Richtung vertrat das Blatt damals nicht, so dass neben Pazifisten auch Patrioten und Kriegsbegeisterte darin zu Wort kamen. Hans Siemsen, der Schriftleiter des 2. Jahrgangs machte aus dem Kriegstagebuch eine Zeitschrift und verlieh ihr einen pazifistischen Charakter. Rubiner nun, der den Ort des Erscheinens von München nach Zürich verlegte und das Blatt damit der kaiserlichen Zensurgewalt entzog, machte es zu einem Organ seines Kampfes für die „Idee vom Mitmenschen" und gegen den Krieg.

Jedem der vier im Jahr 1917 erschienenen Hefte setzte er die Worte voran: „Die Zeitschrift ist keine bibliophile, sondern eine moralische Angelegenheit. Nicht aufgenommen werden Werke irgend einer Unterhaltungsabsicht, beschreibende Zeichnungen, Gedichte, Novellen und Betrachtungen, die allein der Erklärung und der Bildung dienen. Zur Veröffentlichung zugelassen sind nur fordernde Formulierungen von europäischer Gesinnung." Für das Maiheft schrieb Rubiner alle Beiträge selber, in den übrigen drei finden sich neben seinen eigenen Aufsätzen, Glossen, Polemiken und Rezensionen zwei Drucke von Hans Richter und Beiträge von Döblin, Friedrich Mark, Frida Ichak, Albert Ehrenstein, Hans Richter, Hans Siemsen, Theodor Tagger, Claire Studer, Iwan Goll, Otto Freundlich, Erwin Lewin-Dorsch, Leo Tolstoi, Alfred Wolfenstein, Leonhard Frank, Gustav Schulz und Hans Kelso. Jedes Heft enthielt vier bis fünf Artikel oder kurze Prosa-Dichtungen und eine Reihe von Rezensionen und Polemiken unter der Rubrik „Menschen, Bücher, Zeitschriften."

[116] *Die Aktion* 7(1917), Heft 16/17.

[117] Ludwig Rubiner, *Der Mensch in der Mitte,* Verlag der Wochenschrift Die Aktion, Berlin-Wilmersdorf, 1917.

[118] Ludwig Rubiner, „Zurufe an die Freunde", *Das Aktionsbuch,* hrsg. v. Franz Pfemfert, Berlin 1917, S. 15 – 22.

Alle Beiträge Rubiners zu seiner Zeitschrift waren programmatischer Natur. Aus dem Erlebnis des Krieges, der die Menschen in einen Abgrund materieller Interessengegensätze zu ziehen drohte, rief er nach einem radikalen Neuanfang im Geiste. Er suchte in seinen Mitmenschen das „Bekenntnis des Absoluten", die „Entscheidung zur Unbedingtheit", und setzte über alle Begrenztheit der Realität eine neue „Erdballgesinnung." Als Beiträger zu seinem *Zeit-Echo* liess er nur solche zu, die mit seiner aktivistischen Ideologie gänzlich übereinstimmten, deren Schreiben er als einen Akt „der menschlichen Liebestätigkeit" ansehen konnte.[119] Auch hier finden sich daher mehr Manifeste und Aufrufe als literarische Beiträge im eigentlichen Sinne. So plädierte im Juniheft Albert Ehrenstein für Nächstenliebe und Hans Richter für die „Geistwerdung des Menschen" (S. 20), im Juliheft ruft Hans Siemsen zum Frieden auf, schreibt Theodor Tagger über „Daseinsgewissheit des Geistes" (S. 6) und fordert Claire Studer die „Mitarbeit an der Vergeistigung und Verbrüderung aller Menschen" (S. 21), mahnt Alfred Wolfenstein, die Schrecken des Krieges im Frieden nicht zu vergessen (S. 22/23). In Leonhard Franks Erzählung „Das Liebespaar", das sich in demselben Heft findet, kommt ein junger Philosoph in den Wirren des Krieges zu der Einsicht: „Es gibt zwei Pole, das korrumpierte, krummgenagelte Weltgeschehen und das höchste, herrlichste Ziel für den Menschen: das ‚Reine Ich' und eine menschliche Gemeinschaft, für die er als Reines Ich handeln, leben und auch sein Leben hingeben kann."[120]

In der Rubrik „Menschen, Bücher, Zeitschriften" stellte Rubiner Polemiken und Rezensionen zusammen, das meiste auch hier von ihm selbst. Der Ton ist noch agressiver als in den Artikeln. Er konnte sich des Lobes an Verbündeten nicht Genüge tun und geisselte in anderen „die menschenferne Lässigkeit, jene ethische Passivität, die nicht nur den Krieg möglich werden liess, sondern das Innere des Krieges selbst ist."[121] Von jenen, die „dem Weltmord der Vernunft Beifall schrien," verlangte er ein öffentliches Schuldbekenntnis.[122] Ganz ähnlich wie Pfemfert in seiner *Aktion,* druckte Rubiner auch kriegstreiberische Äusserungen der deutschen Presse ab, nur konnte er ihnen, weil von der Zensur weniger bedroht, die eindeutige Überschrift „Dokumente des Irrsinns" geben. Auch machte er nach Kräften auf Veröffentlichungen, Zeitschriften und Zeitungen aufmerksam, die wie er gegen den Krieg wirkten und eine Versöhnung der beteiligten Völker anstrebten, auf die französische Zeitschrift „Demain" von Henri Guilbeaux,

[119] Ludwig Rubiner, „Organ", *Zeit-Echo,* 3(1917), Maiheft, S. 1.
[120] Leonhard Frank, „Das Liebespaar", *Zeit-Echo,* 3(1917), August-Septemberheft, S. 36.
[121] Ludwig Rubiner, „Die neue Schar", *Zeit-Echo,* 3(1917), August-Septemberheft, S. 7.
[122] Vgl. Ludwig Rubiner, „Ihr wollt es nicht gewesen sein", *Zeit-Echo,* 3(1917), Juliheft, S. 18.

auf Schickeles *Weisse Blätter,* auf die französische Zeitung *Homme de Jour,* auf Jean Debrit und seine Zeitschrift *La Nation.* Er zitierte aus diesen Organen, um chauvinistischen Feindbildern deutscher Publikationen völkerverbindende Ansätze entgegenzusetzen. Wo er auf zeitgenössisches Schrifttum einging, verwies er vornehmlich auf Schriftsteller, die er als Mitstreiter ansah, auf Sternheim zum Beispiel, Döblin, Rudolf Leonhard und Iwan Goll, auf solche also, denen er sein *Zeit-Echo* zur Verfügung stellte. Er gab hier von vornherein zu verstehen: „Ich treibe nicht Kunstkritik, sondern ich zeichne die heute mögliche Äusserung des Geistigen in der Welt auf."[123] Sternheim bezeichnete er als einen „Dichter der neuen Geistliebe,"[124] Hasenclever war ihm „ein Kamerad, der die Änderung der Welt durch den Strahlendruck des Geistigen selbst für die Sphäre der verfettetsten Wirksamkeit erstrebt, fürs Theater."[125]

So überstiegen die Forderung nach globaler Erneuerung in dieser Zeitschrift oft erscheint – Rubiner machte sich keine Illusionen darüber, wie klein die Schar derer war, die sich seiner Ideologie des Geistes verschrieb. „Wir stehen noch *vor* dem Anfang," gestand er in seinem Artikel „Die neue Schar." Aber er sah in diesen wenigen doch die einzige Hoffnung für eine bessere Zukunft: „Genau auf dem Grade ihrer Geistigkeit steht die gesamte Geisteskraft unserer heutigen Menschenexistenz über die Erde hin."[126]

[123] Ludwig Rubiner, „Alfred Döblin: Die drei Sprünge des Wang-Lun", *Zeit-Echo,* 3(1917), Maiheft, S. 20.

[124] Ludwig Rubiner, „Carl Sternheim: Meta", *Zeit-Echo,* 3(1917), Maiheft, S. 19.

[125] Ludwig Rubiner, „Bühne der Geistigen", *Zeit-Echo,* 3(1917), Maiheft, S. 22.

[126] Ludwig Rubiner, „Die neue Schar", *Zeit-Echo,* 3(1917), August-Septemberheft, S. 3/4.

Der Mensch in der Mitte

Wie bei anderen Expressionisten waren Rubiners Vorstellungen zur Erlösung der Menschheit kein originelles Konzept sondern eine heterogene Ideologie, deren verschiedene Aspekte auf ganz verschiedenen Einflüssen basieren. Drei Schwerpunkte lassen sich immerhin feststellen, zentrale Ideen, die durch die Begriffe „Geist", „Liebe" und „Tat" markiert sind. Wolfgang Rothe sah das Besondere und Achtenswerte des Aktivismus in „dem schier beispiellosen Zutagetreten von – im doppelten Wortsinne: reinem Geist, dem seltenen Anblick einer elementaren Besinnung auf die sittlichen Elemente der Menschengeschichte, endlich von einer – angesichts der allgemeinen Erschöpfung – in seiner Stärke fast unfassbaren Eruption seelischer Energie."[127] Auf Rubiner lässt sich diese Feststellung ohne weiteres übertragen, weniger allerdings, was Rothe über „Geist" als den aktivistischen Schlüsselbegriff ausführt: der naheliegende Irrtum müsse abgewehrt werden, hier werfe der Idealismus einen Nachschein ins 20. Jahrhundert. Mit Hegels Weltgeist habe dieser „Geist" trotz seiner dynamischen Oualität „kaum etwas zu tun."[128] Für Kurt Hiller, den zweiten führenden Kopf der Aktivisten, mag das zutreffen. Rubiners Denkansatz jedoch ist Hegels Geistphilosophie im Tiefsten verwandt. Zwar lässt sich der spärlichen biographischen Zeugnisse wegen nicht nachweisen, ob er mit Hegels Schriften vertraut war. Dass er darin als Student der Philosophie gelesen hatte, ist immerhin möglich. Auch mag seine Bekanntschaft mit Gustav Landauer, der sich ausdrücklich auf Hegels Geist-Prinzip berief und Rubiners politisches Denken beeinflusst hat, hier anregend oder vertiefend gewirkt haben. Wie dem auch sei, ein Vergleich mit Hegel soll hier angestellt werden, um Rubiners besonderen Ideen von „Geist", „Freiheit", „Wert" und „Gemeinschaft" zu präzisieren. Zweierlei ist zwar zu beachten: erstens unterliegt Rubiners Geist-Konzeption auch anderen (zeitgenössischen) Einflüssen, und zweitens ging es ihm nicht um eine Theorie, sondern um ein Programm; er war kein Philosoph, der über die Menschheitsentwicklung philosophierte, sondern ein persönlich Betroffener, für den alles Denken aufs praktische Wirken zielte, der sich mit Deutungen nicht begnügte, sondern anwendbare Lösungen

[127] Wolfgang Rothe, „Einleitung" in: *Der Aktivismus 1915 – 1920,* S. 11.

[128] Wolfgang Rothe, ibid., S. 15. Auch F. N. Mennemeier meint über Rubiner: „Wie viele expressionistische Theoretiker schreibt der Autor außerhalb eines festen Traditionszusammenhangs." Franz Norbert Mennemeier, *Modernes Deutsches Drama,* Bd. I: 1910 – 1913, München, 1973, S. 18.

wollte. Da nun aber sein Verhältnis zur realen Wirklichkeit, auf die sich der Drang nach Taten bezog, von vornherein durch Hegels Idealismus vorgeprägt war, lag der Ansatz zu diesen Lösungen nicht in der Wirklichkeit selbst, sondern im „Geist". Und das gleiche gilt für das Ziel allen Wirkens: Auch da wo Rubiner sich moderner soziologischer Begriffe bedient, bleibt die letzte Stufe der von ihm propagierten Erneuerung inhaltlich an die abstrakte Hegelsche Idee von der Selbstverwirklichung des Geistes gebunden.

Das geeignetste Material für eine Analyse von Rubiners Erneuerungs-Konzeption bietet sein ideologisches Hauptwerk *Der Mensch in der Mitte,* eine Broschüre, in der er 1917 seine wichtigsten programmatischen Schriften zusammenfasste. „Die stärkste Forderung des Menschen heisst: DER MENSCH IN DER MITTE. Das ist der Ruf nach grösster Menschlichkeitsnähe. Nach grösster Liebe," heisst es in der Vorbemerkung.[129] Den Menschen aus den materiellen Determinationen der Zivilisation zu befreien und damit wieder in sein Recht und seine Würde als das einzig geistige Wesen einzusetzen, war für Rubiner wie für alle Expressionisten das generelle Ziel der Erneuerung. In seinem Aufsatz „Die Änderung der Welt", der schon in Hillers *Ziel-Jahrbuch* von 1916 erschienen war, streitet er gegen die materialistische Definition des Menschen als ein Wesen der Natur und verweist an den Geist als das einzige Mittel der Befreiung aus dem Reich „des Notwendigen", als die Möglichkeit, einen unabhängigen Standpunkt dem Leben gegenüber zu gewinnen.[130] Wie viele sah er in dem auf materiellem Besitz gegründeten Kapitalismus ein Gesellschaftssystem, das der Vergeistigung, der Befreiung des Menschen, im Wege steht. Der Ansatzpunkt der Erneuerung müsse daher ausserhalb einer jeden materiellen Bestimmung liegen: „Für den Geistigen hat Besitz gar keinen Sinn. Er wertet. Er ändert unablässig. Wie sollte er auf die Idee kommen, etwas festhalten zu wollen? Sein Hebeldruck zur Änderung der Welt ist nicht Besitz, sondern die höchste Immaterialität, das stärkste nur Innensein: die Intensität. Alle Änderung der Welt ist Projektion des Geistes auf die Welt."[131]

Während Rubiner sich mit diesen Worten als ein typischer Vertreter der expressionistischen Zivilisationsfeindlichkeit erweist, ist sein „Geist"-Prinzip doch durch wesentlich mehr als eine blosse Negation der Natur bestimmt. Und überhaupt ist der Geist bei ihm nicht bloss ein Mittel der Befreiung in der Hand des Menschen. Vielmehr gilt hier, dass der Mensch der Selbstverwirklichung des Geistes dient und darin zugleich sich selbst als geistiges Wesen verwirklicht. Hier liegt Rubiners Verwandtschaft mit Hegel. Natur

[129] Ludwig Rubiner, *Der Mensch in der Mitte,* S. 6.
[130] Ludwig Rubiner, „Die Änderung der Welt" in: *Das Ziel. Aufruf zu tätigem Geist,* hrsg. von Kurt Hiller, München und Berlin 1916, S. 99/100.
[131] Ludwig Rubiner, ibid., S. 103.

war nach Hegel nichts Festes und Fertiges, das ohne den Geist bestehen könnte. Sie „gelangt erst im Geist zu ihrem Ziel und ihrer Wahrheit, und ebenso ist der Geist an seinem Teil nicht bloss ein abstraktes Jenseits der Natur, sondern derselbe *ist* nur wahrhaft und bewährt nur erst als Geist, insofern er die Natur als aufgehoben in sich enthält."[132] Die Dynamik dieses dialektischen Verhältnisses von Natur und Geist verstärkt sich bei Rubiner, indem es geradezu als Anleitung zum persönlichen Handeln aufgefasst wird. Wie sich bei Hegel der Geist von der Natur trennt, um eine „zweite Natur" in der objektiven Welt zu schaffen, konstituiert sich die Freiheit im Menschen nach Rubiner in seiner Unabhängigkeit vom Materiellen, die ihn erst befähigt, die Welt der Objekte nach seinem Willen zu verändern. Darin liegt sein schöpferisches Vermögen: „Unsere Aufgabe... fürs Leben ist es, die Dinge aus einem Plan des Daseins, aus ihrem vegetativen, genusshaften Fürsichsein, ihrer ‚Wert'-losigkeit, in einen anderen zu heben," schrieb er in *Der Mensch in der Mitte.*[133]

Geist ist für Rubiner ein Absolutes, das keiner Veränderung unterliegt, sondern Veränderung schafft und als Ziel der Verwirklichung zum „Endsinn" wird. Wie bei Hegel finden wir in seinen Schriften auch die Gleichsetzung von Gott und Geist. Hegel schrieb in seinen *Vorlesungen über die Ästhetik:* „Gott ist Geist, und im Menschen allein hat das Medium, durch welches das Göttliche hervorgeht, die Form des bewussten, sich tätig hervorbringenden Geistes."[134] Hegel hat das Mysterium der Menschwerdung Gottes zur Erlösung des Menschen schliesslich mit der Bewusstwerdung des das Objekt idealisierenden Geistes gleichgesetzt, und auch darin gleicht ihm Rubiner. Die „Projektion des Geistes auf die Welt" und „das Göttliche zu verwirklichen,"[135] sind für ihn der gleiche Vorgang: „Der vollkommenste Fall des praktischen Lebens ist: bis zum deutlichen Bewusstwerden der absoluten, gänzlich für sich abgetrennten, bewegungsfreien Existenz Gottes vorzudringen."[136] Den Vorgang dieses Bewusstwerdens umschreibt Rubiner mit „Intensität",[137] ein Begriff, den man daher bei ihm nicht mit einer im Expressionismus sonst typischen, vitalistischen Konzeption gleichsetzen darf. Und sein Ruf nach „Unbedingtheit" wie die geforderte Radikalität des Neuansatzes gründeten nicht allein in der blossen Abscheu vor der politischen Entwicklung oder in anarchistischen Neigungen, sondern in der abso-

[132] Georg W. F. Hegel, *Sämtliche Werke,* Jubiläumsausgabe in 20 Bänden, hrsg. von Hermann Glockner, Stuttgart 1927 – 1930, Bd. 8, Stuttgart, 1929, S. 228/29.
[133] Ludwig Rubiner, *Der Mensch in der Mitte,* S. 33.
[134] Hegel, *Sämtliche Werke,* Bd. 12, S. 56.
[135] Ludwig Rubiner, *Der Mensch in der Mitte,* S. 77.
[136] Ludwig Rubiner, ibid., S. 35/36.
[137] Ludwig Rubiner, ibid., S. 36.

luten Qualität seines „Geist"-Begriffs, dem die bedingte Realität nur das Material zur eigenen Bewusstwerung wird.

In seinem frühen Aufsatz „Der Dichter greift in die Politik" kam es Rubiner noch vornehmlich auf die blosse Zerstörung des Gegebenen an; Bewegung allein galt als sittlich. Jetzt aber, im Jahre 1917, bezeichnete er blosse Aktivität als „falsch, und auf die fürchterlichste, gefährlichste Art."[138] Sittlichkeit konstituiert sich jetzt bei ihm allein mit der Bewusstwerdung des Geistes im Menschen. Alle andere Aktivität schafft nichts als blosse Verlagerungen innerhalb des Materiellen: „Nicht Umlagerung der Gesellschaft. Nicht Handänderung der Macht," schrieb er in seinem *Zeit-Echo*. „In diesem allen ist keine Heilung, nur kurze Betäubung eines kleinen Teils der Schmerzen."[139] Die ganze Abstraktheit von Rubiners Erneuerungskonzeption tritt hier zutage. Nicht nur der Ansatz, auch das Mittel und das Ziel bleiben an den „Geist"-Begriff gebunden, ein Ziel, das im Hinblick auf das Politische von jeglicher gesellschaftlichen Bestimmung frei bleibt und als „Gemeinschaft" bezeichnet wird.

Gerade auch dieser für Rubiners Aktivismus zentrale Begriff ist Hegels Geist-Prinzip vergleichbar. In der Bewusstwerdung des Geistes erweisen sich nach Hegel die Unterschiede natürlicher Objekte als Manifestationen eines grösseren Ganzen, eben des Geistes. Die Aktivität dieser Bewusstwerdung nennt er daher „das thätige Allgemeine" oder „das sich bethätigende Allgemeine."[140] Es betätigt sich aber nur als denkendes Ich. Das Denken oder das Ich ist das „ursprünglich Identische, mit sich Einige und schlechthin Seiende," heisst es in seiner *Logik*. „Sage ich ‚Ich' ist somit ein Schmelztiegel, und das Feuer, wodurch die gleichgültige Mannigfaltigkeit verzehrt und auf Einheit reduziert wird."[141] Da aber nun – wie schon erwähnt – für Hegel der Geist bereits das eigentliche Wesen der Natur war, trifft das Denken bei diesem Akt der Befreiung im anderen auf sich selbst. Hegel führt nun aus: „Als für sich existierend heisst diese Befreiung *Ich,* als zu ihrer Totalität entwikkelt *Freier Geist,* als Empfindung *Liebe,* als Genuss *Seligkeit.*"[142] Die Bewusstwerdung des Ich ist hier also mit der Bewusstwerdung des Geistes identisch, und daher wird der Geist nicht nur in Bezug auf die Natur zum Prinzip des Einheitlichen und Allgemeinen, sondern auch in Bezug auf das Ich. Bewusstwerdung im Sinne Hegels führt nicht zur Entdeckung individueller Besonderheiten, sondern auf den Geist als das „thätige Allgemeine." Der Geist ist also unpersönlich und überpersönlich und offenbart sich für

[138] Ludwig Rubiner, ibid., S. 125.
[139] Ludwig Rubiner, „Die neue Schar", *Zeit-Echo,* 3(1917), August-Septemberheft, S. 3.
[140] Hegel, *Sämtliche Werke,* Bd. 8, S. 72.
[141] Hegel, ibid., S. 129.
[142] Hegel, ibid., S. 351.

Hegel daher auch gerade am vollständigsten in allgemeinen Normen, die die bewusste Erfahrung über alles bloss Persönliche und Begrenzte erhebt. Und der ganze Inhalt des Moralischen und des Rechts als der Ausdruck des „thätigen Allgemeinen" entspringt daher notwendig der unbegrenzten Freiheit des reinen „Selbst".

Diese vereinheitlichende, Gegensätze überwindende Eigenschaft des Geistes ist auch in Rubiners Denken die eigentlichste und allgemeinste Eigenschaft des Menschen. Geist ist, „was uns treibt aus Tagen von unserer Geburt her. Unser Erstes, unser Menschliches, unser Anständiges. Und unser Gemeinsames," schreibt er.[143] Geist macht des Menschen Freiheit gegenüber der Natur aus wie seine schöpferische Kraft. Ebenso aber gilt, dass das Freisetzen des Geistes als die dem Menschen allgemeinste Eigenschaft ohne weiteres „Gemeinschaft" herstellt. Selbstverwirklichung des Menschen und Herstellung von Gemeinschaft sind ein und derselbe Vorgang. Das bedeutet aber genauso wie bei Hegel, dass die „Gemeinschaft" die grösste Freiheit des einzelnen garantiert. Und auch Rubiner bezeichnet die Empfindung dieser Befreiung als Liebe.

Gemeinschaft besteht für Rubiner also in einer philosophisch gesetzten immateriellen Freiheit des Menschen, die gesellschaftliche Normen durch „Erdballgesinnung" ersetzt. Er war davon überzeugt, dass die „Aufrüttelung durch den Geist"[144] sich in einer Nächstenliebe auswirken musste, die die praktischen Schwierigkeiten des menschlichen Zusammenlebens überwinden würde, und dass eine „geistige Welt" nur in dem Umfang verwirklicht ist, als sie Menschen aufbringt, die sie vertreten. Die Erneuerung der Welt vollzieht sich in seinem Bewusstsein plötzlich in dem dialektischen Umschlagen des Geistes in eine ihn ausdrückende Menschengemeinschaft:

> Widersprüche sind dazu da, um ihre gemeinsame höhere Einheit zu zeugen, innerhalb der sie vollkommen lebendige Tatsachen sind. Je reiner man eine Idee verleiblicht, um so stärker fordert sie, nicht allein gelassen zu werden. Die Kameradschaft der Ideen ist nicht ein Widerspiel des Lebens, sondern ein Vorspiel des Lebens. Mit der höheren Einheit der Ideen beginnt das Schöpfertum des Geistes; in eine Erdball-Einheit der Völker mündet die Verwirklichung.[145]

Was Hegel in seinen *Vorlesungen über die Ästhetik* zur Kunst als die „sinnliche Darstellung des Absoluten" ausführt,[146] erscheint in Rubiners Manifesten als der einzige Wert literarischer Produktion. Schriftsteller, die ihn nicht anerkennen, brandmarkt er als „Verräter" und „Spitzel am Wort."[147] In der

[143] Ludwig Rubiner, *Der Mensch in der Mitte,* S. 44.
[144] Ludwig Rubiner, ibid., S. 62.
[145] Ludwig Rubiner, *Der Mensch in der Mitte,* S. 6.
[146] Hegel, *Sämtliche Werke,* Bd. 12, S. 107.
[147] Ludwig Rubiner, *Der Mensch in der Mitte,* S. 16.

Kunst haben wir es nach Hegel nicht mit einer bloss angenehmen und unterhaltenden Spielerei, „sondern mit der Befreiung des Geistes vom Gehalt und den Formen der Endlichkeit, mit der Präsenz und Versöhnung des Absoluten im Sinnlichen und Erscheinenden, mit der Erfahrung der Wahrheit zu tun."[148] Sie repräsentiert die Idee von der Bewusstwerdung des Geistes, ja sie ist selbst eine „Befreiungsstufe" in diesem Prozess. Kunst hilft, wie Hegel sagt, bei der „Reinigung des Geistes von der Unfreiheit,"[149] und mit dieser übergeordneten Sinngebung, dieser „Taufe" durch den Geist, wird jedes private Anliegen ausgeschlossen: „Das Kunstwerk ist uns dann Ausdruck Gottes, wenn kein Zeichen von subjektiver Besonderheit darin, sondern der innewohnende Geist . . . sich ohne solche Beimischung und von deren Zufälligkeit befleckt empfangen und herausgeboren hat."[150]

Über den Rahmen dieser idealistischen Bestimmung der Kunst geht auch Rubiner nicht eigentlich hinaus, doch alles aktualisiert sich, wird auf den gegenwärtigen Zustand der Menschheit bezogen, zielt ungeduldig auf die Befreiung des Menschen von seinen gesellschaftlichen Bedingtheiten und auf den radikalen Umbruch der politischen Verhältnisse. Der echte Künstler wird zum Schöpfer, der den „Umbruch der Welt" vornimmt, alle echte Kunst liefert den „Entwurf fürs Paradies."[151] Kunst, die auf die Darstellung persönlicher Erlebnisse zielt, im Gedanklichen schwelgt oder bloß auf ästhetische Vollendung zielt, war ihm nutzlos, weil sie unter der Perspektive des Geistes nicht auf das Allgemeine, sondern das Besondere zielt. Die konventionelle Dichtung hatte in diesem Sinne versagt, glaubte Rubiner. Eine bessere Welt werde in ihren Geheimnissen allein dem musischen Menschen eröffnet. Als Inhalt einer neuen, aktivistischen Literatur zählte allein „das Göttliche, Geistige, Heilige." Wirkliche Künstler waren „Mittler, inspirierte Geber, Aufrufer der ewigsten Forderungen von Menschensinn."[152] Und in dieser aktivistischen Bestimmung der Kunst nahm Rubiner für sich und seinesgleichen in Anspruch, die Kunst erneuert zu haben. Er schrieb:

> Wir, wir gaben der Kunst – indem wir sie aus dem angemaßten Inhaltswert vertrieben – erst wieder den Inhalt. Wir gaben ihr, deren Existenzberechtigung wir verneinten, erst wieder neue Existenzmöglichkeit, neue Geburt, neues Sein, neuen Quell, neue Aufgaben. Wir befreiten sie von der Wiederholung, diesem Totgebären, und führten sie zur Schöpfung. Und frage man einen grossen Dichter, einen bedeutenden Musiker, sogar einen Maler von Zwang – sie werden das bloße Tun um der ruhenden Seligkeit des Tuns willen als die sinnlose Behaup-

[148] Hegel, *Sämtliche Werke,* Bd. 14, S. 580.
[149] Hegel, *Sämtliche Werke,* Bd. 10, S. 452.
[150] Hegel, *Sämtliche Werke,* Bd. 6, S. 304.
[151] Ludwig Rubiner, *Der Mensch in der Mitte,* S. 79.
[152] Ludwig Rubiner, *Der Mensch in der Mitte,* S. 164 und 165.

> tung ärmlich leerer Nachahmer erkennen, die überernährte Selbstbestätigungssucht saturierter Erben, wuchernd an übernommenem Kapital. Den wirklichen Schöpfern sind ihre Künste nur Verständigungszeichen. Doch nicht das Zeichen, selbst nicht die Verständigung ist wichtig. Wichtig ist, worüber man sich verständigt. Wir sind gegen die Musik – für die Erweckung zur Gemeinschaft. Wir sind gegen das Gedicht – für die Aufrufung zur Liebe. Wir sind gegen den Roman – für die Anleitung zum Leben. Wir sind gegen das Drama – für die Anleitung zum Handeln.[153]

Nur mit seiner pointierten Gegnerschaft zur Entwicklungsidee unterscheidet sich Rubiner grundsätzlich von der Hegelschen Philosophie. Jener Optimismus, der in der Geschichte der Menschheit das Gesetz einer kontinuierlichen Entwicklung von geringerer zu größerer Vollkommenheit sehen wollte, erschien ihm bei seiner antizivilisatorischen Emphase als eine gefährliche Illusion. Die historische Entwicklung, die Fortschritte der gesellschaftlichen Zustände seiner Zeit, wiesen seiner Ansicht nach gerade in die entgegengesetzte Richtung eines auf materielle Interessen gegründeten Systems totaler Unfreiheit. Daß der Geist sich in der Welt zunehmend verwirklichen würde, sah er daher nicht als eine Tatsache, sondern eine bloße Möglichkeit, deren Realisierung allein von der Einsicht, dem Entschluß und dem Willen einer genügend großen Zahl einzelner abhing. Und so setzte er an die Stelle einer mit Notwendigkeit sich vollziehenden Evolution die subjektive moralische Entscheidung des einzelnen, die die Welt des Tatsächlichen nicht erst verbessern sondern ersetzen sollte.

In Anwendung dieser Gedanken auf die zwischenmenschlichen Beziehungen – und um nichts anderes handelt es sich, wenn Rubiner von „Politik" spricht – verwirklicht sich der Geist immer da, wo der einzelne sich ethisch verhält, d. h. sich einerseits aus den historisch gewachsenen sozio-ökonomischen Bindungen löst, andererseits aber gleichzeitig in seinem Denken und Handeln über alles Individuelle hinausgeht. Daher hat Rubiners aktivistischer Tatbegriff zwei scheinbar entgegengesetzte Tendenzen, eine destruktive, die sich gegen materialistisch fundierte gesellschaftliche Ordnungen richtet und eine konstruktive, die Gemeinschaft gründet. Es ist wichtig zu sehen, daß sein ganzer Aktivismus sich im Grunde in der Forderung nach dieser zweiseitigen Verhaltensweise erschöpft. Er wollte nur Anstoß sein; jedes doktrinäre Programm, jede Organisation, mußte Barrieren aufrichten. Auf das Anregen und Aufrufen zu einer persönlichen *Haltung* hatte sich der wahre Dichter zu beschränken.

Seine Vorbilder suchte Rubiner daher auch nicht unter Intellektuellen, die an revolutionären Aktionen selbst beteiligt waren, sondern solchen, die nach

[153] Ludwig Rubiner, ibid., S. 164.

seiner Meinung bloß dazu angeregt hatten. Er verehrte Voltaire, aus dessen Händen, wie er schrieb, „das geistige, öffentliche und politische Leben Europas vor der Französischen Revolution von 1789 über lange Strecken hin entscheidende Ideen und Antriebe empfing."[154] Und er paßte den Franzosen seinem aktivistischen Tatbegriff vollkommen an, wenn er meinte: „Dieser Geistige, der unter ‚Geist' kein schützendes Reservat seiner Person versteht, sondern die Verpflichtung, seine Erkenntnisse der Empfindung und der Vernunft Aller verständlich zu machen: Das ist die Gestalt der höchsten Güte!"[155] In dessen Schriften fand er „Aufruhr gegen die Dummheit der Gesellschaft, Empörung gegen die Ungerechtigkeit, Kampf gegen den Zwang, die Gewalt, die Sklaverei, die Bedrückung der Autorität."[156] Vor allem verkörperte Voltaire für Rubiner das Vernunftprinzip der Toleranz, das im Sinne des Geistes als das „thätige Allgemeine" erweiternd wirkte. Seiner Ausgabe der Tagebücher Leo Tolstois fügte Rubiner die Bemerkung hinzu, zur Wiedergabe seien hier allein jene Teile des ursprünglichen Textes gelangt, die sich auf „das geistige Leben" und die Werke des Russen bezogen. Alle biographischen Bemerkungen von bloß „privatem Interesse" habe er ausgeschieden, um „ein Bild Tolstois von rein geistigem Aufbau zu geben."[157] Rubiner war sich also durchaus bewußt, wie tendenziös er verfuhr, wenn es galt, aktivistische Ansätze aus der Vergangenheit ins Licht zu rücken. Auch dies war nur ein Teil seiner Ideologie, die „trümmerhafte Zufälligkeit" des Historischen in die Notwendigkeit des Geistes einzuordnen. Die Tagebuchnotizen Tolstois wurden „nach dem geistigen Zusammenhang ausgewählt," heißt es im Untertitel der Ausgabe; und das bezieht sich nicht etwa auf den kulturellen Hintergrund der Jahre 1895 bis 1899, in denen sie niedergeschrieben wurden, sondern auf Rubiners Geistkonzeption.

Seine Beschäftigung mit Tolstoi ist schon für seine Berliner Studentenzeit nachweisbar; aber erst während des Krieges wurde er ihm zum Zeugen der menschheitserneuernden Tat. In seinem *Zeit-Echo* veröffentlichte er unter dem Titel „Revolutionstage in Rußland" Briefe aus dem Freundeskreis des russischen Dichters[158] und Tolstois Dialog „Der Fremde und der Bauer."[159] Die Tagebücher ließ er 1918 in Zürich erscheinen. Keinen Dichter liebte Rubiner so wie ihn, kein anderer verkörperte in seinen Augen mehr als dieser

[154] Ludwig Rubiner, „Einleitung", zu: Voltaire, *Die Romane und Erzählungen,* hrsg. von Ludwig Rubiner, Potsdam, 1920, S. IX.
[155] Ludwig Rubiner, ibid., S. XII.
[156] Ludwig Rubiner, ibid., S. XIV.
[157] Leo Tolstoi, *Tagebuch 1895 – 1899,* hrsg. von Ludwig Rubiner, Zürich, 1918, S. XXXII.
[158] „Revolutionstage in Rußland: Briefe aus Tolstois Freundeskreis", hrsg. von Ludwig Rubiner, *Zeit-Echo,* 3(1917), Juniheft, S. 6 – 13.
[159] Leo Tolstoi, „Der Fremde und der Bauer", übers. v. Frida Ichak, *Zeit-Echo,* 3(1917), August-Septemberheft, S. 13 – 19.

das „Weltgesetz" der Nächstenliebe, jene Gefühlskraft, die die Einsicht in die geistige Berufung des Menschen erst zur überwindenden, Gemeinschaft stiftenden Tat werden ließ. „Liebe" und „wirkender Geist" waren ein und dasselbe für Rubiner, und es gibt in seinen Schriften kaum eine bessere Zusammenfassung seiner ganzen Ideologie wie der folgende Absatz über den Wert der Liebe aus der Einleitung zu Tolstois Tagebüchern:

> Und alles was sich zwischen Gott und den Menschen, diesen Verwirklicher des göttlichen Weltplanes, drängt, ist Sünde, Irrtum, Materie. Und als Materie muß es vom Geiste aus zu geistigem Dienste geformt werden. Diese Materie, die vor Gott von Grund aus nicht besteht, und die der Mensch, dessen Umwelt sie ist, von Grund aus ins Geistige gestalten muß, ist die heutige Gesellschaft. Aber die Umgestaltung der Gesellschaft will Tolstoi von Grund aus vornehmen. Für ihn gilt keine bloße Reformierung; ihm liegt nicht daran, die Gesellschaft aus einem Stadium in ein anderes gehen zu lassen; ihm ist die Idee der bloßen sozialen Machtverschiebung von einer Klasse zur anderen fern. Denn für ihn ist die Gesellschaft gar nicht das letzte Feindliche, sondern nur ein Symptom, nur die Haut des Körpers, der leidend in die Welt gestellt ist. Für Tolstoi gilt es, das *Bewußtsein* der Menschen umzuwälzen, ihm gilt es, dieses Bewußtsein, das bisher auf die Welt in materialistischem Gesichtswinkel eingestellt ist, vorwärtszurücken in die geistige Einstellung. Das ist mehr als eine Revolution. Das ist eine Entwertung des ganzen äußeren und inneren Besitzes der vergangenen Jahrhunderte. Der neue Wert, der dafür eintritt, ist die Liebe. Und das ist ein Wert, der jedem sachlichen oder gedachten Besitz am allergefährlichsten ist, weil er in beständiger, tätiger Erneuerung der Welt wirkt.[160]

In Tolstois Tagebüchern las Rubiner, daß Gott nicht die Welt schon erschaffen habe, sondern sein Werk erst durch die Menschen vollziehe. Das Weltgesetz dieses Handelns Gottes durch den Menschen sei die Liebe. Die Liebe aber äußere sich in der Tat, die die „umfassendste, letzte und alle Menschen einschließende" Absicht habe.[161] Für Tolstoi sei, wie Rubiner feststellt, die Liebe das Gegenteil des Naturgesetzes, das nur ein mechanisch-fatalistisches Muß der Materie feststelle. Sie führe daher zur Entwertung jeder Gesellschaftsform, „die nur um ihrer selbst willen aufrecht erhalten wird."[162] Und damit hat sie als persönliches Wirken genau jene beiden oben festgestellten Grundtendenzen des aktivistischen Tatbegriffs, sie befreit von bürgerlichen Ordnungen und stiftet Gemeinschaft.

[160] Ludwig Rubiner, „Einleitung" in: Leo Tolstoi, *Tagebuch 1895 – 1899,* S. XXIV.
[161] Ludwig Rubiner, ibid., S. XII.
[162] Ludwig Rubiner, ibid., S. XXV.

Idealsozialismus

„Politik ist die öffentliche Verwirklichung unserer sittlichen Absichten," formulierte Ludwig Rubiner.[163] In seiner philosophisch-mythischen Begründung wie der utopischen Zielsetzung lag sein Aktivismus jenseits des politischen Alltags. Seine dynamische Geistkonzeption sah von der Berücksichtigung der historisch gewordenen Wirklichkeit ab, außer daß sie sie ersetzen wollte. Und die neue Gemeinschaft, wie sie ihm vorschwebte, war durch moralische Qualitäten ebenfalls unabhängig von jeder Tagespolitik bestimmt. Trotzdem: Rubiners Aktivismus ist ohne die konkrete Zeitsituation, in der sie sich herausbildete, nicht zu denken, er war vornehmlich Reaktion auf die politische Umwelt. Sein Pazifismus während des Krieges drückte eben auch eine politische Haltung aus, seine Aufrufe zur Völkerversöhnung, seine unermüdlichen Versuche, während des Krieges Verbindungen zu französischen und russischen Intellektuellen aufzunehmen, die Herausgabe seines *Zeit-Echo* als Organ der geistigen Erneuerung – das waren alles durchaus politisch-praktische Taten im Sinne einer Beeinflussung der öffentlichen Meinung und im Zusammenhang mit der politischen Wirklichkeit in Deutschland und Europa. Auch hat Rubiner sich in seinen Schriften selbst mit politischen Ideen und politischen Parteien auseinandergesetzt, hat Partei bezogen und sich zuletzt auch ganz nüchtern mit der politischen Realität in Beziehung gebracht. Bei der Beurteilung der politischen Ansichten Rubiners hat man jedoch zeitlich genau zu differenzieren.

Den wenigen frühen Nachrichten zufolge, auch seinem Bekanntenkreis nach zu urteilen, teilte Rubiner während seiner Studienzeit zwischen 1902 und 1906 die zugleich liberale und antibürgerliche Haltung demokratischer Schriftsteller in Deutschland. Wilhelm Herzog berichtet:

> Allzu einseitig ästhetisch und psychologisch orientiert, stürzten wir uns. .. von vornherein in den Kampf gegen die selbstverständliche Diktatur der bürgerlichen Gesellschaft, gegen ihre Urteile, Wertungen, gegen ihre Methoden, Gewohnheiten, ihre Tugenden und Laster. Die Umwertung aller Werte, von Nietzsche allzu glückverheißend verkündet, fand die gläubigsten Jünger in einer Schar hochstehender, sehr intensiv arbeitender Menschen, die sich immer mehr dem Literarischen abwandten, um den Wurzeln des sozialen Lebens näher zu kommen, durch eindringliche Studien der historischen, ökonomischen, politischen und soziologischen Verhältnisse.[164]

[163] Ludwig Rubiner, „Der Dichter greift in die Politik", *Die Aktion,* 2(1912), Sp. 645.

[164] Wilhelm Herzog, „Dem toten Kameraden Ludwig Rubiner", *Das Forum,* 4(1919/20), S. 477.

Diese Interessen standen nach außen hin für einige Jahre hinter Rubiners kunstkritischen Arbeiten zurück. Erst 1910, mit der Bekanntschaft Franz Pfemferts, tritt das Politische in einem sehr allgemeinen Sinne bei ihm gänzlich in den Vordergrund, beherrscht der Drang nach öffentlichem Wirken plötzlich sein ganzes Denken und Schaffen. Sein Wechsel vom *Sturm* zur *Aktion* war ein politischer Schritt. Walden war zu dieser Zeit nur an der neuen Kunst interessiert und hielt selbst während des Krieges noch sein Blatt von jedem politischen Engagement frei, während Pfemfert bereits als Redakteur des *Demokraten* liberal gesonnene Schriftsteller um sich sammelte, die alles Literaturschaffen bald auf dem Hintergrund einer radikalen politischen Gesinnung begriffen. Rubiners Programmschriften vor dem Ersten Weltkrieg verraten den Einfluß des in dieser Gruppe lebendigen liberalen und anarchistischen Gedankenguts.

Enttäuscht von dem politischen System im Kaiserreich suchten viele Schriftsteller die Impulse zu einer Demokratisierung entweder in der Vergangenheit (der Revolution von 1848 zum Beispiel) oder im Ausland (Frankreich und Rußland). Für Rubiner galt das in besonderem Maße. Auf russische und französische Freiheitsbewegungen berief er sich fortwährend bei seinen Aufrufen zur „Zerstörung". Die Revolution von 1848 feierte er in seinem „Brief an einen Aufrührer" als ein „Protestdatum", weil sich hier die „Gewißheit vom Geist" gezeigt habe. Die „Katastrophe" sei zwar nur klein geblieben, aber immerhin habe sich eine heilsame Unruhe geregt. „Nie vorher und nie später hatten die gesammelten Menschen deutscher Sprache und deutschen Benehmens diesen Mut der Aufrichtigkeit," schrieb er.[165] Für die Verbreitung anarchistischer Ideen im *Aktions*-Kreis war vor allem Pfemfert selbst verantwortlich, indem er Beiträge von Bakunin, Kropotkin und Proudhon in der *Aktion* veröffentlichte. Auch gab er hier den Ideen Max Stirners Raum.[166] Rubiner empfing hier Anregungen. Daß er sich „unumschränkt" zu den anarchistischen Traditionen bekannt habe, wie Albrecht schreibt,[167] hat allerdings nur für die Zeit bis 1914 Gültigkeit. Das läßt sich leicht dann nachweisen, wenn man seine Verherrlichung Max Stirners vor dem Krieg mit der idealistischen Fundierung seines Aktivismus während des Krieges vergleicht. Stirners anarchistischer Individualismus, der absolute Werte genauso ablehnt wie alle mitmenschlichen Verpflichtungen, der die Anwendung von Gewalt befürwortete und durch die Steigerung von Instinkt und

[165] Ludwig Rubiner, „Brief an einen Aufrührer", *Die Aktion*, 3(1913), Sp. 344.

[166] Es ist durchaus möglich, daß Rubiner mit Stirners Philosophie überhaupt nur durch Beiträge in der *Aktion* bekannt wurde und nicht etwa durch die Zeitschrift *Der Einzige*, welche der Verkündung und Pflege der Lehre Max Stirners gewidmet war.

[167] Friedrich Albrecht, *Deutsche Schriftsteller in der Entscheidung*, Berlin und Weimar, 1970, S. 60.

Willen in jedem einzelnen ein Gleichgewicht der Kräfte, eine Gemeinschaft der Egoisten herzustellen suchte, ist inhaltlich mit Rubiners späterer Vorstellung einer an absoluten moralischen Werten orientierten Menschheitsgemeinschaft unvereinbar. Nur bis zum Kriegsausbruch zählte für Rubiner allein die Geste der Auflehnung und der antigesellschaftliche Aspekt.

Stirner lehnte die Bestimmung des einzelnen durch übergreifende Naturgesetze und institutionelle Gesellschaftsformen ab. Er sprach sich gleichzeitig gegen die soziale Revolution aus, weil sie bloß zu einem Austausch der etablierten Ordnung gegen eine neue führen würde, das Vertrauen in gesellschaftliche Einrichtungen also implizierte. Dagegen propagierte er die Rebellion, mit der der einzelne versucht, sich über die Bedingungen, die er ablehnt, zu erheben. Seine Gemeinschaft von Egoisten sollte sowohl den Staat mit seinen Einrichtungen der politischen Unterdrückung als auch die Gesellschaft mit ihren feineren, aber nicht weniger wirksamen Zwangsformen ersetzen. Rubiner konnte also zeitweilig in Stirner ein Sprachrohr des Aufruhrs gegen alle Bindungen des Menschen an naturwissenschaftliche oder gesellschaftliche Gesetze sehen, von denen er den Menschen befreien wollte, um den Geist freizusetzen. Er übersah dessen extremen Individualismus und feierte ihn einseitig als „den gedrängtesten Bauherrn des Bewußtseins vom Aufruhr."[168]

Daß sich Rubiners politische Propaganda vor 1914 noch auf die bloße Ablehnung der bürgerlichen Ordnung, auf den Wunsch nach Aufruhr und Zerstörung beschränkte, ohne schon irgendwelche konstruktiven Ideen anzubieten, resultierte wie bei anderen sicher zum Teil aus dem Gefühl der Ohnmacht, aus der Enttäuschung darüber, daß sich in Deutschland kein positiver Ansatz zur Demokratisierung zeigte. Ein Bündnis der Intellektuellen mit dem Proletariat, das hätte helfen können, den bloßen Anarchismus zu überwinden, verbot sich zu diesem Zeitpunkt durch die vor allem durch Franz Pfemfert angeprangerte Verbürgerlichung der Arbeiterklasse unter Führung der Sozialdemokraten. Die Isolierung der Literaten, die schmerzlich empfundene Kluft zwischen Künstler und Volk, schien nur durch das Zerschlagen der alten Ordnung überwindbar, und Rubiner teilte die Überzeugung, daß eine wie auch immer fundierte Revolution in sich schon zu begrüßen sei, weil der Zusammenbruch der bürgerlichen Welt etwas Positives freilegen müßte. „Uns macht nur die (einzig!) sittliche Kraft des Destruktiven glücklich," schrieb er 1912.[169]

Der Krieg verstärkte die Isolation und Machtlosigkeit der linken Intellektuellen, verurteilte sie zum Schweigen oder drängte sie ins neutrale Ausland ab. Zugleich aber half er vielen, ihren Anarchismus zu überwinden; denn

[168] Ludwig Rubiner, „Brief an einen Aufrührer", *Die Aktion,* 3(1913), Sp. 345.
[169] Ludwig Rubiner, „Der Dichter greift in die Politik", *Die Aktion,* 2(1912), Sp. 649.

obwohl er einerseits als eine Ausgeburt der bürgerlichen Ordnung erschien und als solche umso mehr zu seiner Verdammung einlud, so wirkte der Krieg doch zugleich auch zerstörend auf diese Ordnung zurück, versprach tiefgreifende Veränderungen, bot die Gelegenheit zu neuen Ansätzen und forderte damit Überlegungen zu einer neuen Welt heraus. Keines der persönlichen Zeugnisse Rubiners aus der Zeit zwischen 1914 und 1918 weist darauf hin, daß er unter dem Exil gelitten hätte. Sich abzusetzen und den Beobachterposten zu beziehen, entsprach seiner Natur. Er hatte Deutschland schon 1912 mit dieser Haltung verlassen. Und so sehr auch das Elend des Krieges sein echtes Entsetzen erregte, es überwog in diesen Jahren bei ihm das Gefühl der Hoffnung, die ungeduldige Erwartung großer Umwälzungen und der Glaube vor allem, daß diese eine menschlichere Form des Zusammenlebens ermöglichen würden. Eine Revolution würde nicht mehr nötig sein, der gesellschaftliche Zusammenbruch war da, es brauchten sich jetzt nur die „geistigen Menschen" zusammenzufinden und die historische Stunde für die Schöpfung der neuen Menschengemeinschaft zu nutzen. „Der Krieg hat scheinbar die neuen geistigen Werte der Kulturwelt erstickt," schrieb er 1916. „Aber das ist nur scheinbar. In Wahrheit lebten sie in vielen Variationen die schwerste Zeit durch, und man kann sagen, daß sie diese Prüfung bestanden; eine Krise, die überwunden werden mußte, und an der sie nach tausendfachen Toden erst ihr Existenzrecht zeigen werden."[170]

Diese Worte deuten bereits an, daß Rubiner den Ansatz einer Erneuerung nicht in gesellschaftlichen Bedingungen sah, sondern in „geistigen Werten", die praktische Bedingungen dann schaffen würden. „Wir können unsere Ideen im Leben außer uns wirkend machen, als seien sie reale Organismen": das wird jetzt der Leitsatz seines Aktivismus,[171] der Vorgang, den er als „die entschiedene Konzentration auf das Ethische" bezeichnet und die als weltverändernde Kraft nicht Organisation verlangt, sondern Glauben. „Um sich völlig auf das Ethische besinnen zu können, braucht die Welt ... einen neuen und starken Glauben an leitende Ideen. Sagen wir es nur deutlich: sie braucht einen neuen Glauben, vielleicht eine neue Gläubigkeit."[172] Man darf, wenn man fortan politische Äußerungen Rubiners nicht mißverstehen will, diesen neugewonnenen idealistisch-religiösen Standpunkt nicht außer acht lassen. „Revolution" meint jetzt bei ihm nicht mehr konkreter Umsturz – das höchstens noch als Folge – sondern nichts weniger als die „Heiligung des Lebens,"[173] die Verwirklichung eines göttlichen Schöpfungsplans.

[170] Ludwig Rubiner, „Zur Krise des geistigen Lebens", *Zeitschrift für Individualpsychologie,* München, 1(1916), S. 235.
[171] Ludwig Rubiner, ibid., S. 237.
[172] Ludwig Rubiner, ibid., S. 236.
[173] Ludwig Rubiner, *Der Mensch in der Mitte,* S. 7.

„Internationalismus" ist jetzt „Erdballgesinnung," die sich in allgemeiner Nächstenliebe äußert. Und der „politische Dichter" ist nicht mehr der Anarchist, der sich mit dem Mob gegen das Bürgertum verbindet, sondern der Vertreter der Idee, der von einer unantastbaren Warte des Absoluten auf die Welt einwirkt.

Auch war Rubiner vor 1918 kein Marxist, und er wußte genau warum. Im Gegensatz zu manchen anderen Expressionisten besaß er detaillierte Kenntnisse politischer Theorien und hat seine Gegnerschaft gegen den historischen Materialismus sorgfältig begründet. Daß er sich jener kleinen Schar anschloß, die Lenin und seine Gesellschaft 1917 zum Züricher Hauptbahnhof begleitete, mag als Ahnung der historischen Bedeutung dieser Fahrt durch Deutschland und nach Rußland gewertet werden oder nicht – wir wissen aus den persönlichen Nachrichten aus dieser Zeit, daß die Gespräche, die er mit Freunden führte, sich immer wieder um den Marxismus, um Trotzkis und Lenins Schriften drehten. Max Cahén bezeugt schon zu Rubiners und Carl Einsteins Aufenthalt in Paris 1913: „Sie wohnten beide in einem kleinen Hotel unweit St. Sulpice und bezeichneten sich selbst als ‚Klub der Neupythagoräer.' ... Aber über Numenius und Konsorten wurde dort weniger gesprochen als über den historischen Materialismus, und Rubiner, der mit dem Leninkreis auch noch verwandtschaftlich zusammenhängen sollte, war einer der geschultesten Dialektiker, die ich je getroffen habe."[174] Ähnlich berichtet Joseph Chapiro, der Rubiner 1917 bei Henri Guilbeaux, einem Freund Lenins, kennengelernt hatte, wie sehr ihn Lenin und Trotzki beschäftigten.[175] Wo immer Rubiner sich aber in den Kriegsjahren als Sozialist bezeichnete, versuchte er sich mit diesem Begriff von den Marxisten gerade zu unterscheiden; ähnlich wie Gustav Landauer, der den Sozialismus in einem bekannten Aufruf von 1911 als „ein Bestreben, mit Hilfe eines Ideals eine neue Wirklichkeit zu schaffen" definierte.[176]

Rubiner war mit Landauer aus dem *Aktions*-Kreis um Franz Pfemfert bekannt. Sie korrespondierten während des Krieges miteinander und teilten in ihren Schriften dieser Zeit die gleichen politischen Grundsätze. Landauers Aufrufe zu einer menschheitlichen Erneuerung sind, wie der folgende Auszug beweist, von Rubiners aktivistischen Äußerungen nicht zu unterscheiden:

> Es geschehen Taten, es geschieht ein Tun; vermeintliche Hindernisse werden als ein Nichts erkannt, über das man hinwegspringt, andere Hindernisse werden mit

[174] Max Cahén, *Der Weg nach Versailles,* Boppard, 1925, S. 16/17. Der Hinweis auf eine verwandtschaftliche Beziehung zum Leninkreis bezieht sich offenbar auf Rubiners Frau Frida, auf deren Rolle noch eingegangen werden wird.

[175] Vgl. Joseph Chapiro, „Ludwig Rubiner", *Die Weltbühne,* 16(1920), Nr. 22, S. 628.

[176] Gustav Landauer, *Aufruf zum Sozialismus,* 2. Aufl., Berlin, 1919, S. 1.

> vereinter Kraft gehoben; denn Geist ist Heiterkeit, ist Macht, ist Bewegung, die sich nicht, die sich durch nichts in der Welt aufhalten läßt. Dahin will ich – ! Aus den Herzen der Einzelnen bricht diese Stimme und dieses unbändige Verlangen in gleicher, geeinter Weise heraus; und so wird die Wirklichkeit des Neuen geschaffen. (S. 3)

Landauer bekannte sich zur Geist-Philosophie Hegels als die „Erfassung des Ganzen in lebendig Allgemeinem" und die „Verbindung des Getrennten" (S. 23), einem in allen Menschen schlummerndem „Trieb zum Ganzen" (S. 99), der, wenn aus seiner gegenwärtigen Betäubung befreit, „aus allen herausbricht und alle zum Bunde führt" (S. 20).

Obwohl Landauer in seinem *Aufruf zum Sozialismus* in weit stärkerem Maße als Rubiner auf die Bedingungen der kapitalistischen Wirtschaftsordnung eingeht und mit an Proudhon und Kropotkin orientierten Vorschlägen auf die Neugestaltung des Produktionsprozesses eingeht, gründet auch sein Begriff vom Sozialismus im ganzen als ein Vorgang der „Heilung" und „Rettung" (S. 116) gänzlich in der idealistischen Vorstellung des sich in der Welt verwirklichenden Geistes, der „alles Leben in Beziehung zur Ewigkeit setzt" (S. 14) und der die „sanfte Wirklichkeit bleibender Schönheit des Mitlebens der Menschen" herstellen soll: „Der Sozialismus ist eine Kulturbewegung, ist ein Kampf um Schönheit, Größe, Fülle der Völker." (S. 22). Landauer verurteilte die Marxisten als die „Hohlen" und „Geistlosen" (S. 34). Ihr Blick hafte „nur an den äußeren, unwesentlichen, oberflächlichen Formen der kapitalistischen Produktion" (S. 47). Insofern als sie sich dagegen auflehnten, blieben sie nach seiner Meinung den militärischen und bürokratischen Organisationsformen des Kapitalismus verhaftet. Der Staatskapitalismus werde mit einem „Kapitalsozialismus" vertauscht, der die „Vereinigung von Ungeist, Not und Gewalt" nur fortsetze (S. 42). Vor allem geißelte Landauer den „überaus absonderlichen und komischen Wissenschaftsaberglauben" (S. 23), mit dem die Marxisten den Menschen und seine Zukunft einer determinierten geschichtlichen Entwicklung zu unterwerfen suchten, womit Geist und Freiheit ausgeschaltet seien. Den „verrückten Ideen der Entwicklungspraktiker" (S. 10) setzte er die „Wirklichkeit lebendig-individuellen Gemeingeistes" gegenüber (S. 99), die unabhängig von Technik und Fortschritt aus einem freiwilligen Bund der einzelnen eine neue „Erdmenschheit" entstehen lassen sollte (S. 115). Als „Willenstendenz geeinter Menschen" (S. 4) setzte Landauer seinen Sozialismus gegen jede Tagespolitik ab, die in Einzelmaßnahmen befangen sei: „Das ist das Kennzeichen des Sozialisten im Gegensatz zum Politiker: daß er aufs Ganze geht; daß er unsere Zustände in ihrer Gesamtheit, in ihrer Gewordenheit erfaßt; daß er das Allgemeine denkt. Daran schließt sich dann an, daß er das Ganze unserer Mitlebensformen ablehnt, daß ihm nichts im Sinn ruht, daß er nichts zu verwirklichen ausgeht als das Ganze, das Allgemeine, das Prinzipielle." (S. 22).

Als Kulturentwicklung stand Landauers Sozialismus unter der Führung durch die Intellektuellen, die die menschliche Erneuerung an ihrer Phantasie schon vorausgelebt haben. Den Marxisten rief er zu: „Wir Dichter wollen im Lebendigen schaffen, und wollen sehen, wer der größere und stärkere Praktiker ist: ihr, die ihr zu wissen behauptet und nichts tut; oder wir, die nun das lebendige Bild in uns haben und das sichere Gefühl und den hinausgreifenden Willen." (S. 34).

Rubiners Sozialismus-Begriff wie sein leidenschaftlicher Angriff auf den Marxismus sind hier deutlich vorgeprägt. Die wesentlichste Schwäche des Marxismus, ihr materialistischer Ansatz, machte ihm diese Ideologie unannehmbar. Er argumentierte:

> Die Kommunisten des neunzehnten Jahrhunderts trafen sich auf der geistigen Grundlage mit ihrem Jahrhundert im materialistischen Denken. Das materialistische Denken war gerade für die kühnsten Denker des Jahrhunderts das neue, zwingende Dogma, das sie von der traditionellen Gläubigkeit zu befreien schien. . . . Aber das Wesen des naturwissenschaftlichen Denkens ist notwendig mechanistisch und fatalistisch. Betrachtet man von ihm aus den Menschen, so schaltet im vorhinein der erste Grundzug des geistigen Lebens aus, der freie Wille. Das moralische Ergebnis ist also, daß in der unvermeidlich abrollenden Kette des materiellen Menschenlebens (in dem der Mensch nichts anderes als ein Produkt mechanischer Vorgänge ist) dem Einzelindividuum der möglichst größte Spielraum zur Erraffung einer möglichst großen Summe von Glück eingeräumt wurde. Das Ziel, die Gemeinschaft war geistig; das angenommene Mittel zu ihr war materialistisch. In dieser Zweisinnigkeit verstrickte das Jahrhundert gerade die Denker, die die umfassensten Pläne einer menschenwürdigen Zukunft, einer Gemeinschaftszukunft entwarfen. Im materialistischen, also notwendig individualistischen Mittel, trafen sie sich wieder mit ihrer Gesellschaft. So war der Freiheitsmensch dieser Zeit in sich zum Untergang verurteilt.[177]

In Rubiners Vorstellung hatte der Marxismus den Sozialismus verfälscht. „Der Weg des Menschen mit der Menschheit," so schrieb er 1918 einleitend zu Tolstois Tagebüchern, „die Möglichkeit der lebendigen Menschheitsgemeinschaft, also mit theoretischer Benennung: der Sozialismus, war eine Angelegenheit der Nationalökonomie geworden."[178] Außerdem war der Marxismus ihm nicht radikal genug, weil er sich in seinen revolutionären Zielen nur an einer bestimmten Klasse orientierte. Er schrieb 1917 im *Zeit-Echo:* „Der blinde Wunsch, eine Partei zu bilden, statt einer Gemeinschaft für Geistesrevolution, die doch in Wahrheit nur unter dem Zeichen einer absoluten schöpferischen Änderung des Bewußtseinsstandes der Welt marschieren würde, führte zu der nie verzeihlichen Sünde: demokratischen Sozialismus

[177] Ludwig Rubiner, „Einleitung" in: Leo Tolstoi, *Tagebuch 1895 – 1899,* S. VII – IX.
[178] Ludwig Rubiner, ibid., S. VII.

gleichzusetzen mit Klassenkampf."[179] Während er Sozialismus mit wahrem „Erdballbewußtsein" gleichsetzte, wertete er den Marxismus als „Zehntelsozialismus" ab,[180] als den illusorischen Versuch, die Unfreiheit des Menschen mit Mitteln zu überwinden, die die Ursachen dieser Unfreiheit, ihre materielle Determinierung nämlich, aufrechterhalten. „In absichtlichem Selbstbetrug ist man froh, Umwälzung der Gesellschaft schon mit bloßer Umlagerung der Vermögen zu identifizieren."[181]

Bezeichnend für Rubiners Aktivismus, interessant auch im Hinblick auf sein persönliches Verhalten nach dem Krieg ist, daß er den Ruf nach dem Marxismus immerhin als einen positiven Ansatz zu werten bereit war, weil er gegen die bestehende kapitalistische Gesellschaftsordnung, die einer geistigen Erneuerung im Wege steht, gerichtet war: „Alle Prophetie, alle Beschreibung im Marxismus ist schon lange vor dem Krieg falsch und unsinnig gewesen," schrieb er 1917. „Doch alle Forderung nach ihm eine unermeßliche ethische Leistung!"[182] Ein solcher Versuch, den im Marxismus lebendigen revolutionären Impetus den eigenen Zielen unterzuordnen, war unter den Aktivisten nicht ungewöhnlich. Wie Eva Kolinsky nachgewiesen hat, hat zum Beispiel Franz Pfemfert 1918 das *Kommunistische Manifest* in der *Aktion* abgedruckt, um „die Möglichkeit einer Beendigung des Krieges durch Revolution bewußt zu machen."[183] Grundsätzlich gilt eben, daß Rubiners Aufrufe zur Revolution während des Krieges von der Annahme ausgingen, daß die Zerstörung des Kapitalismus den Geist freisetzen und eine Form des Daseins herstellen mußte, die er in zunehmendem Maße mit religiösen Begriffen umschrieb. „Es kommt darauf an, Besitz, Macht, Gegebenheit zu vernichten, um das Bewußtsein von der Existenz Gottes zu erreichen," heißt es zum Beispiel in seiner Programmschrift „Der Kampf mit dem Engel."[184] Revolution wird zu einem Akt des radikalen Austausches der bestehenden gesellschaftlichen Wirklichkeit gegen den „Gottesstaat auf Erden."[185] Und er unterstellte historischen wie zeitgenössischen revolutionären Bewegungen die gleiche idealistische Wirkung.

So begrüßte er 1917 die Russische Revolution enthusiastisch als eine welterneuernde Entscheidung der russischen Bauern: „Diese wahrhaften Freiwilligen, die ihr Gesetz diktiert fanden von der Bruderliebe, schufen an der Verwirklichung einer Idee. Sie waren gestützt nur auf das Vertrauen zu ihrem

[179] Ludwig Rubiner, „Nach Friedensschluß", *Zeit-Echo,* 3(1917), Juniheft, S. 2.
[180] Ludwig Rubiner, ibid., S. 4.
[181] Ludwig Rubiner, ibid., S. 2.
[182] Ludwig Rubiner, „Die Änderung der Welt", *Der Mensch in der Mitte,* S. 106.
[183] Eva Kolinsky, *Engagierter Expressionismus,* Stuttgart 1970, S. 34.
[184] Ludwig Rubiner, „Der Kampf mit dem Engel", *Der Mensch in der Mitte,* S. 186.
[185] Ludwig Rubiner, „Die Bilder Else von zur Mühlens", *Die Aktion,* 6(1916), Sp. 578.

Gewissen, auf ihren festen Willen zur Unbedingtheit, auf ihren Glauben an die dereinstige Leibwerdung ihrer Idee und auf ihren Glauben an die neue Auferstehung des Geistes auf Erden."[186] Auch Rubiners Kritik am Proletariat vor 1919 resultierte nicht etwa aus der Analyse der Produktionsverhältnisse, sondern aus den Hoffnungen eines, der die Welt vergeistigen wollte und sich eine dafür empfängliche Masse ersehnte.

Was ihm ganz ähnlich wie Landauer am Proletariat mißfiel, war erstens, daß es sich mit der Vergesellschaftlichung der Produktionsmittel „das Maß der kleinsten Zufriedenheit" gesetzt habe und zweitens „nur die materielle Umschichtung einer spezifischen Klasse propagierte."[187] Sozialismus war eben in Rubiners Verständnis jetzt nicht die Angelegenheit einer unterprivilegierten Schicht oder einer Parteiorganisation sondern eine „Menschheitsfrage."[188] Und Friedrich Albrecht ist recht zu geben, wenn er über Rubiner schreibt: „Er differenzierte zu dieser Zeit kaum zwischen den herrschenden Klassen, dem Kleinbürgertum und dem Proletariat; für ihn waren die Zukunftsmöglichkeiten aller sozialen Gruppen fragwürdig geworden."[189] Während das Proletariat nach seinem Dafürhalten einem gesellschaftlichen System der Unterdrückung verhaftet blieb, richtete sich seine Hoffnung daher auf eine Art „Ungesellschaft", wie Mennemeier sie treffend benannt hat,[190] auf den Mob, die „Unorganisierbaren", und „stets außerhalb Stehenden,"[191] die nichts zu verlieren hatten und – wie er meinte – zu jeder Änderung bereit waren.

Damit zeigte Rubiner eine für die politischen Expressionisten typische Affinität zu den sozialen Randschichten. Er glaubte, daß die noch nicht auf den Marxismus eingeschworenen subproletarischen Schichten soweit außerhalb der verhaßten Zivilisation standen, daß sie für den gänzlich ungesellschaftlichen – und das heißt in seinem Bewußtsein „geistigen" – Ansatz seiner Erneuerungskonzeption noch am ehesten empfänglich waren, die Bereitschaft zeigen würden, sich dem Beispiel der Literaten anzuschließen. So richteten sich seine Aufrufe besonders an sie:

> Droschkenkutscher her, Straßenreiniger her, Steinsetzer her, Dienstmädchen her, Waschweiber her; Mob, Unterproletariat, Verzweifelte, Unorganisierte her, die nichts zu verlieren haben; Besitzlose, ganz Besitzlose her! Menschen her! Her zu uns, wir sind für Euch da! Die Zeit geht dem Ende entgegen. Einmal wird der himmlische Horizont wieder an die Erde stoßen, und der Umkreis

[186] Ludwig Rubiner, „Mitmensch", *Zeit-Echo,* 3(1917), Maiheft, S. 11.
[187] Ludwig Rubiner, „Nach Friedensschluß", *Zeit-Echo,* 3(1917), Juniheft, S. 2.
[188] Ludwig Rubiner, ibid., S. 3.
[189] Friedrich Albrecht, *Deutsche Schriftsteller in der Entscheidung,* Berlin und Weimar, 1970, S. 61.
[190] F. N. Mennemeier, *Modernes Deutsches Drama,* Bd. I, München, 1973, S. 20.
[191] Ludwig Rubiner, „Die Änderung der Welt", *Der Mensch in der Mitte,* S. 107.

unserer Augen wird wieder den Glauben sehen, das Wissen von göttlichen Werten.[192]

Rubiners dichterisches Werk der Jahre 1916 bis 1918 illustrierte seine Kritik am Marxismus und am Proletariat. Die befreiende Kraft von Streiks und Arbeiterunruhen in seinem *Himmlischen Licht* von 1916 zum Beispiel geht über den Klassenkampf hinaus. Zwar erwacht die Stimme „des Menschen" hier zuerst in den Gequälten und Entrechteten, die Menschenverbrüderung schließt aber endlich Bankdirektoren und Generäle mit ein. In dem 1918 beendeten Ideendrama *Die Gewaltlosen,* repräsentiert der Arbeiter Nauke die Gefahr des auf materielle Interessen beschränkten Klassendenkens für eine echte Erneuerung. Nauke stellt sich anfangs der „guten Sache" der Menschheitsverbrüderung zur Verfügung. Er mißversteht jedoch die Befreiungsaktion der „Erweckten", die schon ganz im Licht des Geistes wandeln, als die Vorbereitung zur Sprengung der Banken und zur Enteignung der Bürger. Als er seinen Irrtum erkennt, wird er zum Verräter und bestielt und bekämpft die „Brüder". Überhaupt wird in diesem Stück jeder gewaltsame Umsturz verurteilt. In der pestverseuchten Stadt, die die „Reinen" durch Bruderliebe zu retten entschlossen sind, war eine proletarische Revolution gegen die Bourgeoisie ausgebrochen. Die Bürger sind aus der Stadt geflohen und belagern sie nun ihrerseits. Hunger und Krankheit haben den Kampfeswillen der Proletarier fast gebrochen, als Anna, eine der „Erweckten", zu ihnen stößt und statt Waffen und Brot Ideen anbietet: „Ihr wollt die Freiheit? Ihr selbst seid die Freiheit: Ihr braucht nicht zu flüchten, ihr braucht nichts zu verbergen. Wie? ihr leitet? ihr verfügt? ihr versammelt, ordnet an, gebt Aufträge, seid Zahlen-Nenner, macht Zanlen? In welcher alten Welt lebt ihr?"[193] Allein der Wille zur Gemeinschaft könne das Elend überwinden, argumentiert sie, der einzige Aufschrei, die Kraft der Bruderliebe würde alle Fabriken versinken, alle Mörderkugeln zu Boden fallen machen. „Ein Tag nur, ein einziger Tag Ruhe, ein Tag Stille aller Menschen auf der Erde, und diese alte Welt ist verwischt; eure Mauern und Gräber treiben die Feinde selbst zurück, ohne daß einer von uns die Hand regt. Ein Tag nur ganz eure Kraft, euer Lächeln, euer Duft, euer Atem!"[194] Zu einem jungen Arbeiter sagt Anna: „Ihr alle müßt aufhören. Ihr müßt alle einmal wieder wissen, woher ihr kommt, daß ihr lebt, daß ihr Freiheit habt, zu tun, was ihr wollt und nichts zu tun."[195] Nur durch Gewaltlosigkeit sei ihre Versklavung durch die Bürger zu überwinden. Ohne Widerstand zu finden, würde der Angriff der Bürger

[192] Ludwig Rubiner, „Der Kampf mit dem Engel", *Der Mensch in der Mitte,* S. 170/71.
[193] Ludwig Rubiner, *Die Gewaltlosen,* in: *Schrei und Bekenntnis,* hrsg. von Karl Otten, 2. Aufl., Neuwied, Berlin, 1959, S. 348.
[194] Ludwig Rubiner, ibid., S. 349.
[195] Ludwig Rubiner, ibid., S. 351.

verpuffen. „Einer nach dem andern wird umgurgelt von der steigenden und steigenden Flut der Gewaltlosigkeit."[196] Ihre Kraft, ihr Wille zu Gewaltlosigkeit und Bruderliebe würde mehr und mehr Bürger auf ihre Seite hinüberziehen: „Die Feinde sind zersplittert, versunken. Die Bürger sind verschwunden. – Ihr habt die neuen Brüder unter euch!"[197]

[196] Ludwig Rubiner, ibid., S. 352.
[197] Ludwig Rubiner, ibid., S. 352.

Kameraden der Menschheit

Novemberrevolution und Waffenstillstand in Deutschland Ende 1918 ließen Rubiner zunächst anders reagieren als es die „Erweckten" in seinem Drama hätten ahnen lassen. Am 24. Dezember 1918 ließ er sich in Zürich einen österreichischen Paß ausstellen. Am 30. Januar 1919 verließ er die Schweiz und reiste über München nach Berlin, wo er Busonis alte Wohnung am Viktoria-Luisen-Platz bezog und seinen Dienst als Lektor beim Gustav Kiepenheuer Verlag antrat. Das 1909 in Weimar gegründete Unternehmen war bis Ende des ersten Weltkrieges bei fast völliger Vernachlässigung des jungen Schrifttums mit bibliophilen Neuausgaben und „Liebhaber-Bibliotheken" um die Pflege des klassischen und nachklassischen Kulturerbes bemüht gewesen. Eine verlagseigene Volksbücherei „Heldenkämpfe 1914/15" wie die Zeitschrift *Deutsche Politik,* für deren Herausgabe der Alldeutsche Paul Rohrbach mitverantwortlich zeichnete, zeugen von dem konservativen Geist des Hauses während der Kriegszeit. Ende 1918 nun aber hatte Kiepenheuer den Verlag nach Potsdam gebracht, und daß er Rubiner, der alles bekämpfte, was das Unternehmen bisher mit seinem Programm vertrat, als leitenden Mitarbeiter gewann, demonstriert einen plötzlichen Gesinnungswandel des Verlegers. Jedenfalls erfuhr die Firma mit Rubiners Eintritt eine so plötzliche wie entschiedene Wandlung zu einem prononciert linksbürgerlichen Verlag.

Rubiner gestaltete das Verlagsprogramm nach ganz ähnlichen Gesichtspunkten wie vorher sein *Zeit-Echo,* indem er nun auch hier alle zu sammeln suchte, die er als Mitstreiter in seinem Aktivismus für eine neue Erdballgesinnung ansah. Zunächst brachte er eigene Schriften ein, der *Mensch in der Mitte* erschien hier in zweiter Auflage, sein Drama *Die Gewaltlosen,* das schon 1917/18 in der Schweiz entstanden war, füllte den ersten Band der neuen Reihe des Kiepenheuer Verlages „Der Dramatische Wille", dem Georg Kaisers *Hölle Weg Erde* und Tollers *Die Wandlung* als zweiter und dritter Band folgten. Zwei Anthologien kamen hinzu: In den *Kameraden der Menschheit* vereinigte Rubiner die Lyrik linker Aktivisten wie Becher, Ehrenstein, Wolfenstein, Toller, Carl Einstein, Iwan Goll, Karl Otten und Paul Zech. Und als Kiepenheuer ihm das Jahrbuch 1919 des Verlages zur Verfügung stellte, sammelte Rubiner hier „Dokumente der Geistigen Weltwende" von Hölderlin bis Karl Marx und Henri Barbusse unter dem Titel *Die Gemeinschaft.*

Durch diese beiden Sammlungen wurde der Verlag für die revolutionäre deutsche Literatur interessant und viele der in sie aufgenommenen Autoren veröffentlichten nun auch selbst bei Kiepenheuer: Iwan Goll, Leonhard Frank, Upton Sinclair, Georg Kaiser, Ernst Toller. Durch Vermittlung Rubiners folgten linke Autoren wie Max Barthel, Wolf Przygode, dann auch Max Hermann-Neisse, Hermann Kasack und André Gide. Der Freund Wilhelm Herzog brachte hier jetzt seine Zeitschrift *Das Forum* heraus. Auch Rubiners alte Leidenschaft, Brücken zum Ausland zu schlagen, vor allem nach Frankreich und Rußland, wirkte sich sogleich auf das Verlagsprogramm aus. Marcel Martinet, die Freunde Henri Guilbeaux und Pierre Jean Jouve, für die er sich schon in seinem *Zeit-Echo* eingesetzt hatte, versuchte er mit seinen beiden Anthologien in Deutschland bekannt zu machen. Auch lenkte er den Blick des Verlages auf die junge Kunst der Sowjetunion, auf Archipenko und Chagall; Konstantin Umanskijs „Neue Kunst in Rußland", Tairoffs „Das entfesselte Theater" und die Stücke Wolodymyr Wynnytschenkos erschienen hier jetzt.

Diese Wirksamkeit im Gustav Kiepenheuer Verlag im Jahre 1919 gab Rubiner also Gelegenheit, seine Ideen von Tat und Gemeinschaft in dem Grade zu verwirklichen, als es ihm gelang, revolutionäre Autoren – „Söhne der Idee," wie er sie genannt hatte[198] – zu sammeln und ihre Schriften zu verbreiten. Im Herbst 1919 gründete er zusammen mit Arthur Holitscher, Rudolf Leonhard, Franz Jung und Alfons Goldschmidt nach dem Vorbild des frühen Proletkults in Rußland den *Bund für proletarische Kultur,* der es sich zur Aufgabe machte, „den sittlichen Funken revolutionärer Energien in den Herzen der Massen zu entzünden," wie es in einem ersten Aufruf heißt.[199] Der Bund, der sich außerhalb der Kommunistischen Partei konstituiert hatte, setzte sich zum Ziel, den Kampf der revolutionären Massen zur Befreiung aus wirtschaftlichen Abhängigkeitsverhältnissen durch eine Befreiung aus dem bürgerlichen Kulturmonopol, wie die Vorbereitung zu einer neuen „proletarischen Kultur" zu unterstützen. Er forderte den Anschluß der Intellektuellen und Künstler an das Proletariat und veranstaltete künstlerische Darbietungen, politische und wissenschaftliche Referate und Arbeiterfeste in den Betrieben, „um die Revolution zu durchgeistigen und vorwärtszutreiben."[200]

Um dem neuen proletarischen Kulturerleben ein Forum zu schaffen, gründete der Bund schließlich ein „Proletarisches Theater des Bundes für proletarische Kultur", nach Goldschmidt „das erste szenische Instrument des Proletkultes in Deutschland."[201] Die Aufführungen sollten in Fabrikräumen

[198] Ludwig Rubiner, „Mitmensch", *Zeit-Echo,* 3(1917), Maiheft, S. 12.

[199] „Aufruf zu einem Bund für Proletarische Kultur", *Räte-Zeitung,* 1(1919), Nr. 41, zitiert nach: *Literatur im Klassenkampf,* hrsg. von Walter Fähnders und Martin Rector, München 1971, S. 155.

[200] „Aufruf zu einem Bund für Proletarische Kultur", ibid., S. 157.

[201] Zitiert nach Erwin Piscator, *Das Politische Theater,* Berlin 1929, S. 33.

und Vorstadtsälen stattfinden, für die Eröffnung des Programms wählte man jedoch den eher festlichen Rahmen der Berliner Philharmonie. Um dennoch die Verbundenheit mit den Massen zu demonstrieren, wurde die räumliche Trennung von Bühne und Zuschauer aufgehoben. Man spielte „Freiheit" von Herbert Krantz, und Goldschmidt berichtet über diese Premiere vom 14. Dezember 1919: „Auf eine reguläre Bühne mußten die Veranstalter verzichten und verzichteten auch gern, weil sie glaubten, überall und mit den geringsten Mitteln spielen zu können. Wie die Arbeit anfangs anonym gedacht war, selbst ohne Namensnennung der Schauspieler, so sollte auch das Requisit möglichst einfach, unaufdringlich, in sich selbst proletarisch sein."[202] Da die großen Berliner Betriebe in den darauffolgenden Monaten bestreikt wurden, ließen sich die beabsichtigten weiteren Aufführungen in den Fabriken nicht verwirklichen. Als sich der Bund dann auf Grund innerer ideologischer Auseinandersetzungen Anfang 1920 auflöste, bedeutete das auch das Ende des proletarischen Theaters. Und Rubiners Stück, *Die Gewaltlosen,* das auf dem Spielplan stand, kam daher in diesem Rahmen nicht mehr zur Aufführung.

In der Nacht vom 26. zum 27. Februar 1920 erlag Rubiner nach sechswöchiger Krankheit in einer Privatklinik in der Augsburger Straße einer Lungenentzündung – wenige Tage nachdem die Gesellschaft „Das Junge Deutschland" ihm in Anerkennung seines Schaffens eine Ehrengabe zugesprochen hatte. Am 3. März wurde er in Berlin-Weissensee beigesetzt. Am Grab sprachen Felix Holländer und Franz Pfemfert.

Rubiners glühende Parteinahme für die proletarische Revolution bei Kriegsende, seine persönliche Bekanntschaft mit Marxisten wie Guilbeaux, Lunatscharskij und Max Barthel, seine Bewunderung für Karl Liebknecht und die Beteiligung am „Proletarischen Theater" werfen die Frage auf, ob er nicht zuletzt seine idealistische Position aufgegeben und doch Marxist geworden ist. Vielen Zeitgenossen galt er als Kommunist. Hermann Kesser schrieb: „Auf seinem Schiff hat Rubiner am Ende, sichtbar und nicht unerwartet, die Parteifahne aufgezogen."[203] Max Barthel teilte mit: „Rubiner gehört führend jener Gruppe der deutschen Literaten an, die über den Pazifismus kommend, sich zur Diktatur des Proletariats bekennen."[204] Und Kurt Hiller berichtete in einem Nachruf, Rubiner habe in einem Brief vom 7. Dezember 1919 an ihn für die Politik der Kommunistischen Partei geworben.[205] Zu den Stan-

[202] Alfons Goldschmidt, ibid.

[203] Hermann Kesser, „Ludwig Rubiner", *Neue Zürcher Zeitung,* Nr. 382, 1920.

[204] Max Barthel, „Ludwig Rubiner: Die Gewaltlosen", *Die Internationale,* 1(1919), H. 20, S. 66.

[205] Vgl. Kurt Hiller, „Ludwig Rubiner tot", *Das Ziel,* IV(1920), S. 57.

dardbemerkungen über Rubiner gehört seitdem die Behauptung, er sei gegen Ende seines Lebens in die KPD eingetreten. Viele Äußerungen Rubiners in seinem letzten Lebensjahr lassen jedoch an einem totalen Gesinnungswechsel zweifeln, zumindest zwingen sie dazu, seine politischen Überzeugungen über Schlagworte hinaus zu qualifizieren.

Das Dilemma der expressionistischen Schriftsteller angesichts der politischen Krise bei Kriegsende ist oft beschrieben worden.[206] Es war offenbar einfacher, in Opposition gegen das bestehende politische System eine fiktive Masse zur Erneuerung aufzurufen, als sich mit tatsächlichen revolutionären Bewegungen und Parteien zu arrangieren. Ließ der momentane Zusammenbruch der auf das Bürgertum gestützten Staatsgewalt auch eine radikale politische Neugestaltung möglich erscheinen, und versprach auch der Umbruch die Erweiterung der Basis für ein politisches Engagement der Intellektuellen, so widersprach doch die gleichzeitig wachsende proletarische Revolution als Klassenkampf unter Führung der Parteiorganisation der KPD den heiligsten pazifistischen und idealistischen Grundsätzen der Expressionisten.

Georg Lukács hat geschrieben, daß die politische Entwicklung um 1919 „so klare Entscheidungen zwischen Proletariat und Bourgeoisie" erzwang, daß die Ideologie der Expressionisten „daran zerschellen mußte."[207] Im Endergebnis ist das sicher richtig, für eine Zeit aber sahen viele Aktivisten durchaus noch eine Chance, ihre idealistischen Ziele trotz der erstarkten proletarischen Bewegung oder gar mit ihr erreichen zu können, denn die politische Lage blieb lange unklar. Den deutschen Kommunisten war es nicht gelungen, das in die Heimat zurückgekehrte Heer von Frontsoldaten in einer politischen Partei zu organisieren, und die verschiedenen Unruhen bewirkten nur den Sturz der Monarchie, nicht aber die Diktatur des Proletariats. Auch bestand selbst innerhalb der KPD zu dieser Zeit noch eine bedeutende ideologische Unsicherheit. Manche sahen daher in der verwirrenden Situation von 1919 noch die Gelegenheit zu ihrer eigenen Form der Erneuerung. Landauer zum Beispiel, der nicht aufhörte, den „Proletariern der Industrie" ihre „Beschränktheit, die wilde Stockung, Unwegsamkeit und Unfeinheit ihres

[206] Vgl. Georg Lukács, „Größe und Verfall des Expressionismus"; Friedrich Albrecht, *Deutsche Schriftsteller in der Entscheidung;* Lothar Peter, *Literarische Intelligenz und Klassenkampf;* Franz Schonauer, „Partei und schöne Literatur. Kommunistische Literaturpolitik in der Weimarer Republik", in: *Die deutsche Literatur in der Weimarer Republik,* hrsg. von Wolfgang Rothe, Stuttgart, 1974, S. 116 – 121; Horst Denkler, „Auf dem Wege zur proletarisch-revolutionären Literatur und zur Neuen Sachlichkeit", in: *Die deutsche Literatur in der Weimarer Republik,* S. 146 – 150; Alfred Klein, „Zur Entwicklung der sozialistischen Literatur in Deutschland 1918 bis 1933", in: *Literatur der Arbeiterklasse 1918 – 1933,* hrsg. von der Deutschen Akademie der Künste zu Berlin, Berlin und Weimar, 1971, S. 36/37.

[207] Georg Lukács, „Größe und Verfall des Expressionismus", in: G.L. *Probleme des Realismus,* S. 110.

Geistes- und Gefühlslebens" vorzuhalten,[208] bot noch in dieser Schicksalsstunde den Massen die „Führung des Geistes" und die „Fügung in den Geist" an.[209] Er gab seinen *Aufruf zum Sozialismus* in einer „Revolutionsausgabe" neu heraus und forderte im Vorwort: „Die Idee muß die Erfordernisse des Augenblicks mit ihrem weiten Blick umspannen und mit ballender Hand gestalten; was bisher Ideal war, wird in der aus der Revolution geborenen Erneuerungsarbeit Verwirklichung."[210] Viele Expressionisten fühlten sich durch die Ereignisse bei Kriegsende zum Handeln getrieben und traten den linken politischen Parteien bei. Einige – wie Ernst Toller, Rudolf Leonhard und Kurt Pinthus – waren maßgeblich an revolutionären Aktionen beteiligt.

Auf die Aufsplitterung der Linken in verschiedene Parteien und Bünde wie USPD, KPD, KAPD (Kommunistische Arbeiterpartei Deutschlands) und AAU (Allgemeine Arbeiter Union), reagierten die radikalen Schriftsteller ihrerseits mit Zusammenschlüssen wie Hillers „Rat Geistiger Arbeiter," der deutschen Sektion der internationalen Vereinigung „Clarté", der Wilhelm Herzog vorstand, Pfemferts „Antinationaler Sozialistenpartei" (ASP) und dem von Alfons Goldschmidt gegründetem „Bund der Anhänger des Rätegedankens," Vereinigungen, die trotz aller ideologischer Richtungsungewißheiten allesamt das Bemühen der Intellektuellen bezeugen, innerhalb des politischen Umsturzes ihren Einfluß geltend zu machen. Rubiner scheute den Anschluß an eine dieser Organisationen, auch ihm aber stellte sich angesichts der veränderten politischen Situation das Problem, sich entweder mit der jetzt anschwellenden revolutionären Bewegung zu verbünden oder in einer Abseitsstellung zu verharren. Daß die deutschen Spartakisten nicht, wie er es von den Massen gewollt hatte, unter dem Zeichen einer „absoluten schöpferischen Änderung des Bewußtseins der Welt" marschieren würden, war ihm mit dem Ende des Krieges klar geworden. Wie aber hätte er, dem alles Wirken auf die revolutionäre Tat zielte, jetzt abseits stehen können?

Daß er trotzdem nicht zu „diametralen Positionen" umzuwechseln brauchte, wie Lothar Peter meint,[211] beweist ein Blick auf das schon in der Schweiz entstandene Stück *Die Gewaltlosen,* wo genau die gleiche Situation, die Konfrontation des geistigen „Führers" mit einer übermächtigen Erhebung der Massen durchgespielt wird und Rubiner sich die Frage nach dem Konflikt von Gewaltlosigkeit und Revolution stellt. Angesichts von Plünderung, Raub und Totschlag in der sich drohend heranwälzenden Revolution erkennt einer der „Geistigen", daß alle hohen Ziele, zu denen er aufgerufen hatte, daß „die ewige göttliche Abkunft" und „das freie Menschenleben"

[208] Gustav Landauer, *Aufruf zum Sozialismus,* „Vorwort" zur 2. Auflage, Berlin 1919, S. XIV.
[209] Gustav Landauer, ibid., S. XII.
[210] Gustav Landauer, ibid., S. XI.
[211] Lothar Peter, *Literarische Intelligenz und Klassenkampf,* S. 70.

beiseitegeschoben würden.[212] Verzweifelt will er sich der Masse entgegenwerfen, wird aber von Klotz, dem Führer der „Erhabenen" zurückgehalten und belehrt: „Sie müssen hindurchgehen durch die Niedrigkeit, um die Niedrigkeit zu erkennen. Sie müssen sich beflecken, um Reinheit sehen zu können."(357). Die Führer müßten sich aufgeben, „einer von ihnen werden"(357). Auf die entsetzte Frage des anderen, ob sie denn nur mitmorden müßten, gibt Klotz die aufschlußreiche Antwort: „Nicht das Morden! Wir morden nicht. Nein – breite die Arme und schwimm unter ihnen. Du mußt ihre Welle verstärken, daß ihr großer Gleichstoß durch dich rinnt und nur mit dir noch lebt."(357/58). Führertum sei Betrug. „Du mußt ein Teil sein, eine geringe Zelle von ihnen; ein Zucken nur in ihren Muskeln"(358). Noch immer kann der andere das nicht akzeptieren: „Und das Letzte? Die Ewigkeit? Das Unbedingte, daran nichts abzuschneiden ist? Die Freiheit?"(358). Klotz belehrt ihn, daß diese Ziele unverändert weiterbestünden, der Weg dazu aber durch den Abgrund führe: „Mann, nur zu ihm mußt du. Zum Letzten, Höchsten, wovon wir stammen. Aber hindurch mußt du zu ihm durch unsere endlichen, zeitlichen, befleckten Leiber, durch die Schwierigkeit des Kleinen, durch den Schweiß der Sünde ... Zu dem unendlichen Glück der Menschheit müssen wir durch den ganzen Trümmersturz des Menschseins"(358). Immer noch hat der andere Einwände: „Und du meinst, das ginge so leicht? Die Idee umgibt uns mit einem Stachelpanzer, wir können ihr nicht folgen ohne unsere Idee zu verwunden." Darauf erwidert nun Klotz abschließend: „Dreh ihn um, den Stachelpanzer; verwunde nicht die andern, stich dich selbst. Unser Opfer müssen wir bringen, unser eigenes Opfer, ... das ganze Dasein geben! Wir waren die Führer, wir ragten auf, sandten Ströme von uns, die die Massen bewegten. Das war unsere Sünde! Die Welt wird neu. Wir haben kein Recht mehr zu sein. Wir dürfen nicht mehr da sein. Über uns hinweg muß die Freiheit kommen. Nicht wir mehr befreien die Menschen, sie selbst tun es auf unserem Leib"(358). Rubiners Verhältnis zur proletarischen Revolution von 1919 ist hier vorweggenommen, die Anerkennung der Übermacht der Verhältnisse, der Mechanismus der Versöhnung mit ihr wie die Geste der „Menschwerdung", die sich trotz des Opfers, ja mit diesem Opfer eben doch noch einen letzten Anstoß in Richtung auf das ideelle Ziel erhofft.

Schon bei Ende des Krieges spürte Rubiner, daß er vor einer historischen Wende stand, die von ihm, der all die Jahre nach der weltverändernden Aktion gerufen hatte, eine besondere Bewährungsprobe verlangen würde. „Jetzt bist du soweit," addressierte er einen fiktiven Kameraden des Geistes im Oktober 1918 im *Forum*. „Es dauert nicht mehr lang. Jetzt beginnt deine

[212] Ludwig Rubiner, *Die Gewaltlosen*, in: *Schrei und Bekenntnis*, hrsg. von Karl Otten, S. 357.

wahre Arbeit."[213] Und er erkannte auch, daß es nicht mehr darum gehen würde, die Menschen zu sich zu rufen, daß die proletarischen Massen nicht von seinesgleichen geführt werden würden, daß überhaupt zunächst einmal der umwälzende Stoß mächtiger sein würde als irgend ein Programm. Vor der „großen Erhebung des Massenwillens" müßten die Führer verstummen, schrieb er. „Hier will etwas, das mehr ist als sie, höher, sicherer und drängender ungeduldig nach vorwärts."[214] Wie in seinem Drama verleugnet Rubiner hier alles intellektuelle Führertum als Flucht in „den Schutz des Sich-Erhaben-Dünkens" und fordert von den Denkern und Propheten das „Untertauchen in die Masse."[215] Er belehrt daher jeden ehemaligen geistigen Führer: „Heute mußt du dein Leben mit der großen Sache, die du dachtest und aussprachst, identifizieren. Mit unserer Sache. Du mußt mit uns gehen. Mit wem? Mit der Masse."[216]

Rubiner erkannte jetzt an, daß die „Verwirklicher des Kommunismus" bereits „die neuen Verhältnisse der kommenden Welt" vorgeformt hatten, bestritt jedoch, daß es ihr „Aktionsprogramm" gewesen war, das die Masse zum Handeln trieb. Der „materialistische Unterbau" bilde nur einen kleinen Abschnitt des Aktuellen. Er blieb dabei: „Die Menschen tun ihre Taten nach den Ideen."[217] Und diese Ideen seien nicht etwas Konstruiertes, sondern „die größte Schöpfung des Menschen, eine über ihn hinaus: ein Organismus, der gleichzeitig jeder Mensch ist, der ihn mitschuf und das Lebensverhältnis, die Welt dieses Menschen. Das große Reich der Ewigkeit des Handelns, schon losgelöst von ihrem Urheber, doch rückwirkend auf ihn. – "[218] Rubiner weicht also in dem Moment, wo er sich zur proletarischen Revolution bekannte, von seiner Idee der schöpferischen Erneuerung des Menschen im Vollzug einheitlichen Handelns nicht ab. Daß das organisierte Proletariat ideologisch anders fundiert war und in seinem klassenkämpferischen Ansatz Konflikte heraufbeschwor, blieb ihm nicht verborgen. Er selbst stellte sich die Frage, was denn aus dem geistigen Ziel werde und fand dafür den Begriff „Bekehrung", womit er den Umstand beschrieb, sich einem absoluten Ziel mit nur menschenmöglichen Mitteln nähern zu können: „Das Ziel ist ewig und absolut – wir selbst sind endlich und unsere Mittel endlich. Bekehrung ist der Weg des Handelns mit allen, mit allen unseren endlichen Mitteln zum ewigen Ziel. Der Weg der Bekehrung: Untertauchen in die Masse."[219] Rubiner bestritt auch hier noch ausdrücklich den Wert des Proletariats als einer

[213] Ludwig Rubiner, „Die Erneuerung", *Das Forum*, 3(1918/19), H. 1, S. 59.
[214] Ludwig Rubiner, ibid., S. 62.
[215] Ludwig Rubiner, ibid., S. 65.
[216] Ludwig Rubiner, ibid., S. 60.
[217] Ludwig Rubiner, ibid., S. 64.
[218] Ludwig Rubiner, ibid., S. 65.
[219] Ludwig Rubiner, ibid., S. 65.

Klasse; für ihn waren es jene, „die endlich das große Werk der Abdankung des Überflüssigen beginnen,"[220] und er sah es nun als die Pflicht jener, die es mit ihrem Ruf der Erneuerung ernst meinten, sich diesem Werk anzuschließen.

Was Rubiners „Bekehrung" zum Opfer fällt, ist sein Ruf nach „Unbedingtheit" der noch 1917 jeden Kompromiß an menschliche Beschränkung verdammte. Gleichzeitig kommt es zur Anerkennung des Proletariats als „wirkendes Volk", das einen neuen Menschheitsbegriff „aus der Vorstellung in die Wirklichkeit hinein gestaltet."[221] Das erste war nichts weniger als eine Konzession an die Wirklichkeit, das zweite eine Illusion, beides der Versuch, sich mit den neuen politischen Umständen so zu versöhnen, daß dem eigenen Wirken weiterhin Rechtfertigung und Ziel blieben. Hatte Rubiner noch 1917 die Änderung der Welt durch das organisierte Proletariat für „unverantwortlich und menschenunwürdig" gehalten, weil es dem „Interesse der Gesamtheit" nicht dienlich war,[222] so gab er nun dem Glauben Ausdruck, das Proletariat und die Solidarität mit dem Proletariat ermögliche „den Sprung in das neue Reich", einen „menschengezeugten Kosmos,"[223] in dem sich seine Vorstellung von Gemeinschaft, Freiheit und Gewaltlosigkeit verwirklichen würde – mit anderen Worten: er sah die proletarische Revolution als den endlichen Weg auf sein absolutes, geistiges Ziel hin. Wegen dieser neuerlichen Begeisterung für das Proletariat haben viele Rubiner für einen Kommunisten gehalten, ohne dabei seine eigenwillige Interpretation der Bewegung zu berücksichtigen. Kurt Hillers Nachricht, Rubiner habe schließlich für die Politik der Kommunistischen Partei geworben, steht in Widerspruch zu der gleichzeitigen Mitteilung, Rubiner habe alle Macht den Arbeiterräten übertragen wollen.[224] Denn das Rätesystem, das Rubiner auch durch seine Mitarbeit am *Bund für Proletarische Kultur* unterstützte, stand im Widerspruch zur offiziellen Parteilinie der KPD.

Rubiner war mit Hiller schon seit seinen frühen Berliner Jahren bekannt, seit 1911 als Rubiner sich Hillers literarischem Klub „Gnu" anschloß, waren sie Freunde. Hiller nahm drei Gedichte Rubiners in seine Anthologie *Der Kondor* auf, auch arbeitete Rubiner an Hillers *Ziel-Jahrbüchern* mit. Beide waren sich über die aktivistische Aufgabe der Literatur einig. Ihre Vorstellungen von der geistigen Erneuerung der Menschheit offenbahrten jedoch erhebliche Unterschiede. Während Hillers Aristokratismus auf die Regierung einer geistigen Elite zielte, hat Rubiner den Begriff des Geistesmenschen von

[220] Ludwig Rubiner, ibid., S. 66.
[221] Ludwig Rubiner, ibid., S. 63.
[222] Vgl. Ludwig Rubiner, „Nach Friedensschluß", *Zeit-Echo,* 3(1917), Juniheft, S. 3.
[223] Ludwig Rubiner, „Die Erneuerung", *Das Forum,* 3(1918/19), H. 1, S. 61 und 66.
[224] Vgl. Kurt Hiller, „Ludwig Rubiner tot", *Das Ziel,* IV(1920), S. 53 – 59.

vornherein viel demokratischer verstanden. Geist war ihm eben die vornehmste Qualität des Menschen überhaupt. In der *Aktion* schrieb er 1913: „Der Taktvolle weiß, daß alle Menschen dieser Erde, ohne Ausnahme, schon dadurch, daß sie geboren sind, in Verbindung mit dem Geist stehen können,"[225] und wenn er 1917 in seinem *Zeit-Echo* einen „Bund der Geistesmenschen" forderte, so war das lediglich als ein erster Anfang eines weltweiten Prozesses gemeint, nicht als elitärer Zusammenschluß im Sinne Hillers.

Für Rubiner waren auch Hillers Manifeste und Zeitschriften daher nicht mehr als eine weitere willkommene Wendung gegen die alte Welt, ein Beweis, daß der Krieg „die geistige Haltung der neuen Zeit" nicht entwertet hatte. In sein *Zeit-Echo* fand Hiller jedoch keinen Zugang. Rubiner hielt sich 1919 zu Hillers Bedauern dem „Politischen Rat geistiger Arbeiter" fern, auch fehlte er auf dem von Hiller im August desselben Jahres einberufenen „Kongreß der gesamtdeutschen Aktivisten." Er ignorierte Hiller ebenfalls in seinen aktivistischen Anthologien *Kameraden der Menschheit* und *Die Gemeinschaft*. Hiller wiederum verurteilte nach dem Krieg Rubiners Bekenntnis zur proletarischen Weltrevolution, weil nach seinem Dafürhalten eine solche Revolution ungeistig und gewaltsam sein würde. Er schrieb auf Rubiner bezogen 1920: „Er dachte: Soziale Revolution, klassenlose Gesellschaft, das große Ziel, der gewaltige Geschichtsprozeß, Geschichte-Exzeß, DAS Ziel, jedes Mittel ist recht. Ich dachte (und denke) Nicht jedes; Tötung eines Menschen, der leben will, nicht; denn Mord ist noch gräßlicher als Ausbeutung – selbst falls er geschieht, damit endgültig Mord aufhöre. Rubiner nannte meine Haltung konterrevolutionär."[226] Rubiners Ruf „Alle Macht den Arbeiterräten" habe er, Hiller, seine Forderung „Alle Macht dem geistigen Typus" entgegengehalten: „Rubiner dachte: Jede Energie jenseits der proletarischen Weltrevolution ist heute vertan . . . oder ist Energie gegen diese Revolution; jede Aktualität außerhalb der Dritten Internationale: Donquichoterie oder Verbrechen."[227] Wie Rubiner sich aber auch innerhalb der proletarischen Bewegung noch eine von jeder Gewaltanwendung freie Rolle zuwies, wird deutlich in dem Nachwort zu seiner Anthologie *Kameraden der Menschheit* von 1919. Hier heißt es: „Der Proletarier befreit die Welt von der wirtschaftlichen Vergangenheit des Kapitalismus; der Dichter befreit sie von der Gefühlsvergangenheit des Kapitalismus."[228] Bei Anerkennung des realen,

[225] Ludwig Rubiner, „Der Aristokrat", *Die Aktion,* 3(1913), Sp. 590.
[226] Kurt Hiller, „Ludwig Rubiner tot", *Das Ziel,* IV(1920), S. 57.
[227] Kurt Hiller, ibid., S. 59.
[228] Ludwig Rubiner, „Nachwort" in: *Kameraden der Menschheit,* hrsg. von Ludwig Rubiner, Potsdam 1919, S. 176.

gewaltsamen Machtkampfes des Proletariats sah er seine eigene Zuständigkeit in der „Proklamation des seelischen Neubaus."[229]

Vielen seiner Freunde erschien eine solche Dialektik als Heuchelei. Schikkele zum Beispiel, dessen *Weiße Blätter* in der Schweiz noch mit Rubiners Bemühungen um Pazifismus und Völkerversöhnung konform gingen, blieb auch nach dem Kriege bei seiner Forderung nach einer „Diktatur des Ideals."[230] Auch er sah im Zusammenbruch des kaiserlichen Deutschland die Chance eines Neubeginns, blieb aber seiner pazifistischen Einstellung konsequent treu und kritisierte ähnlich wie Hiller Rubiners Bekenntnis zur Revolution als eine Aufforderung zur Gewaltanwendung. Er schrieb im Rückblick auf den 9. November: „Die Welt ändern, wie Rubiner sagt, und ich habe seinerzeit begeistert zugestimmt. In einem Punkt allerdings waren wir uns, seinerzeit, nicht einig: Ich meinte, mit der Peitsche sei sie gewiß ebensowenig zu ändern wie mit dem Säbel. Und er, Rubiner, hatte aus Verzweiflung über die Trägheit, die Feigheit, die Heimtücke der Zeitgenossen eine Vorliebe zur Peitsche gefaßt."[231] Schickele hielt daran fest, daß „eine geistige Ansicht niemals vom Waffenerfolg abhänge,"[232] entzog sich jeder gewalttätigen Veränderungspolitik und nahm die erneute Isolation und Einflußlosigkeit bereitwillig auf sich: „Wir gehn, in tiefster Stille, den unabsehbaren Weg der Menschenverwandlung."[233]

In ganz anderer Weise unterschied Rubiner sich zuletzt von Franz Pfemfert. Dieser vertrat bereits vor dem Krieg die Idee einer großen deutschen Linken, in der die Intellektuellen und die sozialdemokratische Arbeiterschaft sich zusammenschließen sollten. Ein militanter Humanismus sollte sie tragen und für eine „menschliche Politik" sorgen. Pfemfert wollte den Klassencharakter des Proletariats ebensowenig anerkennen wie Rubiner, auch ihm war damals noch nicht Marx, sondern Tolstoi der Kronzeuge dessen, was er unter Sozialismus verstand. Während aber Rubiner auch nach der Revolution dem Künstler noch eine Rolle innerhalb der proletarischen Bewegung zusprach, gab Pfemfert alle literarischen Ambitionen zuletzt preis, um ausschließlich parteipolitisch tätig zu sein. Er gründete mit Mitarbeitern der *Aktion* im November 1918 eine „Antinationale Sozialistenpartei" (ASP), trat, als sich diese Gruppe Anfang 1919 wieder auflöste, der KPD bei und verließ auch diese wieder, um Anfang 1920 bei der Gründung der linksradikalen KAPD mitzuwirken. Die *Aktion* wurde zum Organ einer politischen Partei,

[229] Ludwig Rubiner, ibid., S. 175.

[230] René Schickele, „Revolution, Bolschewismus und das Ideal", *Die Weißen Blätter,* 5(1918), S. 116.

[231] René Schickele, ibid., S. 107.

[232] René Schickele, ibid., S. 128.

[233] René Schickele, ibid., S. 129.

dem Rubiner seit Kriegsende die Mitarbeit entzog. Trotzdem hat Rubiner Pfemferts besondere historische Leistung für die deutsche Linke nie vergessen; noch in seiner Anthologie *Kameraden der Menschheit* von 1919 stattete er ihm dafür öffentlichen Dank aus: „Pfemfert war es, der Jahre vor dem Kriege alle Dichter, in denen er Menschheitskraft vermutete, als erster an die Öffentlichkeit stellte, und er half ihnen durch seine eigene unbeirrbare Haltung. Und wiederum war allein Pfemfert während der Kriegsjahre der einzige Schriftsteller, Herausgeber und Verleger in der Öffentlichkeit Deutschlands, der durch Veröffentlichung die Dichter der Menschlichkeit über den Krieg hinüber rettete."[234]

Die Tätigkeit bei Kiepenheuer wie seine Veröffentlichungen in diesem Verlag machen deutlich, wie sehr Rubiner an dem geistigen Ziel der Weltrevolution festhielt und wie er seine Absicht der „Gefühlsbefreiung" zu verwirklichen suchte. Seiner bewußten Absage an alles Führertum entsprechend, verzichtete er fast völlig auf weitere programmatische Äußerungen und konzentrierte sich auf die Herausgabe von Werken der Weltliteratur, die der Idee von Gemeinschaft und Menschenliebe, wie er hoffte, noch dienlich werden konnten. In dem marxistischen Ziel einer klassenlosen Gesellschaft sah er nun die Realisierung seiner Gemeinschafts-Idee. Indem er unterstellte, daß das Proletariat, „der Kämpfer der neuen Menschheit,"[235] eine neue Welt schaffen werde, „deren tragende Grundidee die Gemeinschaft ist,"[236] sah er in der Neuherausgabe dieser Werke die Möglichkeit, zwischen intellektueller Einsicht und spontaner Massenbewegung eine Brücke zu schlagen. Damit stieß er gleichzeitig aus idealistischer Einkehr in die Gemeinschaft Gleichgesinnter vor. Er zog den Kreis sehr weit, und auch gerade darin zeigt sich, wie sehr Rubiner versuchte, sich jeder doktrinären Enge zu entziehen. Was die Schriftsteller, die er für den Verlag gewann, verband, war allein, daß sie für die Mitmenschen Verantwortung zeigten und Anstöße geben wollten, die auf ein größeres gemeinschaftliches Ziel gingen. Und das gleiche gilt für die Schriften, die er in seine beiden Anthologien aufnahm.

Es geht Rubiner eben auch jetzt noch im Grunde um einen unmarxistischen, ethischen Sozialismus, und Alfred Klein hat recht, wenn er schreibt: „Die neuen ethischen und moralischen Werte entstehen für Ludwig Rubiner nicht innerhalb des realen Kampfes der Arbeiterklasse, in der Praxis, sondern sie sind dem Arsenal angeblich ewig gültiger Normen entnommen."[237] Die

[234] Ludwig Rubiner, „Nachwort" in: *Kameraden der Menschheit*, S. 170.

[235] Ludwig Rubiner, „Die kulturelle Stellung des Schauspielers", *Freie Deutsche Bühne*, 1919, S. 8.

[236] Ludwig Rubiner, ibid., S. 9.

[237] Alfred Klein, „Zur Entwicklung der sozialistischen Literatur in Deutschland 1918 – 1933", in: *Literatur der Arbeiterklasse*, S. 37.

Auswahl der in die *Kameraden der Menschheit* aufgenommenen Gedichte spiegelt das über die Weltanschauung des Proletariats hinausgehende Programm zur Menschheitsbefreiung wieder. Die Beiträge, in der Mehrzahl in der Zeit von 1914 bis 1918 entstanden, repräsentieren Literaten der aktivistischen Linken, jene, die wie Rubiner selbst unter dem Druck einer chauvinistischen öffentlichen Meinung ihrem humanistischen Auftrag treu geblieben waren. Die Ablehnung des Krieges ging hier über eine leidenschaftliche Anklage nicht hinaus, die Sehnsucht nach Frieden ergoß sich in glühende Utopien; die Revolution wurde, besonders in Rubiners eigenen Gedichten, aber auch in denen Bechers zum Beispiel, nicht als Aktion der kämpfenden Massen gesehen, sondern, wie Albrecht bemerkt, als „ethische, mit geistigen Mitteln bewirkte Läuterung der Menschheit."[238] Von Rubiners achtzehn „Kameraden der Menschheit", so zählt Reinhard Weisbach, haben „über erneute Krisen und abermalige Rückfälle" nur Becher und Leonhard und in Grenzen auch Toller „das andere Ufer," die proletarisch-revolutionäre Literatur der zwanziger Jahre erreicht.[239]

Mit seiner zweiten Anthologie von 1919, *Die Gemeinschaft,* zog Rubiner den ideologischen Rahmen jener Geister, die „in der Änderung der Welt ihr Lebensziel sahen,"[240] sogar noch weiter. Hölderlin, Victor Hugo, Karl Marx, Barbusse, Flaubert, Guilbeaux, Becher, Kaiser, Voltaire, Lunatscharskij und andere tragen als „Schöpfer unserer kritischen Einstellung," als „Aufrührer des Geistes" und „seelische Vorbereiter der Wirklichkeitskrise unserer Tage"[241] mit Beiträgen zu diesen „Dokumenten der geistigen Weltwende", wie Rubiner die Sammlung im Untertitel nannte, bei. Schon den Zeitgenossen erschien die Zusammenstellung paradox. Oskar Loerke beklagte in der *Neuen Rundschau,* daß diesem Buch „etwas von dem Vergewaltigungsprinzip einer geistigen Fremdenlegion" anhafte, indem es alles „Taugliche, aber Wehrlose zum Eide schleppt."[242] Was die politischen Überzeugungen Rubiners angeht, so ist aber eben diese ideologische Bandbreite gerade ein neuerlicher Beweis dafür, daß er sich der doktrinären Enge einer Partei selbst dann nicht fügte, als er allen persönlichen Nachrichten zufolge diese Partei in ihrer praktischen Wirksamkeit bereits anerkannte. Überhaupt aber muß man fragen, ob er die Wirksamkeit des Proletariats in allen Konsequenzen zu sehen bereit war, wenn er nun im Nachwort der *Gemeinschaft* die Revo-

[238] Friedrich Albrecht, „Vorwort" in: Ludwig Rubiner, *Kameraden der Menschheit,* hrsg. von Friedrich Albrecht, Leipzig, 1971, S. 11.

[239] Reinhard Weisbach, *Wir und der Expressionismus,* Berlin, 1973, S. 68.

[240] Ludwig Rubiner, „Vorbemerkung" in: *Die Gemeinschaft,* hrsg. von Ludwig Rubiner, Potsdam 1919, S. I.

[241] Ludwig Rubiner, ibid.

[242] Oskar Loerke, *Literarische Aufsätze aus der Neuen Rundschau 1909 – 1941,* hrsg. von Reinhard Tgahrt, Heidelberg und Darmstadt 1967, S. 143.

lution und ihre Unruhen als den Kampf des Bürgertums gegen das Proletariat bezeichnet, nicht als Aufstand der Massen gegen die Unterdrücker, sondern als Kampf der Gewalt „gegen Geistiges". Er spricht hier von einem „Weltrevolutionskrieg" in dem sich „Zerfaulendes" und „ausgelaugt Entwertetes" gegen die eigene unaufhaltsame Verwesung zu wehren versucht, „indem es den jungen keimenden Wesen kräftigeren Lebens den Tod geben will." Die Revolution bringt er auf die doppelte Formel „Das Kapital gegen das Proletariat. Das Bürgertum gegen das Schöpfertum."[243] Präsentiert der erste Satz eine Formel für den Klassenkampf, so signalisiert die zweite die anhaltende Idealisierung des Proletariats als „heilige Masse", eine eher anarchistische als marxistische Konzeption. Die *Rote Fahne,* das Organ der KPD, zeigte denn auch über diese Publikation keine ungetrübte Freunde. Zwar begrüßte sie die darin enthaltenen Beiträge von Marx und Lunatscharskij, bemängelte aber den bloß „bürgerlich revoltierenden Standpunkt"[244]

Der gedankliche Versuch, den proletarischen Kampf um die Produktionsmittel in die für den Expressionismus so typische, von aller komplizierten Entfremdung der Zivilisation befreite Utopie des einfachen, naturverbundenen Lebens einzuschließen, offenbahrt sich in Rubiners inhaltlicher Bestimmung der Revolution:

> Die alte Kulturmasse, die abgebaut wird, ist, mit dem Vorgange des Abbaus, von komplizierter Gestalt. Die Vergangenheit, diese Häufung von unendlich vielen Einmaligkeiten, die Vergangenheit, die kämpfende und bekämpfte, ist wie jedes Zersetzungsgebilde kompliziert. Aber der Weg der Zukunft, dieser ewige Weg, der lebentragende Weg über Jahrhunderte hin, ist einfach. Der Inhalt der weltverändernden Antriebe für das Handeln der Menschen ist von mächtiger Einfachheit. Diese Einfachheit gilt es. Der Inhalt der Weltkrise, ihr Ausgangspunkt und ihr Ziel, ist die Erde... Der Kampf um die Erde beginnt. Der Wille, teilzuhaben an der Bestimmung der Erde. Eine Gewißheit, die nicht zu morden ist, steht in den Massen da: Die niedergehaltenen Mitmenschen, die Sklaven, die Arbeitenden sind die wahren Erdsöhne, die Schöpfer dieser Welt. Und so wie, im Neben- und Nacheinander der Geschichte, in jedem der großen Kulturkreise ein Aufstieg und ein Zusammenbruch des Kapitalismus sich vollzieht, in der geschichtlichen Idee gleich, nur in der Form, im Zivilisationsausdruck, in der zeitlichen Ideologie verschieden, gemäß den durch Jahrtausende voneinander entfernten und verschiedenen Verkehrsformen, Produktionsformen, Lebensformen – so neigt sich der Kapitalismus unseres Kulturkreises seinem Ende zu unter dem heutigen Willen der Massen: Die schöpferischen Mittel der Erde in allen Händen der Schöpfer zu wissen; die Arbeitsmittel in den Händen der Arbeiter; die Produktionsmittel in der Verfügung und Bestimmung der

[243] Ludwig Rubiner, „Nachwort" in: *Die Gemeinschaft,* S. 275.

[244] N.N., „*Die Gemeinschaft* von Ludwig Rubiner: Dokumente der geistigen Weltwende", *Die Rote Fahne,* Nr. 199, 3. Oktober 1920, Beilage.

direkt Produzierenden: Und die sind heute international die Proletarier dieser Erde.[245]

Letztlich läuft bei Rubiner jetzt alles auf die Vorstellung hinaus, daß das Bürgertum durch seinen Egoismus für die gemeinschaftshindernden Klassenunterschiede verantwortlich ist und daher überwunden werden muß; daß allein das Proletariat die Überwindung der Klassen garantiert und damit Gemeinschaft verspricht; und daß die Revolution der letzte verzweifelte Angriff des Besitzbürgertums gegen das proletarische „Bewußtsein der Erdzugehörigkeit" ist.[246]

Er nahm 1919 politisch insofern eine neue Position ein, als er den proletarischen Kampf um die Produktionsmittel befürwortet. Aber dieser war eben für ihn nur *ein* Aspekt der Revolution, die praktische Seite einer Kulturkrise, die das auf Besitz gegründete, ideell verarmte, vom Konkurrenzkampf determinierte Bürgertum durch ein Proletariat ersetzen sollte, das aus „dem Wiedererwachen der Kräfte, die überall sich auf ihre Erdkindschaft besinnen," erwuchs:

> Dieses junge Geschlecht, ganz geistig an das Ziel hingegeben und ganz real kämpfend, hat mit der alten Kultur abgeschlossen; ihr Schicksal geben diese Menschen für die Gemeinschaft: Eine neue Grundkrise der Welt brennt in ihrem Leben. Ihre Musik ist der Gesang der Gemeinschaft. Ihr Gedicht ruft auf zur Gemeinschaft. Ihr Epos ist die Anleitung zur Gemeinschaft. Ihr Drama entwirrt das Handeln für die Gemeinschaft. Ihr Bild ist das Vorbild zum Leben in der Gemeinschaft. Ihre Wissenschaft ist das Denken von der schöpferischen Gemeinschaft. Aber noch die Schöpfung ist endlich, vergänglich, zeitlich. Unvergänglich, ewig ist uns der Schöpfer, der Mensch. Für ihn geht der Kampf um die Erde. Aus dem Trümmerhaufen der letzten, großen, nun abgewelkten Jahrtausendschöpfung der Menschheit, steigt unvergänglich, unsterblich, neu der Mensch. Das ist der Inhalt der Weltkrise.[247]

Diese „Idee des Menschen" im Proletariat lebendig zu halten, die Ausrichtung der Revolution auf das geistige Ziel der Gemeinschaft zu fördern, galt Rubiners ganzes Wirken 1919. Wie Elisabeth Simons feststellte, fehlte während der ersten Nachkriegsjahre innerhalb der KPD eine prinzipielle Diskussion um Grundfragen der Politik der Partei auf dem Gebiet der Literatur und Kunst: „Sie hätte ein theoretisches und ideologisches Niveau der KPD vorausgesetzt, das erst später erreicht wurde. Außerdem muß berücksichtigt werden, daß in dieser Zeit die ästhetischen Anschauungen der Klassiker des Marxismus-Leninismus, insbesondere Lenins Aufsätze zu Fragen der Kultur

[245] Ludwig Rubiner, „Nachwort" in: *Die Gemeinschaft,* S. 276.
[246] Ludwig Rubiner, ibid., S. 277.
[247] Ludwig Rubiner, ibid., S. 278.

und Kunst, nicht oder nur wenig bekannt waren und auch in der Sowjetunion noch ideologisch verworrene, ja unmarxistische Anschauungen unter der Flagge einer marxistisch-leninistischen Literaturtheorie und Ästhetik segelten."[248] Auch für andere der KPD nahestehende Schriftsteller stellte sich die Frage, ob proletarische Kultur streng klassenorientiert, d. h. nur von Proletariern und für Proletarier geschaffen sein mußte, oder ob ein Teil des bürgerlichen Kulturerbes für ihre politischen Ziele verwendbar sei. Im Gegensatz zu Leuten wie Wieland Herzfelde und George Grosz fand Rubiner in der Vergangenheit viele große Zeugnisse einer geistigen Erneuerung, die der gegenwärtigen revolutionären Bewegung noch dienlich werden konnten. Zwar erhoffte er vom Proletariat kulturelle Aktivität, aber die Anregung dazu würde durch die Werke großer Schriftsteller und Denker gegeben.

Sein Vorbild für dieses Bemühen fand Rubiner in der Proletkultbewegung des russischen Volkskommissars für das Bildungswesen, Lunatscharskij, den er aus der Schweizer Exilszeit persönlich kannte. Für die deutsche Ausgabe von Lunatscharskijs Broschüre *Die Kulturaufgaben der Arbeiterklasse* schrieb Rubiner 1919 eine Vorrede, in der er die Gründung des russischen „Instituts für proletarische Kultur" als eine Einrichtung lobte, „die nicht nur die Werke der großen Schriftsteller und Denker der Welt dem russischen Volke in Millionen von Exemplaren umsonst zugänglich macht, sondern die auch die Fähigkeiten dieses neuen Menschengeschlechts von morgen, des Proletariats, in Dichtung, Musik, bildender Kunst überall bis an die Wurzeln aufspürt und ermutigt."[249] Rubiner hielt also an der Konzeption einer Kunst fest, die im Sinne einer gemeinschaftsfördernden Kraft auf das Proletariat übergreifen sollte. Zwar war es sein Wunsch, die „geistige Arbeit" von der Vormundschaft der „konjunkturgierigen Geschäftsbürger mit wissenschaftlicher oder literarischer Spezialität"[250] zu befreien, aber das bedeutete noch nicht ihre Kontrolle durch ein klassenbewußtes Parteigremium. Proletkult war für Rubiner vielmehr wie alle Kultur in seinem Sinne einfach „der Beginn eines schöpferischen Lebens in der Gemeinschaft."[251]

Mit diesem Programm ging Rubiner gänzlich mit den Zielen des „Bundes für proletarische Kultur" konform, der nach dem Vorbild des Proletkults in der Sowjetunion gegründet worden war. Wie Rubiner sahen auch die anderen Gründungsmitglieder im Sozialismus mehr als die Verwirklichung von Klasseninteressen. Die Liste der für ihr Proletarisches Theater vorgesehenen

[248] Elisabeth Simons, „Der Bund proletarisch-revolutionärer Schriftsteller Deutschlands und sein Verhältnis zur Kommunistischen Partei Deutschlands", in: *Literatur der Arbeiterklasse*, S. 149.

[249] Ludwig Rubiner, „Vorrede" in: A. Lunatscharski, *Die Kulturaufgaben der Arbeiterklasse*, Berlin 1919, S. 2.

[250] Ludwig Rubiner, ibid., S. 2.

[251] Ludwig Rubiner, ibid., S. 2.

Stücke weist überwiegend auf expressionistische Erneuerungsdramen zurück. „Wir empfehlen: Rubiner: *Die Gewaltlosen;* Krantz: *Freiheit;* Toller: *Die Wandlung;* Trautner: *Haft;* Georg Kaiser: *Von morgens bis mitternachts;* P. E. Küppers: *Glück und Souverän;* Leonhard: *Die Vorhölle;* Matthias: *Entfesselung;* ein Stück von Paul Zech u.s.w."[252] Die Schauspieler sollten auf die Leitsätze des Bundes verpflichtet sein. Das entsprach Rubiners Forderung, der Schauspieler habe „denselben Kampf zur sozialen Revolution mitzufechten, den das Proletariat kämpft."[253] Da die Bühne kein „Unterhaltungsspiel des hochgesättigten Kapitalismus mehr sei, könne der Schauspieler seine „verfeinerten Spezialitäten" ruhig vergessen, müsse „die Ideen des Volkes" verkörpern und „vollendeter Sprecher" der neuen Kultur sein, schrieb Rubiner in seinem Aufsatz „Die kulturelle Stellung des Schauspielers."[254]

> Dieser neue Kulturkreis der Menschheit, dessen erste Bildung wir noch erleben, kann gar keine anderen Individuen zu sich zählen, als Mitmenschen, und das heißt: Mitarbeiter, Mitkämpfer, Mitsieger. Die Schaubühne und das Schauspiel dieser neuen Menschheit ist keine Unterhaltungsspezialität, sondern, in geistiger Gestaltung, die Erörterung der tragenden Ideen dieser Menschheit; die größte öffentliche Aussprache über ihr inneres Schicksal. Diese Bühne ist der Ausdruck des Lebenswillens der neuen Menschheit. Die Schauspieler dieser Bühne sind jene Wesen, die sich mit dem Lebenswillen ihrer Gemeinschaft ganz besonders stark identifizieren. Es sind Wesen, die aus dieser Gemeinschaft selbst hervorgehen.[255]

Der *Bund für Proletarische Kultur* und dessen *Proletarisches Theater* lösten sich im Frühjahr 1920 auf. Schon vorher hatte Erwin Piscator mit Hermann Schüller in Berlin ein zweites Proletarisches Theater gegründet, das mit der Unterstützung der Bildungsausschüsse von USPD, KPD und KAP ein Theater aufzubauen versuchte, das das Wort „Kunst" radikal aus seinem Programm strich. „Unsere Stücke," so berichtet Piscator, „waren Aufrufe, mit denen wir in das aktuelle Geschehen eingreifen, Politik treiben wollten."[256] Piscator setzte sich ganz bewußt von dem ersten *Proletarischen Theater* Rubiners und seiner Freunde ab, indem er für seine Bühne erklärte, sie erfülle „als erste Aufgabe die Propagierung und Vertiefung des kommunistischen Gedankens."[257] Obwohl auch Piscator noch bedauernd feststellte, daß die

[252] Rudolf Leonhard, „Denkschrift über ein proletarisches Theater. Für den Bund für proletarische Kultur", *Die neue Schaubühne,* 2(1920), S. 23.

[253] Ludwig Rubiner, „Die kulturelle Stellung des Schauspielers", *Freie Deutsche Bühne,* 1919, S. 11.

[254] Ludwig Rubiner, ibid., S. 10.

[255] Ludwig Rubiner, ibid., S. 9.

[256] Erwin Piscator, *Das politische Theater,* Berlin, 1968, S. 36.

[257] Erwin Piscator, ibid., S. 38.

Dichter, die seinem Theater nahestanden, noch im Nach-Expressionismus befangen waren, wird klar, wie weit er Theater nicht als Propaganda zur Aktion, sondern als politische Aktion selbst verstand – und zwar im Zusammenhang mit der kommunistischen Parteiarbeit. Seine Mitarbeiter waren in erster Linie Parteimitglieder und in zweiter erst Künstler. Soweit zu gehen war Rubiner offenbar nicht bereit. Er scheute sich nach wie vor, sich mit einer Gruppe zu identifizieren, wo doch sein Streben auf die Menschheitsgemeinschaft ging. Er vermied daher – jedenfalls in seinen Schriften dieser Zeit – jedes Bekenntnis zu einer Partei und sah auch das Proletariat nur als den Kern einer sich über die ganze Erde erstreckenden neuen Menschheitskultur.

Interessant ist zuletzt die Frage nach dem Einfluß Frida Ichaks auf die politischen Überzeugungen Ludwig Rubiners. Hiller setzte diesen Einfluß sehr hoch an, indem er den „dialektisch-materialistischen Klerikalismus", den er in Rubiners Briefen zuletzt zu entdecken glaubte, auf ihr Einwirken zurückführte.[258] Die promovierte Mathematikerin war am 28. 4. 1879 in Mariampol, Litauen geboren, studierte in Zürich und wurde 1906 Mitglied der SPD. In der Schweiz gehörte sie während des ersten Weltkrieges zu der von Lenin geführten Zimmerwalder Linken und trat bei Kriegsende der KPD bei. In den zwanziger Jahren war sie neben Gertrud Alexander die bedeutendste Kulturfunktionärin der KPD, war 1925 maßgeblich an der Gründung der „Arbeitsgemeinschaft kommunistischer Schriftsteller", der kommunistischen Parteizelle im „Schutzverband deutscher Schriftsteller", beteiligt und gehörte drei Jahre später zum Gründungsausschuß des „Bundes proletarisch-revolutionärer Schriftsteller." Zwischen 1930 und 1945 lebte sie in der Sowjetunion und wirkte nach Kriegsende bis zu ihrem Tode 1952 als Lehrerin an der Parteihochschule der SED.

Rubiner kannte Frida Ichak nachweislich seit 1908. Wann sie heirateten, ist nicht bekannt. 1909 reisten sie zusammen nach Mariampol, ein Jahr später übersetzten sie gemeinsam Gogol.[259] Hugo Ball erwähnt sie in einer Eintragung vom 29. Mai 1915 aus Zürich als Rubiners Frau.[260] Schon früh ist es offenbar zu politischen Meinungsverschiedenheiten zwischen den Eheleuten gekommen. Claire Goll, die 1918 das Nachbarhaus in Zürich bewohnte, berichtet von ständigen lauten politischen Auseinandersetzungen zwischen ihnen: „Die häßliche, zänkische, dominierende Frau wollte durchaus aus dem sanften, romantischen Rubiner einen Roten machen."[261] Robert Faesi

[258] Vgl. Kurt Hiller, „Begegnungen mit Expressionisten", *Der Monat,* 13(1961), H. 148, S. 59.
[259] Nikolaus Gogol, *Abende auf dem Gutshof bei Dikanka,* Deutsch von Ludwig Rubiner und Frida Ichak, Gogol, *Sämtliche Werke,* Bd. III, München und Leipzig 1910.
[260] Vgl. Hugo Ball, *Die Flucht aus der Zeit,* München und Leipzig, 1927, S. 23.
[261] Claire Goll in einem Brief an den Verfasser vom 16. Januar 1976.

berichtet über ihren Aufenthalt in der Schweiz, sie „schürte die Umsturzgelüste in Versammlungen und versuchte, wohlmeinende Pazifisten ins kommunistische Schlepptau zu nehmen."[262] Als das Ehepaar Anfang 1919 über München nach Berlin reiste, ließ sie es sich nicht nehmen, an der Münchner Universität einen Vortrag zu halten, für den sie in politische Untersuchungshaft genommen wurde. Offenbar war sie zur direkten politischen Aktion und zum parteipolitischen Engagement viel eher bereit als ihr Mann, allen Zeugnissen nach aber bestätigt sich Hillers Festellung, sie habe ihren Mann politisch auf ihre Seite gezogen, nicht. Im Gegenteil scheint sie es gewesen zu sein, die sich anpaßte. Sie veröffentlichte 1917 im *Zeit-Echo* einen pazifistischen Aufsatz ohne jede linke Propaganda,[263] übersetzte für Rubiner den in der gleichen Zeitschrift erschienenen Tolstoi-Dialog „Der Fremde und der Bauer" ins Deutsche,[264] übertrug auch die von Rubiner besorgte Ausgabe der Tagebücher Tolstois[265] und half bei der Übersetzung der von ihm edierten Romane und Erzählungen Voltaires.[266]

Wie sehr sie gegen die Ideen ihres Mannes opponierte, wurde erst einen Monat nach Rubiners Tode mit dem Erscheinen ihres Artikels „Proletarische Bühne in der bürgerlichen Gesellschaft" publik,[267] in dem sie den Drang der expressionistischen Schriftsteller, dem kämpfenden Proletariat zu Geist zu verhelfen und ihre Furcht, den Anschluß an die kommende Klasse zu verpassen, scharf verurteilte. Jene, die sich um die Kultur im kommenden proletarischen Staate bemühten, glichen dem Baumeister, der schon die Tapeten aussuche, bevor das Grundstück für den Neubau freigelegt sei, schrieb sie hier. Erst dann, wenn das siegreiche Proletariat die politische und wirtschaftliche Macht erobert habe, würde auch die Kultur „ein Ausdruck der neuen Ideale und Ziele derjenigen Klasse werden, die dann die herrschende sein wird, d. h. der Arbeiterklasse."[268]

[262] Robert Faesi, *Erlebnisse, Ergebnisse – Erinnerungen,* Zürich, 1963, S. 211.
[263] Frida Ichak, „Ferne Länder", *Zeit-Echo,* 3(1917), Juniheft, S. 27/28.
[264] Leo Tolstoi, „Der Fremde und der Bauer", *Zeit-Echo,* 3(1917), August-Septemberheft, S. 13 – 19.
[265] Leo Tolstoi, *Tagebuch 1895 – 1899,* hrsg. von Ludwig Rubiner, Zürich, 1918.
[266] Voltaire, *Die Romane und Erzählungen,* hrsg. von Ludwig Rubiner, Potsdam, 1920.
[267] Frida Ichak, „Proletarische Bühne in der bürgerlichen Gesellschaft", *Der Gegner,* 2(1920/21), H. 4, S. 115 – 118.
[268] Frida Ichak, ibid., S. 115.

Gesinnung ist alles

Die ästhetischen Ansichten Rubiners waren wie die der meisten Expressionisten durch den ideologischen Auftrag der Kunst als Mittel zu Heilung und Gemeinschaft bestimmt. Sie wechselten mit dem jeweiligen philosophischen Gedanken und der vorherrschenden politischen Absicht, sind also an seine weltanschauliche Entwicklung gebunden. In den frühen kunstkritischen Schriften ist von einer gesellschaftlichen Beziehung der Kunst noch nicht die Rede. Die Forderung geht auf „Sachlichkeit",[269] womit eine von allem persönlichen Leben und subjektiven Ausdruckswillen befreite Form verstanden wird. Rubiner spricht von „gleichsam ewig vorbestimmten Notwendigkeiten" der Kunst, die unabhängig von der historischen Situation und der Person des Künstlers bestehen. „Das Kunstwerk hat in sich sein eigenes Schicksal," schrieb er 1910 in der *Gegenwart.*[270] Seit der Mitarbeit am *Pan* 1911 aber schon wertet Rubiner nach der moralischen Wirkung, verwirft alle Ästhetik, die den einzelnen seine öffentliche Verantwortung vergessen macht; vor allem warnt er vor der Zaubermacht der Musik, die den Hörer betäubt und vereinzelt.

In dem Aufsatz „Der Dichter greift in die Politik" von 1912 geht es dann überhaupt um die „Umsetzung von Innenbildern in öffentliche Fakta," um die sittliche Kraft des politischen Literaten, „des Störers, des Geistigen, des Grundgestaltweisenden", der die Zivilisationskruste aufreißt und den Geist freilegt. „Wir wollen, daß der Dichter hineinstößt in die kommerziellen Gleise, diese Eckchen voll Augenzwinkern, diese Pressefehden voll geschwindelter Aufregung, diese Geheimnis'chen, wo alles längst klar ist, dieses Verschleppen von Krisen."[271] Nicht Darstellung, sondern Wertung wird in Rubiners Bewußtsein jetzt zur vornehmlichen Aufgabe der Kunst. In zwei Rezensionen über Ernst Blass und Walter Hasenclever aus dem Jahre 1913 geht er auf die inhaltlichen und formalen Werte einer Literatur ein, die im Sinne einer geistigen Erneuerung politisch wirken will. Die „moralische Einstellung zu den Sachen und zu den Menschen," wie er sie hier forderte, bedingt nach seiner Auffassung erstens die Berücksichtigung und Bewertung der Mitmenschen und zweitens eine auf „Verständlichkeit" zielende, auf allen ablenkenden Schmuck des „Originellen" und „Interessanten" ver-

[269] Ludwig Rubiner, „Ferruccio Busonis Musikästhetik", *Die Gegenwart,* 39(1910), Nr. 2, S. 31.

[270] Ludwig Rubiner, ibid., S. 31.

[271] Ludwig Rubiner, „Der Dichter greift in die Politik", *Die Aktion,* 2(1912), Sp. 649 und 712.

zichtende einfache Form, die „das Wissen um Werte, das Wollen, das Geistige" ohne Ironie und ohne Pathos mitteilt.[272]

Obwohl eine solche Literatur auf gesellschaftliche Veränderung zielte, fehlten ihrer wertenden Absicht, wie Rubiner versichert, alle zivilisatorischen und gesellschaftlichen Voraussetzungen. Nicht Naturalismus forderte er hier, sondern Expressionismus, wie er am Beispiel der Malerei erläutert: „Der heutige Maler hat eine andere Perspektive als einer aus den vorigen Generationen. Seine Perspektive ist nicht mehr eine optisch-geometrische, die alles nach einem einzigen ‚Augenpunkt' im Bild aufbaut, sondern eine nach den innerlich wichtigsten Vorstellungen. Nicht mehr eine Perspektive der Naturwerte, sondern eine der geistigen Werte."[273] Auch in der Literatur, so argumentiert er, mache nicht das Sehen das Wesentliche aus, sondern das Denken. „Das Denken ist doch die Wirklichkeit des Dichters. Er bedichtet seine Wirklichkeit."[274]

Deutet sich hier noch eine für den Expressionisten typische romantische Überwindung der Wirklichkeit durch die Kunst an, so will Rubiner in seinem im gleichen Jahr erschienenen „Brief an einen Aufrührer" alle schriftstellerische Aktivität auf die „bedingungslose Rede vom freien Geist"[275] reduziert wissen: „Nur darum geht es, daß man zu jeder Zeit die Grundantriebe unserer überhaupt möglichen Existenz der Öffentlichkeit bloß zeigt. Meinetwegen in der schmierigsten Illumination eines billigen Transparents. Oder mit Pathos. Oder mit Sentimentalität."[276] Eine derart beispielhafte Tat sei zugleich ein Protest „gegen die verschmierten Hirne von Liebhabern der schönen Künste, von Sektierern der Empfindung," deren Bemühen um die „schöne Rede" als „Schwindel" gebrandmarkt wird.[277]

Während des Krieges verstärkte sich Rubiners Kritik an Künstlern, die angesichts des akuten Elends der Welt noch um so „private" Dinge wie die „schöne Rede" bemüht waren, anstatt sich auf ihre Verantwortung als geistige Führer zu besinnen. Ihre „menschenferne Lässigkeit" wertete er als „ethische Passivität", die er nicht nur als eigentliche Ursache des Krieges, sondern als das „Innere des Krieges selbst" verstand.[278] Und indem er das Streben nach der schönen Form als Ausdruck der bürgerlichen Ideologie wertete, machte er alle Künstler, die daran festhielten, für die Perpetuierung der bürgerlichen Gesellschaft und ihrer martialischen Auswüchse mitverant-

[272] Ludwig Rubiner, „Gedichte des jungen Ernst Blaß", *März,* 7, II(1913), S. 200 und 201.
[273] Ludwig Rubiner, „Lyrische Erfahrungen", *März,* 7, III(1913), S. 71.
[274] Ludwig Rubiner, ibid., S. 71.
[275] Ludwig Rubiner, „Brief an einen Aufrührer", *Die Aktion,* 3(1913), Sp. 343.
[276] Ludwig Rubiner, ibid., S. 242.
[277] Ludwig Rubiner, ibid., S. 243.
[278] Ludwig Rubiner, „Die neue Schar", *Zeit-Echo,* 3(1917), August-Septemberheft, S. 7.

wortlich. Typisch ist seine Polemik gegen George: „Stefan George war bis zum Kriege strengster Ablehner der zivilisatorischen Roheit dieser Zeit und Verkünder eines außerzeitlichen, religiösen Gemeinschaftszieles. Wenn man aber nicht nur die behaupteten Begriffe liest, sondern den wirklichen Körper der Georgeschen Verse selbst anschaut, so findet man, daß die von ihm erstrebte Gemeinsamkeit gar nichts Zukünftiges war, sondern nur die intuitiv sublimierte, dichterisch geformte Darstellung des gegenwärtigen Disziplinschrittes."[279]

In seinem *Zeit-Echo* urteilte Rubiner 1917: „Die Gesellschaft ist geistig zusammengebrochen. Der Ritus der bestehenden Gesellschaft war die Kunstform. Dieser Ritus hat keinen Sinn mehr. . . Das neue Gebild der kleinen, doch zukünftigen Menschen heißt: die Proklamation."[280] Inhalt der Litaratur sollten nach seiner Auffassung nicht mehr Erlebnisse oder Erklärungen, sondern Erkenntnisse sein, sie war nicht mehr entweder schön oder häßlich, sondern richtig oder falsch. Sie sollte eine „politische Reaktionsform" sein,[281] Feststellungen enthalten, „Anleitung zum Leben" liefern.[282] Über Musik schrieb er 1917 in den *Weißen Blättern:* „Die neue Frage heißt: gelungene oder mißlungene Musik. Sie ist eine ethische Frage, sie fragt nach dem Maße des Sprungantriebes, den die Musik in unsere Adern bläst."[283] Die gleiche aktivistische Bestimmung erhält alle Dichtung: „Vom politischen Dichter wissen wir: das Ziel ist nicht, die Menschen zu rühren, sondern sie zu führen. Ihn fragen wir: ‚Was sollen wir also tun?'"[284]

Wo immer Rubiner seit 1914 über Kunst schreibt, wertet er nach diesen Maßstäben, gruppiert er die Künstler in die „Schar der geistig Feigen"[285] und die „Schöpfer"; und während so die ganze bürgerliche Literatur als „menschlich minderwertig" verdammt wird,[286] nennt er eine Reihe von zeitgenössischen Schriftstellern als Beispiele des „Politeraten". Paul Adler wertet er als „Sprecher von Tatsachen des Geistes."[287] Pierre Jean Jouve grüßt er als einen, der „auf seiner Fahne das Bild vom Menschen trägt,"[288] Rollands Buch *Jean-Christophe* ist in seinem Urteil eine „riesenhafte Proklamation für unbedingtes Menschentum",[289] Walt Whitmans „ungeheure Liebestimme

[279] Ludwig Rubiner, ibid.
[280] Ludwig Rubiner, ibid., S. 5.
[281] Ludwig Rubiner, „Die Änderung der Welt", *Das Ziel,* 1(1916), S. 110.
[282] Ludwig Rubiner, „Paul Adler, Elohim", *Die Aktion,* 6(1916), Sp. 310.
[283] Ludwig Rubiner, „Theodor Däubler: Lucidarium in arte musicae", *Die Weißen Blätter,* 4(1917), H. 1, S. 81.
[284] Ludwig Rubiner, „Der Bruder", *Der Mensch in der Mitte,* S. 150.
[285] Ludwig Rubiner, „Leonhard Frank: Der Kellner", *Zeit-Echo,* 3(1917), Maiheft, S. 19.
[286] Ludwig Rubiner, „Die neue Schar", *Zeit-Echo,* 3(1917), August-Septemberheft, S. 4.
[287] Ludwig Rubiner, „Paul Adler, Elohim", *Die Aktion,* 6(1916), Sp. 310.
[288] Ludwig Rubiner, „Der Bruder", *Der Mensch in der Mitte,* S. 147.
[289] Ludwig Rubiner, ibid., S. 149.

für den Menschen" regt ihn zu hymnischen Gedichten an;[290] Sternheim hält er für den „ersten politischen Dramatiker der heutigen Zeit."[291]

Der Literat dieser Gattung wird durch sein Werk zum Beschützer der Menschen, zum Propheten und Führer, ein „Kämpfer" und „Gesetzgeber", der wahrhaft „öffentliche Mensch."[292] Einer, der auf sein Privatleben, seine besonderen Interessen, auf materiellen Gewinn und dichterischen Ruhm verzichtet, um sich allein der Verwirklichung der „Erdball-Einheit" zu widmen. „Ah, wir geben die Blutkörperchen unserer Nervenzellen verschwendend hin, wir Brüder im Geiste, um blutig amorphe Erde endlich zu formen nach der Unbedingtheit im göttlichen Plan vom Gemeinschaftsleben."[293] Dieses Opfer hebt den Literaten moralisch weit über die gegenwärtige Menschheit hinaus, aber nur deshalb, weil er ihr voraus ist. Soweit sich die Erdball-Einheit verwirklicht, wird er zu einem von vielen, ein „Volksmann", ein Teil des Allgemeinen, denn der Geist kann sich selbst nicht voraussein. „Sein Talent, seine Gabe, sein Genius, seine Notwendigkeit ist: der vollkommene Mut, sich ganz hinzugeben, nicht Eigener im Besitz einer Seele zu sein; ganz erfüllt noch im letzten Blutstropfen Vertreter des Geistes zu sein."[294]

An diesen Vorstellungen änderte Rubiner auch nach seinem Bekenntnis zur Proletarischen Revolution nach dem Kriege nichts, nur verstärkt sich noch die Forderung an den Künstler zur Unterordnung unter das ideologische Ziel. Die Möglichkeit, politisch wirksam zu werden, war jedoch nicht mehr nur von einer persönlichen moralischen Entscheidung abhängig. Denn die Revolution hatte bereits begonnen; der Künstler mußte in seinem Urteil nur erkennen, „daß er, wenn er seine historische Rolle nicht erkennt, als überflüssiger Parasit der Gesellschaft, vom Strudel des großen Weltgeschehens fortgeschwemmt wird."[295] Es gab für Rubiner 1919 „nur noch einige ganz Dumme, die nicht sehen, daß die Kunst nichts für sich Bestehendes, sondern erst ein letzter Widerschein und Ausdruck der inneren Bewegung des Volkes ist; also nicht etwa das Feuer, das den Kessel heizt, sondern das Manometer, das den Atmosphärendruck anzeigt."[296]

Ästhetisch gesehen, war damit die Kapitulation der Kunst vor der Ideologie endgültig vollzogen, und zwar unabhängig davon, ob diese Ideologie einem idealistischen Menschheitsglauben untergeordnet wird oder nicht. Rubiner selbst hat diesen Schluß bewußt gezogen und ging damit die Linie

[290] Ludwig Rubiner, ibid., S. 148.
[291] Ludwig Rubiner, ibid., S. 149.
[292] Ludwig Rubiner, „Der Kampf mit dem Engel", *Der Mensch in der Mitte,* S. 182.
[293] Ludwig Rubiner, „Legende vom Orient", *Der Mensch in der Mitte,* S. 145.
[294] Ludwig Rubiner, „Der Kampf mit dem Engel", *Der Mensch in der Mitte,* S. 182.
[295] Ludwig Rubiner, „Die kulturelle Stellung des Schauspielers", *Freie Deutsche Bühne,* 1919, S. 7.
[296] Ludwig Rubiner, ibid.

seiner eigenen Entwicklung konsequent zu Ende. „Der Mensch ist mehr als Kunst," stellte er schließlich fest. „Wenn es erst zur Wahl zwischen beiden kommt, dann ist dies ein drohendes Zeichen, daß es höchste Zeit ist, die Kunst in ihr menschenleer gewordenes Nichts zurücksinken zu lassen und sich endlich wieder für den Menschen zu entscheiden."[297] Für ihn war die „neue Menschheitskultur" im Entstehen, ob die Künstler es wollten oder nicht. „In dieser neuen Welt, deren tragende Grundidee die *Gemeinschaft* ist, ist der Künstler, der ein von der Gesellschaft losgelöstes Dasein führt, unmöglich."[298]

Als politischer Schriftsteller hat Rubiner selbst in seinen Manifesten und Aufrufen auf die ästhetische Form nicht verzichtet, allerdings war sie ihm nie Selbstzweck, sondern Mittel des politischen Überzeugungswillens. Er war nur ein „sekundärer Künstler", wie Wolfgang Rothe den durchschnittlichen expressionistischen Dichter und Schriftsteller allgemein kennzeichnete: „Stärker als das Streben nach der schlackenlosen, gültigen künstlerischen Form war der Impuls, in der Dichtung für den zerschmetterten, leidenden Menschen zu kämpfen; stärker war das Bewußtsein, sich einer grausamen Welt innerer und äußerer Not im Namen der Menschheit entgegenzuwerfen."[299] Seine Sprache war gänzlich von seiner aktivistischen Absicht geprägt, die Kräfte des Herzens zu mobilisieren, hinreißend zu wirken, zur Tat zu drängen. „Rubiner und gute Prosa!" rief Kurt Hiller aus. „Es kam ihm nicht auf Prosa an, es kam ihm auf die Änderung der Welt an."[300] In seinen frühen Schriften bis 1914 erinnert sein Stil mit der unbekümmerten Dreistigkeit des Ausdrucks, den rhetorischen Fragen, den vielen Gedankenstrichen und Ausrufen an frühere revolutionäre Schriftsteller der deutschen Literatur, des Sturm und Drang etwa oder des Jungen Deutschland. Während des Krieges, als die Verkündung des Geistes in den Vordergrund rückte, machte er sich den messianischen Sprachstil der Expressionisten zu eigen. Nicht immer aber wird der Leser durch einen heute unerträglichen Predigerton, durch hypertrophe Satzballungen, ekstatische Wortüberhäufungen und hitzig deklamierende Ausrufe betäubt. Es gibt durchaus Beispiele der sachlichen Erörterung, der knappen, zupackenden Formulierung.

Seine Prosa ist vor allem Anrede. Rubiner schilt, klagt an, urteilt, warnt, ermahnt, ermuntert, fordert auf:

[297] Ludwig Rubiner, ibid., S. 8.
[298] Ludwig Rubiner, ibid., S. 9.
[299] Wolfgang Rothe, „Schriftsteller und Gesellschaft im 20. Jahrhundert", in: *Deutsche Literatur im 20. Jahrhundert,* 5. Aufl., hrsg. von Otto Mann und Wolfgang Rothe, Bd. I, Bern, 1967, S. 204.
[300] Kurt Hiller, „Ludwig Rubiner tot", *Das Ziel,* IV(1920), S. 55.

> Ihr müßt selbst die Beherrscher eures Schicksals sein. Das ist keine Angelegenheit der Mystik, sondern eine eures Willens. Die Welt hat den Mythos vom Erlebnis aufgestellt, um euch leichter unter ihre Maschinengewehrkugeln zu kriegen. Wenn ihr erst glaubt an die Notwendigkeit der Beweise, der Dokumentation, der Belege für das Leben, an die Erfordernisse des Erlebnisses: dann seid ihr schon hilflos eingewickelt, dem Sklaventode verfallen. Seid ihr denn nicht Wesen, durchschienen vom Strahlen des Geistes? Seid ihr nicht da, das Göttliche zu verwirklichen?[301]

Auch für die eigentlich dichterischen Arbeiten Rubiners, die Lyrik und das eine Drama gilt, daß sich hier einer mit glühendem Eifer und allen ihm zur Verfügung stehenden sprachlichen Mitteln müht, seine Mitwelt zur Erneuerung anzuregen. „Rhapsode des Aktivismus," so nannte ihn Kurt Hiller.[302]

Im Jahre 1902 brach der Vulkan Montpellier auf Martinique aus und kostete 35 000 Menschen das Leben. Monatelang danach noch war der Nachthimmel über Berlin rotglühend, ein tellurisches Ereignis. Rubiner hat sich diese Erscheinung unvergeßlich eingeprägt. Für ihn war sie mehr als ein einmaliges furchtbares Naturereignis, er empfand sie als eine Allegorie für das Hervorbrechen des Geistes unter den Menschen, himmlische Verheißung. Immer wieder in seinen Schriften beruft er sich auf diese gewaltige Eruption, um seinen Glauben an den Geist als eine im Innern aller Menschen verborgene, allgemeinmenschliche Qualität, seinen moralischen Antrieb als die Hoffnung, diese gefesselte Kraft erlösen zu können, und die Stoßkraft seines Aktivismus als den Versuch eines Aufbrechens der den Geist verdeckenden Interessen zu bezeichnen. In dem blutigen Zusammenbruch der bürgerlichen Ordnung im Ersten Weltkrieg, sah er die Bestätigung jenes göttlichen Fingerzeigs, und er versuchte in seinem Gedichtzyklus *Das Himmlische Licht* die Zerfalls- und Aufruhrerscheinungen der Zeit mit dem Bild dieses Vulkanausbruchs in einen kosmischen Zusammenhang zu stellen. Das Werk erschien 1916 im Kurt Wolff Verlag zwischen Max Brods Gespenstergeschichte *Die erste Stunde nach dem Tode* und Kafkas Erzählung *Das Urteil* als 33. Band der berühmten expressionistischen Reihe „Der Jüngste Tag."

„Ein kleines Heft von hohen Gaben," urteilte Oskar Loerke in der Neuen Rundschau, machte aber auch sofort auf einen Widerspruch aufmerksam, der allen eigentlich dichterischen Versuchen Rubiners eigen ist: „Er hat im Grunde eine Freude an der Schärfe des Panoramas der Gegenwart, doch er überredet sich, sich nicht des gewaltigen Bildes zu freuen. Denn er sieht ja lauter Krankes. Und er überredet die Krankheit, Gesundheit zu werden. Er will, daß er wolle. Man hört öfter zu deutlich den Peitschenknall hinter der

[301] Ludwig Rubiner, „Der Maler vor der Arche", *Der Mensch in der Mitte,* S. 77.

[302] Kurt Hiller, „Begegnungen mit Expressionisten", in: *Expressionismus. Aufzeichnungen und Erinnerungen der Zeitgenossen,* hrsg. von Paul Raabe, Freiburg i. Br. 1965, S. 34.

Aktivität. Ein kleinerer Geist und schlechter Schriftsteller schriebe an solchen Stellen: ha! und hei!"[303] Das erste Gedicht, das die gleiche Überschrift trägt wie der Zyklus insgesamt, beginnt mit dem Anruf: „Kamerad, Sie sitzen in ihrem Zimmer allein, unter/ Menschen sitzen Sie still./ Aber ich weiß meine stummen Kameraden hundert-/ tausend auf der Welt, zu denen ich reden will."[304] Der rhetorische Gestus dessen, der um den göttlichen Plan für die Menschheit weiß und sich deutend und mahnend für dessen Verwirklichung einsetzt, ist vorherrschend. „Reden" ist das zentrale Wort dieser Gedichte -es ist das Schlüsselwort für Rubiners Aktivismus überhaupt.

Deutlicher noch als bei anderen Expressionisten ist bei ihm, daß die „Tat" und das Aussprechen des „Wortes" schon ein und dasselbe waren. Tun, handeln, das war reden, überzeugen, das war: mit Hilfe des Wortes Gemeinschaft herstellen. Mit dem letzten, zehnten Gedicht, „Die Ankunft", mündet denn auch die ganze heftige Bewegung der Massen in die erneute Aufforderung an den fiktiven Kameraden, zu reden: „O wir müssen den Mund auftun und laut reden für alle Leute bis zum Morgen./ Der letzte Reporter ist unser lieber Bruder,/ der Reklamechef der großen Kaufhäuser ist unser Bruder!/ Jeder, der nicht schweigt, ist unser Bruder!"[305] Reden wovon?

> O mein Freund, glauben Sie nicht, was ich Ihnen sagen werde, sei neu oder interessant.
>
> Alles, was ich Ihnen zurufe, wissen Sie selbst, aber Sie haben es nie aus rundem Munde selbst bekannt.
>
> Sie haben es zugedeckt. Ich will Sie erinnern Ich will Sie aufrufen.
>
> Denn Gott rief die Erde für uns alle auf.[306]

Der noch eher sachliche Ton dieser einleitenden Verse täuscht genauso wie die Vermutung, Verben wie „sagen" oder „erinnern" könnten eine bloß moralisierend-belebende Absicht bezeichnen. Zwar wird hier die Botschaft vom neuen Menschen verkündet. Der Versuch aber, die Dithyramben dieser Gedichte auf eine konkrete ideologische Aussage zu reduzieren, erbringt nicht mehr als eine kaum erkennbare Struktur: Der mächtige Vulkanausbruch wird mit der Gesellschaft wie mit dem einzelnen in Beziehung gesetzt; wie die Erdkruste das himmlische Licht verdeckte, so hemmen materielle Interessen wie die autoritäre Staatsform den Umbruch der Gesellschaft zu einer Brudergemeinschaft; Trägheit und Vergessen des einzelnen hindern

[303] Oskar Loerke, *Literarische Aufsätze aus der „Neuen Rundschau" 1909 – 1941,* hrsg. von R. Tgahrt, Heidelberg und Darmstadt 1967, S. 74.
[304] Ludwig Rubiner, *Das Himmlische Licht,* Leipzig 1916, S. 5.
[305] Ludwig Rubiner, ibid., S. 43.
[306] Ludwig Rubiner, ibid., S. 5.

das Bewußtsein seiner Berufung zum Geist. Die Eruption des Kraters wiederholt sich im sozialen Bereich als Aufruhr des Mobs und im einzelnen als das Bekenntnis zu seinem Menschsein.

Unter der leidenschaftlichen Verurteilung der gegenwärtigen Zustände, der hymnischen Evokation des „Menschen", der Überfülle der Bilder, gehen diese Gedanken fast verloren. Diese Lyrik will nicht darstellen, erklären oder belehren, sondern einreden, aufrütteln, mitreißen. „Die kleine Katerinsel Krakatao stieß den brennenden Atem Gottes aus der Erde" (5), „Schwärme des Feuers" (7) fliegen um die Welt, „Berlin, aus spitzen Plätzen, grauen Nebenstraßen, quoll das Blau der Vulkane." (7) Doch niemand sah.

> Die Menschen schwitzen blind. Die Dächer rollten auf in Angst und sanken zurück.
>
> Die Fenster troffen dunkel trüb,
>
> Die Häuser blähten grau löckerig Teigwände.
>
> Menschen, Ihr lagt in den Städten wie gärende Wasserpflanzen,
>
> Der Wind schoß über die Menschen, sie trieben scheppernd nach Geld,
>
> Der Fächer des Himmels, in sieben Gluten, schlug auf, sie rückten die schwarzen Hüte, mit zugewachsnem Aug, angesoffen und dick. (15)

Doch da regt sich Aufruhr, ein Fabrikfenster wird aufgestoßen, die Ärmsten und Elenden schreien auf, in den Großstädten der Welt erhebt sich der Mob.

> Die Erde erhebt das Haupt der Bleichen,
>
> O unsicherer Marsch der Halbtoten, Nächtigen, ewig Versteckten. Blaßweiße Wurzelmienen, o Letzte, Unterste, Sarglose, ewig Halbeingegraben in kalten saugenden Dreck, tastender Zug in spähender Unsicherheit, die Nacht ist nicht da, sie dürfen sehen. Sie sehen. (17/18)

Aus zerfallenden Winkeln der Städte der Welt bricht „göttlicher Glockenschwung" (19), Heere zerlumpter Leiber brechen allenthalben hervor, eine Riesenstimme schreit über die Erde „die Zeit ist erfüllt!" (19).

> Die Trägheit schlug an die Ufer, faulende Riesenalgen wanden sich erdenrund um die Schimmelgrüne.
>
> Drunten im Trügen schrieben wimmelnde Menschen noch eilig servile Telegramme, Briefe, Denunziationen voll Rankünе.
>
> Tänzerinnen, Barone, Agenten, Geheimräte, Schutzleute, Ehefrauen, Studenten, Hauswirte freuten sich auf ihre dampfende Nacht.
>
> Aber der arme Mob schaute das Wunder und war zur neuen Zeit aufgewacht.
>
> Die böse gestörte Wut zitterte über die verregneten Telegraphenstangen. (22)

Die Reaktion schlägt zurück mit einem Hagel von Gewehrkugeln; Gefängnis, Folter, Galgen erwartet die Aufbegehrenden. Doch der „Mensch" hat sich erhoben „Schimmernder Puls des Himmels" (27) ist in ihm freigesetzt, das Licht ist angezündet, die Stimme schallt:

> O Mund, der nun spricht, hinschwingend in durchsichtigen Stößen über die gewölbten Meere.
>
> O Licht im Menschen in allen Orten der Erde, in den Städten fliegen Stimmen auf wie silberne Speere.
>
> O Trägheit der kreisenden Kugel, du kämpftest gegen Gott mit fletschenden Tierlegionen, Urwäldern, Säbeln, Schüssen, bösem Mißverstand, Mord, Epidemien:
>
> Aber der Lichtmensch sprüht aus der Todeskruste heraus, In den Fabriken heulen Ventile über die Erde hin. Er hat seine Stimme in tausend Posaunen geschrien. (31)

Vielleicht geht das „himmlische Wunderlicht" (32) auf. Die Wut, der Haß der Gequälten läßt sich nicht unterdrücken, verborgene Druckereien stellen Aufrufe her, Streikparolen werden flüsternd weitergegeben, Versammlungen werden einberufen. Das sind die Münder, „daraus die Stimme des Menschen brennt" (33) und die erwartet werden von den Menschen in der ganzen Welt. Sie wird anschwellen zum Chorgesang der neuen Bruderschaft, in der sich jeder seines Menschseins bewußt wird. Deshalb schließt auch am Ende die neue Erdgemeinschaft alle mit ein, Gelehrte, Börsenspekulanten und Generäle genauso wie Dirnen, Zuhälter und Arbeiter:

> Sagt dem besorgten Feldherrn und dem zerzausten Arbeitslosen, der unter den Brücken schläft, daß aus ihrem Munde der himmlische Brand lächelnd quillt!
>
> Sagt dem abgesetzten Minister und der frierenden Wanderdirne, sie dürfen nicht sterben, eh hinaus ihr Menschenmund schrillt! (44)

Wie andere Expressionisten – Iwan Goll zum Beispiel und Karl Otten – denen Kunst zur „sozialen Liebestätigkeit" geworden war,[307] benutzte Rubiner den Dithyrambus als eine Form, die Befreiung und Erweiterung zum Ausdruck brachte. Das Chaotische und Massenhafte, das nicht objektiv gebändigt dargestellt werden, sondern Um- und Aufbruch ausdrücken, ja bewirken sollte, wurde, von jeder konventionellen Poetik befreit, in einen Rhythmus gestellt, der allein dem Tempo wie der emotionalen und rhetorischen Kraft des Dichters gehorchte. Schon bei Erscheinen des *Himmlichen Lichts* wurde der Einfluß Walt Whitmans registriert. Tatsächlich war Rubiner

[307] Vgl. Iwan Goll, „Apell an die Kunst", *Die Aktion,* 7(1917), Sp. 599.

einer von vielen expressionistischen Lyrikern, auf die Whitmans humanistisches, allumfassendes Pathos einen nachhaltigen Einfluß ausübte. In einem Aufsatz von 1917 hat Gustav Landauer dessen Form als einen „Ausfluß der Subjektivität" charakterisiert, der „wie ein gewaltig fortreißendes Heraussprechen und Herausbrechen aus einem Erleben wirkt, das mehr als ein schmales, isoliertes Menschen-Ich ist, das vielmehr alles, das draußen vorgefunden wird, aus der eigenen Universalität zu haben scheint."[308] Ähnlich hätte Landauer über das *Himmlische Licht* urteilen können, nur überbürdet Rubiner das „Heraussprechen und Herausbrechen" mit der für viele Expressionisten typischen deklamatorischen Geste, die uns heute unerträglich ist.

In seiner Sammlung *Der Mensch in der Mitte* pries Rubiner Whitmans „ungeheure Liebestimme für die Menschen."[309] Er lieh hier nicht nur eine Form; wichtiger war, daß er in den Gedichten des Amerikaners eine Weltanschauung und eine Absicht vorfand, die seinen Aktivismus in einem erstaunlichen Maße bestätigte. Rubiner fand hier den eigenen Glauben an die Macht des Wortes wieder, die Überzeugung, daß der Dichter in seiner prophetischen Intuition das Geschick ganzer Nationen bestimmen könne, die Idee der öffentlichen Verantwortung des Schriftstellers, die Forderung, der Dichter habe Stimme und Ausdruck der Freiheit zu sein und mit jeder Handlung und Geste ein Beispiel zu geben, den Aufruf zur allgemeinen Menschenverbrüderung und die Verherrlichung der Erde. Und wenn auch Rubiner die Differenziertheit und Sensibilität des Wahrnehmens, das intime Einfühlungsvermögen in die Natur, wie wir sie bei seinem Vorbild finden, fehlten, die für das *Himmlische Licht* zentrale Idee, daß die allgemeine Menschenverbrüderung der adäquate gesellschaftliche Ausdruck der kosmischen Natur sei, paßte vollkommen in seine von Hegel geprägte Weltanschauung.

Darüber hinaus gründet eben auch Whitmans Erneuerungshoffnung auf den beiden Begriffen „Liebe" und „Geist": die sich innig an die Welt hingebende Liebe, das Ich in seiner Geistigkeit als ein Mikrokosmos in der Unzähligkeit von Identitäten, von selbstbewußten Kreuzungspunkten einer kosmischen Kraft:

> Jedes von uns unentbehrlich,
> Jedes von uns unbegrenzt – jedes von uns mit seinem und ihrem Recht auf die Erde,
> Jedes von uns beteiligt am ewigen Sinn auf der Erde,
> Jedes von uns so göttlich hier wie irgendeins.[310]

[308] Gustav Landauer, „Walt Whitman", *Masken,* 12(1916/17), S. 215/16.
[309] Ludwig Rubiner, „Der Bruder", *Der Mensch in der Mitte,* S. 148.
[310] Walt Whitman, *Grashalme,* übers. v. Hans Reisiger, hrsg. v. Hans J. Lang, Reinbek 1968, S. 130.

Anders als bei Whitman, ist aber das Gegenüber des lyrischen Ich in Rubiners Versen nicht die Natur, sondern eine vordergründige Welt sozialer Unruhen. Protest und Empörung bestimmen den Ton. Und die rhetorische Themenbehandlung verhindert eine emotionale Teilnahme. Es fehlt jedes einfühlende Verständnis für die sozialen Verhältnisse und ihre Opfer. So dringlich und kraß die Elendsbilder im einzelnen oft auch gezeichnet sind, der Abstand intellektueller Wertung nach dem Maßstab eines göttlichen Planes bleibt in jedem Falle gewahrt. Was das deklamatorische Pathos an Stil verdirbt, ist in Rubiners Augen kein Scheitern, sondern Absicht. Was er einmal über die Gedichte seines französischen Freundes Jean Jouve schrieb, gilt auch für seine eigenen Verse: „Jouves Gedichte sind nicht zum Beschauen da. Sie sind da, um den schwachen Menschen zu ändern, zu stärken, zu heilen. Seine Verse sind . . . Schreie in riesenhafte Volksversammlungen."[311]

In Pfemferts *Aktionsbuch* von 1917 erschienen Rubiners *Zurufe an die Freunde,*[312] fünf dithyrambische Anrufe des „Führers" Karl Liebknecht, der als die Inkarnation des „himmlischen Lichts" zu einer expressionistischen Erlösergestalt wird:

> Führer, du stehst klein, eine zuckende Blutsäule auf der schmalen Tribüne,
>
> Dein Mund ist eine rund gebogene Armbrust, du wirst schwingend abgeschnellt.
>
> Deine Augen werfen im Horizontflug leuchtende Flügel ins Grüne,
>
> Deine Ringerarme kreisen weit hinein ins feindliche Menschenfeld. (20)

Der Führer wird verherrlicht. Sein „Ewigkeitsgesicht" (15) leuchtet den Massen, seine „Finger ziehen breit Sonnenstraßen für erstickte Proleten." (16) Die Revolution erscheint, wie zu erwarten, nicht als ein konkret-politischer Vorgang, sondern als die Auswirkung der geistig-magischen Kraft dieser persongewordenen göttlichen Instanz: „Du sprichst: die Erde springt wie eine Fackel / empor und zerstiebt im finstersten Traum, / von fernen Sternstrahlen haucht dein Wort und / erbaut sie neu aus dem Raum." (16)

Diese idealisierende Verherrlichung des Arbeiterführers durch einen Expressionisten ist keine Ausnahme. Auch Hasenclever zum Beispiel feierte Liebknecht in seiner politischen Lyrik.[313] Und Johannes R. Becher pries noch 1919 Rosa Luxemburg als „Würze der paradiesischen Auen."[314] Für

[311] Ludwig Rubiner, „Der Bruder", *Der Mensch in der Mitte,* S. 148.

[312] Ludwig Rubiner, „Zurufe an die Freunde", in: *Aktionsbuch,* hrsg. von Franz Pfemfert, Berlin 1917, S. 15 – 22.

[313] Vgl. Walter Hasenclever, „Die Mörder sitzen in der Oper", *Das Junge Deutschland,* 2(1919), S. 97/98.

[314] Johannes R. Becher, „Hymne auf Rosa Luxemburg", *Die Aktion,* 9(1919), Sp. 173.

Rubiner verkündet Liebknecht die Botschaft von einem neuen naturnahen Glück, in der die Massen aus den deformierenden Normen der industriellen Gesellschaft befreit sind. Das Scheitern des gegenärtigcn Aufruhrs ist gewiß, das Wirken bewahrt sich jedoch in der kosmischen Lebenskraft, die auf die Erde zurückwirken muß:

> O es ist gewiß, diese alle, die in der Straßenschlacht stehen, werden sterben. Aber das sinnlose heiße Auszischen unseres Lebens fliegt hinaus in die Welt, die Sterne tragen unsere Gesichte verschüttend durch die Nächte, wie Bienen, die vom Blütenstaub beschwert um den Erdball auf und nieder steigen. (18)

Freunde bemühten sich nach dem frühen Tode Rubiners um die Aufführung seines Schauspiels *Die Gewaltlosen.* Am 22. Mai 1920 fand im Neuen Volkstheater in Berlin die Premiere statt. Während die Anhänger des Autors das Stück als „Evangelium einer Blutzeugenschaft" feierten,[315] verhielt sich die zeigenössische Kritik, soweit sie mit ästhetischen Maßstäben urteilte, abweisend und legte sich nur aus Respekt vor dem kurz vor der Aufführung verstorbenen Verfasser noch einige Zurückhaltung auf. Herbert Ihering urteilte im *Berliner Börsen Courier:*

> Rubiner darf man nicht dafür verantwortlich machen, daß Hasenclever und seinesgleichen die Revolution literarisch entwertet haben. Man zuckte in den „Gewaltlosen" zusammen, wenn – zum wievielten Male in dieser Spielzeit? – die Worte: „Freiheit", „Mensch", „Brüderlichkeit", „Gemeinschaft", „Macht" und „Geist" sich emporwarfen. Aber für diese Billigkeit sind die Dichter zu strafen, die die Konjunktur ausnutzten, nicht der intellektuelle Formulierer, dem die Worte Inhalt waren. Mit Ludwig Rubiner ist kein Künstler gestorben, aber ein geistig revolutionärer Mensch, der hier deshalb verarmt erscheint, weil er sein gehirnliches Thema nicht gliedert und deshalb verflüchtigt. Weil er für den Sieg der Gewaltlosigkeit über die Gewalt, des Willens über die Materie, des Geistes über den Stoff Worte findet, die nicht die Intensität der Körpersprache haben, (und wenn es die des Kanzelredners wäre).[316]

Dichterischen Ernst, reine Gesinnung und Echtheit des Gefühls gestand man Rubiner gewöhnlich noch zu. Paul Fechter zum Beispiel führte in der *Deutschen Allgemeinen Zeitung* entschuldigend an: „Er hat unter der Zeit gelitten, hat ein tiefes Mitleiden mit der gequälten Menschheit empfunden und das Bedürfnis verspührt, sie auf den Ausweg zu verweisen, der seiner Meinung nach allein aus den Greueln der Gegenwart in eine bessere Zukunft führt – nämlich auf den Weg der Gewaltlosigkeit."[317] Damit aber hörte bei

[315] Vgl. Max Herrmann-Neiße, „Berliner Theater", *Die Neue Schaubühne,* 2(1920), S. 191.

[316] Zitiert nach Günther Rühle, *Zeit und Theater: Vom Kaiserreich zur Republik 1913 – 1925,* Bd. I, Berlin, 1973, S. 898.

[317] Paul Fechter, „Ludwig Rubiner: Die Gewaltlosen", *Deutsche Allgemeine Zeitung,* 25. Mai 1920.

Fechter wie bei anderen das Positive schon auf. Die politische Naivität der Aussage verärgerte viele, am Künstlerischen fand niemand Gefallen. Man rügte den Mangel an stofflich greifbarem Gehalt, die psychologische Unglaubhaftigkeit der Person wie das sich in einem Wortschwall austobende deklamatorische Pathos.

Das Stück wäre vermutlich längst in Vergessenheit geraten, hätte die Forschung es nicht zum Musterbeispiel der Schwächen einer ganzen Gattung auserkoren. Wo es aufzuzeigen galt, wie sehr die gedankliche Ekstase der politisch engagierten Expressionisten der dramatischen Form schadete, bot sich Rubiners „Festspiel" mit seinem Mangel an Anschaulichkeit, an individuellen Konturen der Charaktäre und an kausaler Szenenentwicklung, mit der Ballung proklamatorisch-phrasenhafter Wendungen, rhetorischer Wiederholungen von Kernwörtern und sozialutopischen Parolen, den übersteigerten Gebärden und der überhäuften Metaphorik und vitalistischen wie mystischen Symbolik als ein extremer Fall von künstlerischem Ungenügen zu einer solchen Kritik auch tatsächlich an. Horst Denkler hat aber auf der anderen Seite mit Recht darauf hingewiesen, daß die formale Unzulänglichkeit notwendig aus Rubiners Absicht resultierte, hier seiner „in Aufrufen, Apellen, Reden gipfelnden Sprache die Tribüne zu verschaffen."[318]

In einer Rezension von Hasenclevers Schrift „Das Theater von morgen" (1916) hatte Rubiner über die Aufgabe der Bühne erklärt:

> Es geht um ethische Expression. Nichts anderes als das wiedererwachte Schöpfergefühl der Menschheit wünschen wir auch da zu sehen, wo Tausende im Zuschauerraum sitzen. Der Zuschauer geht ins Theater, um vom Geist, der die Erde formt, geführt zu werden. Das Theater ein Geisteshaus. Die Schaubühne eine politische Anstalt! Die Bühne und ihr Schauspieler haben uns Antwort zu geben – wie das Drama dessentwillen sie da sind! – auf unsere Lebensfrage: Was sollen wir tun?[319]

Ähnlich schrieb er in dem Vorspruch zu seinen *Gewaltlosen* jetzt: „Die Personen des Dramas sind die Vertreter von Ideen. Ein Ideenwerk hilft der Zeit, zu ihrem Ziel zu gelangen, indem es über die Zeit hinweg das letzte Ziel selbst als Wirklichkeit aufstellt."[320] Mehr noch als einen Lernprozeß erhoffte Rubiner im Zuschauer einen Vorgang, der im Stück selber immer wieder sich vollzieht: den Übergang vom Wort in die Tat, den Übergang von der Erneuerung auf der Bühne in das Volk, die Ausweitung des Geistes von der Handlung im Theater über die Zuschauer oder Leser über das Volk und die Menschheit in die letzte freie Gemeinschaft.

[318] Horst Denkler, *Drama des Expressionismus,* München, 1967, S. 121.
[319] Ludwig Rubiner, „Das Theater von morgen", *Zeit-Echo,* 3(1917), Maiheft, S. 23.
[320] Ludwig Rubiner, *Die Gewaltlosen,* Potsdam 1919, S. 6.

Karl Otten, der die *Gewaltlosen* in seine Anthologie *Schrei und Bekenntnis* aufgenommen hat, verweist in seinem Vorwort dazu auf den zeitgebundenen Charakter der expressionistischen Dramatik allgemein. Er argumentiert, daß die Menschen des Krieges, der Revolution und des Zusammenbruchs nach Ekstase, nach „Entsetzung aus der Gegenwart in eine Welt der Zukunft" verlangten, in der den leidenden Recht und Gerechtigkeit widerfahren würde. Sie hätten ein neues Drama verlangt, das sie als Zeitgeschichte und als „Deutung eigenen Lebens in chaotischer Zeit" erfahren konnten. Otten verteidigt die Expressionisten gegen die Anwendung zeitfremder Maßstäbe, wenn er erklärt: „Die Dramatiker des deutschen Expressionismus können nur verstanden werden, wenn wir sie als Wegweiser erkennen und anerkennen."[321] Gerade aber an die aktivistische Bestimmung dieser Dramatik knüpft sich die Kritik Eberhard Lämmerts, der ausführt, daß in Rubiners *Gewaltlosen* wie in ähnlichen expressionistischen Verkündigungsdramen konkrete Lösungen bewußt vermieden würden und daß an ihre Stelle eine „rein energetische Verknüpfung der Aktionen tritt."[322] Gleichzeitig werde hier eine „Erziehung zu fragloser Opferbereitschaft" betrieben, die sich geistesgeschichtlich und politisch verhängnisvoll ausgewirkt habe.[323]

Rubiners Satz „Die Befreiung der Materie durch den Geist" kann als thematische Zusammenfassung seiner *Gewaltlosen* gelten. Wir haben es hier mit nichts anderem als der Dramatisierung seiner früheren programmatischen Äußerungen zu tun. Ein kurzes Eingehen auf den Inhalt lohnt sich deshalb, weil bestimmte Ideen hier trotz aller Abstraktheit, die man dem Werk als Drama anlasten muß, doch eine gewisse Konkretisierung erfahren. Denn es werden doch immerhin einmal die Konturen sozialer Gruppen sichtbar, und die aktivistische Ideologie, bisher rein theoretisch entwickelt, in menschlichen Situationen bis zu einem gewissen Grade durchgespielt. Die Handlung demonstriert den Erneuerungsprozeß einzelner, zeigt, wie er sich auf andere auswirkt, immer weitere Kreise zieht, die Bevölkerung einer ganzen Stadt erfaßt und sich schließlich in die Menschheit ausweitet. Eine kleine Schar von „Erweckten" (114) mit ihrem Ruf nach „Leben" und „Freiheit" wird von jenen Mächten verfolgt, die vergessen haben, was „Leben" ist und denen die Unterdrückung der Freiheit wenigstens eines Teils der Bevölkerung zur eigenen Bereicherung und Machterhaltung dient. Festung, Gefängnis und Stadtmauer, innerhalb derer diese Mächte herrschen, sind Sinnbilder alles dessen, was den Menschen von der freien Natur abschließt, ihn verein-

[321] Karl Otten, *Schrei und Bekenntnis. Expressionistisches Theater*, 2. Aufl., Darmstadt, Neuwied, Berlin 1959, S. 8/9.

[322] Eberhard Lämmert, „Das expressionistische Verkündigungsdrama", *Der deutsche Expressionismus*, hrsg. v. Hans Steffen, Göttingen, 1965, S. 149.

[323] Vgl. Eberhard Lämmert, ibid., S. 156.

zelt, knechtet und abrichtet. Das Gefüge der Herrschaft ruht auf Pfeilern der Gewalt. Wer Widerstand leistet, wird, wenn er nicht schon den Maschinengewehren der Polizei zum Opfer gefallen ist, durch einen brutalen Strafvollzug langsam zu Tode gequält.

Die Handlung versucht aufzuzeigen, daß die Gewalt gerade auch die Herrschenden zu gefügigen Werkzeugen macht und wie die Ausübung der Macht die Mächtigen vereinzelt und brutalisiert. Im dritten und vierten Akt des Stückes wird demonstriert, wie das Bürgertum durch Mittel der Gewalt jene Versklavung und Ausbeutung der Arbeiter betreibt, die seine materiellen Interessen und seine Machtstellung garantieren. Unter den Arbeitern ist ein Aufstand ausgebrochen, die Bürger sind aus der Stadt geflohen, die sie jetzt ihrerseits belagern und auszuhungern versuchen. Einige Bürgerführer gelangen durch geheime Gänge in die Stadt und verwirren die Proletarier mit Versprechungen und Lügen. Einer von ihnen versucht, Nauke, dem Seemann, zu erklären, die Bürger täten alles „zum Besten der armen, unwissenden Revolutionäre" (38). Da sie zu ungebildet seien, müsse man sie erziehen. Erst wenn sie alle so dächten wie die Bürger, sei die Revolution zu Ende und das „Leben im Paradies beginnt." (84) Aber um sie erziehen zu können, müßten sie in den Händen der Bürger sein; ihr Widerstand müsse gebrochen und durch Maschinenarbeit niedergehalten werden.

Die sozialistische Revolution zur Überwindung der Gewalt wird in diesem Stück ausdrücklich abgelehnt, weil sie zwar vielleicht die Besitzverhältnisse ändern, die Macht des Menschen über den Menschen aber, die Wurzel allen Übels, die Gewalt, anwendet und beibehält. Die Revolutionärinnen organisieren den Aufstand in der Stadt; indem sie aber Anweisungen geben, verordnen und befehlen, wenden sie ihren Kameraden gegenüber, wie Anna, eine der „Erweckten" ihnen nachweist, die gleichen versklavenden Machtmittel an wie die Bürger. Die Antworten der „Erweckten" auf Materialismus und Gewalt sind Selbstlosigkeit und Gewaltlosigkeit. Diese beiden moralischen Werte garantieren in ihren Augen allein Freiheit und Gemeinschaft. Angesichts der bestehenden Gewalt äußert sich diese Überzeugung in einer konsequenten Verweigerung. Indem man auf jede Gegenwehr verzichtet, so lehrt es der Gouverneur, ein anderer der „Erweckten", indem man alles Geforderte von vornherein zu geben bereit ist, zieht man sich den Feind gleichsam in die Arme:

> Wir geben uns dem Feind. Er fordert – wir geben alles. Er fordert Waffen, wir legen sie hin. Er will Geld, wir geben ihm, was da ist. Er will Speise, wir geben ihm die unsere. Er will unser Leben, wir zeigen ihm, daß wir es opfern. Er kann nichts mehr fordern. Er ist allein, und ihm bleibt nur noch zu verlangen, daß er werde wie wir selbst. (87/88)

Rubiners Drama präsentiert viele Fälle, in denen diese „göttliche Machtlosigkeit" (104) die Gewalt überwindet: Klotz, der Gefesselte, überwindet mit seinem Anruf den Gouverneur; der „Mann" bringt seine brutalen Wächter dazu, ihn um Hilfe anzuflehen; in der Stadt siegt am Ende der Glaube an die Gemeinschaft über Bürgertum und Revolution. Aber nicht nur die stete Bereitschaft zum Opfer ist das Mittel zur Überwindung der Macht. Das Bekenntnis zu „Leben" und „Freiheit" erfüllt wie die Intensität der Selbstlosigkeit die „Erweckten" mit einer übernatürlichen, magischen Kraft des Willens, einer Kraft, die sich ihren Worten mitteilt und die in denen, an die sie gerichtet sind, eine schlagartige Wandlung bewirkt und in Situationen physischer Bedrohung sogar eine durchaus wunderbare Wendung der Ereignisse herbeiführen kann. Als der „Mann" und die „Frau" zum Beispiel im ersten Akt von der Polizei umstellt sind, ist ihr Wunsch, nicht gesehen zu werden so stark, daß sie augenblicklich unsichtbar entschweben. Als ein feindliches Schiff auf hoher See gegen die „Brüder" heranbraust, verzichten diese auf jede Gegenwehr, stellen sich stattdessen im Augenblick der höchsten Bedrohung und richten in einer gemeinsamen Anstrengung ihres bloßen Willens ihre innere Kraft so intensiv gegen den Feind, daß der plötzlich, wie vom Blitz getroffen, beidreht. Ein Kranker wird durch die liebende Umarmung der „Brüder" geheilt, das Zauberwort „Menschen" schwächt, wo es laut ausgerufen wird, die Bürgerarmee.

Mennemeier hat hinsichtlich der *Gewaltlosen* von Rubiners Unfähigkeit gesprochen, „sein Konzept politisch überzeugend in der Vermittlung mit der konkreten gesellschaftlichen Wirklichkeit zu entwickeln."[324] Eine solche Kritik – und sie ist, was dieses Drama betrifft, häufig wiederholt worden – läßt das Wesen des Rubinerischen Aktivismus unberücksichtigt. Das Wirken der „Brüder" in den *Gewaltlosen* ist nichts weniger als das Mysterium des absoluten Geistes, des Lichts, des „ewigen Menschen", das der Autor in seinen Aufsätzen und seiner Lyrik heraufbeschworen hatte, einer kosmischen Kraft, die durch den Menschen, der sie in sich und in anderen freizusetzen vermag, in der Welt wirksam wird. Es ist eine Kraft göttlichen Ursprungs, sie macht das ursprünglich Menschliche aus, das von der Zivilisation verdeckt wurde und sich daher gegen die Zivilisation und ihre vornehmliche Eigenart, die Gewalt richtet. In der Vorstellung Rubiners haben sich die „Erweckten" in die Übereinstimmung mit dieser göttlichen Kraft gebracht, die ihnen bei ihrer Mission zu Hilfe kommt.

Das Stück ist kein politisches, sondern ein religiöses Drama, was Rubiner mit der Bezeichnung „Legende" auch deutlich signalisiert. Die „Erweckten"

[324] Franz N. Mennemeier, *Modernes Deutsches Drama*, Bd. I, 1910 – 1933, München 1973, S. 25.

sind Heilige, sie wirken Wunder, gewinnen Anhänger und enden als Märtyrer. Die Erweckung, die sie bei anderen bewirken, bleibt daher auch psychologisch unbegründet, vollzieht sich abrupt. Nach einer langen Anrede durch Klotz wirft der Gouverneur plötzlich die Knechtschaft der Macht von sich und schließt sich ihm an, um „die neue Erde" (20) zu bauen. Trotzdem sind die Fürsprecher des „Lichts" hier nicht ohne Fehl. Das ist bedeutsam, weil dies dem Vorwurf der Schematisierung und Typisierung entgegensteht und zugleich unerwartet eine gründliche Kenntnis des Menschen sichtbar macht. Allen „Erweckten" stellen sich auf dem Weg zur Reinheit Hindernisse in den Weg, die immer wieder zur Versuchung der Gewalt führen, zu Krisen, Zweifeln und Rückfällen. Unter der Qual des Gefängnisses zum Beispiel verleugnet der „Mann" die gute Sache, unwillkürlich greifen viele „Brüder" noch zu den Waffen, als ein feindliches Schiff sie bedroht. Als sie durch verpestete Gewässer fahren, verzagen sie wieder. Überhaupt wurde ja das Schiff, auf dem die Schar der „Sternbrüder" (114) der Verfolgung durch die reaktionären Mächte entkommt, von den „Brüdern" selbst mit Gewalt gekapert, die rechtmäßige Schiffsmannschaft macht – in einen Raum unter Deck gesperrt – die ganze Seereise mit! Doch durch Besinnung, Selbstüberwindung, Reue und Schuldbekenntnis bewähren sich schließlich die meisten, halten auch in der höchsten Bedrohung der Versuchung stand, sich zur Wehr zu setzen und stellen so in sich schließlich jene Haltung der absoluten Selbstlosigkeit her, die sie zum Selbstopfer und zur wirksamen Hilfe für die Mitmenschen befähigt.

Mit dem Schiff haben sie sich aus der Gewalt der Festung befreit und auf ihrer Flucht gelingt ihnen die letzte Selbstreinigung. Aber sie haben sich damit, das erkannte der Gouverneur zuletzt, auch von der Menschheit, aus der politischen Verantwortung entfernt; ihre Erneuerung war noch zu sehr auf sie selbst bezogen, sie nahmen sich in ihr noch selber zu wichtig. Daher legt er jetzt am pestverseuchten Land an, um in gänzlicher Hingabe an die Welt die Menschen zu befreien. Der Gouverneur sprengt das Schiff, die Schar geht in die von Hunger bedrohte Stadt, wo das Chaos des Aufstandes gegen die Bürger gerade seinen Höhepunkt erreicht. Den Hungernden rufen sie „Menschheit" entgegen, die Revolutionärinnen bewegen sie dazu, die Arbeit niederzulegen.

Als Nauke das Volk gegen die „Brüder" aufwiegelt, kommt es zur entscheidenden Konfrontation. Und die „Brüder", der Gouverneur, Klotz und der „Mann" machen wahr, was sie über die Gemeinschaft verkündet hatten: sie opfern sich.

Man kann also hier entgegen manchen Vorwürfen des Unbestimmten und Unbestimmbaren feststellen, daß es in diesem Stück nicht bei Schlagworten wie „Leben", „Freiheit" und „Mensch" bleibt, sondern die Erneuerung als der Weg zur absoluten Selbstlosigkeit und Gewaltlosigkeit ausführlich und eindringlich benannt und entwickelt wird. Ebenso kann nicht bestritten werden, daß hier mit Klotz, dem „Mann" und dem Gouverneur doch einmal Beispiele des wahrhaft erneuerten Menschen im Sinne des politischen Expressionismus leibhaftig werden. Um so irritierender ist der Schluß des Stückes, wo ausgerechnet diese „Erweckten" selbst, um ihr Selbstopfer zu bewerkstelligen, das Volk zu einer Gewalttat aufrufen: „Tötet uns, wenn ihr sehen müßt, wie unsere Seele in euch lebt: Die Menschheit! Schluckt uns auf. Laßt uns verschwinden unter euren Füßen und Fäusten – und habt unsere Waffen." (141) Um die Botschaft dem Publikum einzubrennen, weitet Rubiner diese Szene opernhaft aus, damit alles Wesentliche noch einmal gesagt würde. Schließlich ruft der Gouverneur, bevor er erschlagen wird: „Volk, nun brauchst du nicht Führer mehr. Wir treten ab. Zum letzten mal von mir dieses Wort des Befehls: Zerstör und Schaffe!" (120). Und das Volk antwortet: „Nieder mit den Führern! Wir haben selbst die Kraft!" (12). Eva Kolinsky hat mit Recht darauf verwiesen, daß das, was hier wie eine Selbstbefreiung des Volkes erscheint „auf die letzte Beeinflussung des Volkes durch die Führer" hinausläuft.[325] Und diese „sublime Form der Selbstbefriedigung" wie Lämmert sie an vielen expressionistischen Verkündigungsdramen beobachtete,[326] läßt auch die innere Haltung erahnen, mit der Rubiner selbst sich der proletarischen Sache hatte anschließen können, ohne seinen idealistischen Standpunkt gänzlich aufzugeben.

Gegen den Vorwurf bloß anarchistischer Zerstörungswut hat Rubiner sich einerseits mit seiner Figur Nauke abgesichert. Nauke, der der Sache der „Erweckten", ohne sie wirklich zu verstehen, anfangs behilflich war, versucht im letzten Akt mit derselben pathetischen Gebärde, die er von den „Erweckten", erlernt hatte, das Volk für die Sache der Bürger zu gewinnen. Aber er scheitert, sein Reden bleibt ohne Wirkung, weil sie nicht auf Gewaltlosigkeit und Selbstlosigkeit zielt. Der Einsatzwille wird also hier deutlich moralisch gebunden. Die letzte Aufforderung des Gouverneurs an das Volk, „Zerstöre und Schaffe" muß aber selbst den wohlmeinenden Leser, dem die Botschaft von Selbstlosigkeit und Gewaltlosigkeit achtbar erscheint, an der absoluten Geltung dieser Normen zweifeln lassen.

Der in diesem Ideenwerk anvisierte utopische Endzustand wird nur in Umrissen sichtbar. Es wäre eine durch Selbstlosigkeit und den Dienst am Mitmenschen hergestellte Gemeinschaft, in der der Mensch seiner ursprünglichen, eigenen Natur gemäß lebt. Es herrschte Freiheit von kapitalistischer Ausbeutung, Freiheit von Herrschaft des Menschen über den Menschen. Als das Volk die Führer geopfert hat, stürzen die Menschen aus der Stadt und

[325] Eva Kolinsky, *Engagierter Expressionismus,* Stuttgart, 1970, S. 67.
[326] Vgl. Eberhard Lämmert, op. cit., S. 149.

rufen „Freiheit" und „Brüderschaft" hinaus in die Welt. „In allen Ländern der Erde grüßt sich das Volk!" (123) Anstatt aber nun das idyllische Bild einer paradiesischen Gemeinschaft hintanzusetzen, macht Rubiner klar, daß bei der gegebenen Schwachheit der menschlichen Natur, der Gefahr des Rückfalls in die alten Gewohnheiten der Gewalt die Erneuerung nur ein fortgesetztes Bemühen sein kann. Immer müsse „neue Bitternis sein", sagt der von Anna bekehrte junge Mensch, „immer müssen Menschen jagen über die ganze Welt, die euch treiben, daß ihr nicht vergeßt, ewig aufs neue den Sprung ins Morgenreich zu wagen!"(124). Und das ist zwar realistischer als das plötzliche Hinstellen eines neuen Morgenreiches, widerspricht jedoch der These von dem führerlosen Volk. Am Ende bedarf es doch wieder der Aufrufer und Erwecker, die den Gedanken an die Erneuerung im Volk wachhalten. Dieser Widerspruch entspricht der Zwiespältigkeit im Bild des Führers, wie Christoph Eykman sie in der expressionistischen „Soziologie" ganz allgemein festgestellt hat. Einerseits – so stellt Eykman fest – verurteilte man den Führer als Egoisten, „den isolierten einzelnen, der *seinen* Willen den anderen aufzwängt," andererseits habe es nicht an Wunschbildern einer idealen Führergestalt gefehlt.[327] Unabhängig davon jedoch gilt für Rubiners Drama, daß sich der ganze innere Widerspruch, der nach Kriegsende in Rubiner selbst ausbrach, hier schon andeutete. Der Führer ist bereit, im Volk unterzugehen, möchte sich aber dennoch für unentbehrlich halten.

In der zehnten Nummer der Zeitschrift *Menschen* erschien 1918 ein von Recha Rothschild unterzeichneter offener Brief an Ludwig Rubiner. Darin heißt es:

> Alle haben das Recht, zu Ihnen zu reden, denn Sie haben alle gerufen und sind in die unbekannte Menge vorgestoßen. Aber bei mir ist es doch noch etwas anderes. Ich brauche Sie mit Ihrem starken Sinn für persönliche Begegnisse nicht an jenen fröhlich-schönen Abend in ihrem Hause in Halensee zu erinnern, als Sie und Carl Einstein Scheerbartsche Katerpoesie deklamierten und das Gespräch zwischen Himmlischem und Irdischem hin und her blitzte. Der Klang jenes Abends ist Ihnen und allen Beteiligten in Erinnerung. Seither ist mir's noch würdig mit Ihnen ergangen: wir haben uns nicht wieder gesehen, aber bei allen Menschen, die für mich Bedeutung gewannen, wurde an irgend einem Höhepunkt Ludwig Rubiner genannt. Ich weiß, wie ich im strömenden Herbstregen mit Salomo Friedlaender durch die Frankfurter Anlagen zog; wir sprachen von Rubiner und Mozart, Rubiner und der italienischen Oper, Rubiner und Busoni. Und ich denke daran, wie es mich frappierte, als Felix Stiemer (damals noch ein Fremder für mich) am ersten der Dresdner Expressionistischen Abende Ihre „Änderung der Welt" zum Kristallisationspunkt für die Geister machte, die

[327] Christoph Eykman, „Zur Sozialphilosophie des Expressionismus", in: H. G. Rötzer, Hrsg., *Begriffsbestimmung des literarischen Expressionismus,* S. 457.

hier auseinander und zueinander strebten. Und nun bin ich und sind viele mit mir zu der Überzeugung gekommen, daß wir Sie brauchen, unbedingt und notwendig brauchen! Es drängt so vieles hier zur Entscheidung und zur Verwirklichung, und es fehlt nur an der Persönlichkeit, die all die tausend Ansätze und Möglichkeiten findet und zum Leben ruft. Ich bin viel herumgekommen in diesen Kriegsjahren und traf überall denselben Geist, dieselbe Not, denselben Schrei nach Einung, Sammlung und Besitzergreifung und dieselbe Ohnmacht! Es ist viel von Jugendbewegungen gesprochen worden, von dem Eigenleben der Jugend und ihrem Recht auf Eigenexistenz. Mich dünkt, wesentlicher als die Kultivierung einer „Jugend unter sich", die oft durchaus nicht ohne Züge von Greisenhaftigkeit ist, ist die gegenseitige Befruchtung und Durchdringung verschiedener Altersklassen, ist vor allem die Wahl des Führers. Wir haben gewiß auch im heutigen Deutschland einige, die Führer sein könnten, denen es aber doch an der einen oder anderen entscheidenden Eigenschaft dazu gebricht. Da ist Gustav Landauer – aber er verschließt sich uns und ist nicht einmal dafür zu haben, literarisch bei der Sammlung des Geistes mitzuwirken; da ist Kurt Hiller – aber er poltert und hat sich anscheinend auf ein politisches System festgelegt, ehe noch die Politisierung der Köpfe Wahrheit wurde. Wyneken und Hans Blüher sind Einseitige, die über der Strenge in ihren Forderungen leicht vergessen, daß unter den verschiedensten Verhüllungen und Verzerrungen der Geist sich verwirklichen will. Und es kann auch keiner Führer sein in dieser Zeit, dem sein Werk, sein Schaffen, was er als Denker oder Gestalter in die Welt stellen will, wichtiger ist als die Tat, die die Gemeinschaft aufrichtet und in der auch die Arbeit des Führers unlöslich in das Gesamtwerk eintaucht.[328]

Die Verfasserin des Briefes fordert Rubiner dann auf, sich der Jugend als Führer zur Verfügung zu stellen und ein Signal zum Handeln zu geben.

Ein solches Echo auf seine Aufrufe fand Rubiner nur selten. Auf einen gewissen Nachhall in Belgien und Holland haben Paul Hadermann und Jean Weisgerber verwiesen.[329] Eine Breitenwirkung aber, die seinem Erneuerungsbemühen zur Basis hätte werden können, stellte sich nicht einmal in Ansätzen her. Im Herbst 1919 hat er, wie Eduard Korrodi berichtet, selber enttäuscht feststellen müssen, „daß die Kameraden der Menschheit an den Fingern zu zählen seien."[330] Allen, „die aus Instinkt nicht mitschwingen wollen, " sei sein Werk unverständlich, schrieb Hermann Kesser,[331] und benannte damit einen wesentlichen Grund für den fehlenden Widerhall. Den wenigen, die sich als seine Mitkämpfer bekannten, Franz Pfemfert, Hans Richter, Rudolf Leonhard, Hermann Kesser, Max Hermann-Neisse und Wilhelm Herzog zum Beispiel, war er Vorbild und Anreger, obwohl auch sie oft

[328] Recha Rothschild, „Offener Brief an Ludwig Rubiner", *Menschen*, 1(1918), H. 10, S. 4.

[329] Vgl. Paul Hadermann und Jean Weisgerber, „Expressionism in Belgium and Holland", in: U. Weisstein, *Expressionism as an International Literary Phenomenon*, S. 229, 236, 252.

[330] Zitiert nach einem Nachruf im *Literarischen Echo*, 22(1919/20), S. 856.

[331] Hermann Kesser, „Ludwig Rubiner", *Das Tagebuch*, 1(1920), H. 11/12, S. 401.

ideologische oder ästhetische Vorbehalte geltend machten. „Ob er recht oder unrecht hatte (natürlich hatte er immer recht!) sein beweglicher Geist und sein immer wacher künstlerischer Instinkt, den er trotz seiner negativen Absicht und trotz aller Weltanschauungs-Prinzipien niemals ganz unterdrükken konnte, befruchtete viele von uns. Vor allem aber: er war ein mutiger Mensch und als solcher ein Vorbild," bekannte Hans Richter.[332]

Der Vorwurf ästhetischer Unzulänglichkeit wurde zu Rubiners Lebzeiten selten erhoben. Man wußte, daß eine ideologische Absicht im Vordergrund stand und die Sprache selbst vor dem Kitsch und der Phrase nicht zurückschreckte, um ihre dienende Funktion zu erfüllen. Richter zum Beispiel, der Rubiners Weltanschauung nicht teilte, gestand ihm zu: „Nur mit einer solchen konsequenten Umarmung des Kitsches sollte man ein gutes Gewissen bewahren können, wenn man schon die Kunst einem sozialen Programm oder einer Parteidisziplin unterordnen will."[333] Schwerwiegender war der Einwand, daß Rubiners Programm jede Wirklichkeitsbezogenheit fehle, daß ein materieller Inhalt seines Wollens nicht sichtbar werde, daß sein Tatwillen „ohne wirkliche Zielsetzung" sei und daher über eine blosse „Anfeuerung" nicht hinausgehe,[334] ein Vorwurf, der bis heute nicht verstummt ist.

Die kommunistischen Parteiorgane erklärten diesen Umstand mit Rubiners bürgerlichem Idealismus und wiesen damit gleichzeitig dessen Interpretation der proletarischen Revolution als Teilaspekt seiner Menschheitserneuerung zurück. In der *Roten Fahne* wies man darauf hin, daß seinem Schaffen keine gedankliche Analyse der Zeit zugrunde liege. Seine Aufrufe seien „Ergüsse eines aufrichtig liebenden Menschen, der das Niedrige seiner Zeit empfindet und helfen möchte." Der klare Blick aber, das Wissen um das was nottue, das versöhnliche Zurücktretenkönnen vor den Aufgaben, die die Zeit sich selbst stelle, fehle ganz. Damit sei Rubiner der Typus einer ganzen Reihe von Intellektuellen, „die, ihren besten Absichten zum Trotz an den Widersprüchen zwischen ihren Illusionen und dem notwendigen Gang der Geschichte scheitern mußten." Die Grundlegung für die aus Zwangsgesetzen sich ergebende Zukunft liege in dem Bedingtsein und der Begrenztheit der Zeit selbst, diese Voraussetzung fehle bei Rubiner. „Ihm war die Gegenwart nicht notwendige Folge einer ganzen Reihe von Voraussetzungen, die im Wirtschaftlichen ihren Zentralpunkt haben. Ihm war sie vielmehr Abfall, Abkehr des Menschen von Gott, Sündenfall, kurz: Willkürliches. Demgemäß ist auch der Weg der Umkehr, den er weist, kein durch die Entwicklung gegebener, kein zwangsbestimmter, sondern wiederum ist es ein rein spekulativer, erdachter Ausweg."[335] Polemischer formulierte Max Bar-

[332] Hans Richter, *Dada-Profile,* Zürich 1961, S. 46.
[333] Hans Richter, *Begegnungen von Dada bis heute,* Köln 1973, S. 95.
[334] Wally Zeppler, „Geistige Bewegung", *Sozialistische Monatshefte,* 3(1917), S. 1294.
[335] Heinrich, „Ludwig Rubiner: Die Gewaltlosen", *Die Rote Fahne,* 26. Mai 1920.

thel in der marxistischen Zeitschrift *Die Internationale* auf Rubiner bezogen, „der Geist der verfaulenden bürgerlichen Kultur" umschlinge jene Dichter, „die sich mit revolutionären Gesten von ihr abwenden, um Psalmen der neuen Welt zu singen." Sie fühlten sich berufen, „die Schlachtgesänge der Revolution anzustimmen, ohne die Gesetze und Bedingungen dieser Revolution begriffen zu haben."[336] Mit der gleichen Begründung hat Georg Lukács in seinem berühmten Essay „Größe und Verfall des Expressionismus" von 1934 Intellektuelle wie Rubiner als „Scheinrevolutionäre" bezeichnet.[337]

Die jüngste Forschung hat auch unabhängig von ideologischen Fragen Rubiner fehlende Einsicht in die fundamentalen sozio-ökonomischen Bedingungen der Gesellschaft vorgeworfen. Seine Rebellionsstimmung beharre in einer bloß „verbalen Radikalität", die ohne praktische Schlußfolgerungen geblieben sei, urteilt zum Beispiel Lothar Peter.[338] Dort aber, wo man bereit ist, auch gerade die gesellschaftlichen Abhängigkeiten und Möglichkeiten der Intellektuellen ganz allgemein vor und während des Ersten Weltkrieges zu berücksichtigen, fällt die Bewertung von Rubiners politischem Wollen anders aus. Zwar wird auch dann noch sein Mangel an Berücksichtigung der Wirklichkeit nicht geleugnet, im Zusammenhang mit den Zeitverhältnissen erscheint er jedoch in einem anderen Licht. Friedrich Albrecht und Silvia Schlenstedt vor allem haben hier manches richtiggestellt, zumal sie nicht bloß den Inhalt seiner Programme, sondern auch sein persönliches Wirken, soweit es ihnen bekannt ist, mit in Rechnung stellten. Albrecht verweist darauf, daß Rubiner neben Heinrich Mann, Erich Mühsam und Franz Pfemfert zu den ersten bürgerlichen Literaturschaffenden gehörte, die nach einer Periode der Trennung humanistische Dichtung und demokratische Politik wieder zusammenführen wollten.[339] Und Silvia Schlenstedt hebt hervor, daß die Literatur diesen Autoren als empfindliche Reaktion auf den allgemeinen Gesellschaftszustand doch, an den damaligen Verhältnissen gemessen, eine stärkere Berücksichtigung der widersprüchlichen Erscheinungen des modernen Lebens in Dichtung und literarisches Leben eingebracht habe.[340]

Mit seiner Aufforderung an die Künstler, sich ihrer politischen Verantwortung bewußt zu werden, stellte Rubiner sich nicht nur gegen das herrschende Regime, sondern auch gegen die etablierten, öffentlich geehrten

[336] Max Barthel, „Ludwig Rubiner: Die Gewaltlosen", *Die Internationale,* 1(1919), H. 20, S. 66.

[337] Georg Lukács, „Größe und Verfall des Expressionismus", *Probleme des Realismus,* S. 121.

[338] Lothar Peter, *Literarische Intelligenz und Klassenkampf,* Köln 1972, S. 27.

[339] Friedrich Albrecht, „Vorwort" in: Ludwig Rubiner, *Kameraden der Menschheit,* hrsg. v. F. Albrecht, Leipzig 1971, S. 5.

[340] Vgl. Silvia Schlenstedt, „Nachwort" in: *Expressionismus: Lyrik,* hrsg. von Martin Reso, Silvia Schlenstedt und Manfred Wolter, Berlin 1969, S. 620.

Dichter. Das war eine Opposition, die sich mit dem Kriegsausbruch noch verschärfte, als die große Mehrheit der deutschen Künstler – und auch Freunde Rubiners, wie Alfred Kerr und Rudolf Leonhard – die Kriegsbegeisterung schürte, und die wenigen, die sich gegen Chauvinismus und Eroberungslust wehrten, verfolgt und ins Exil vertrieben wurden. Für sie, die jetzt ausgestoßen waren und vom Ausland her gegen den Krieg protestierten, gab es für lange Zeit keine Möglichkeiten, wirksame Beziehungen mit einzelnen oder Gruppen in der Heimat aufzunehmen. Mit wem auch? Eine sichtbare liberale Opposition gab es nicht, und die Sozialdemokratie, die Vertreterin der Arbeiterklasse, hatte die Kriegskredite mitbewilligt. Die Folgerung, daß die Sache des Friedens und des Geistes einer kleinen intellektuellen Elite anheimgestellt war, ein übersteigertes Sendungsbewußtsein wie die charakteristische Beziehungslosigkeit dieser Pazifisten jener Masse gegenüber, für die sie sich verantwortlich fühlten, erklären sich zumindest zu einem Teil aus diesen gesellschaftlichen Bedingungen.

Was die humanistischen Intellektuellen dann in die letzte Unbedingtheit und Kompromisslosigkeit des Geistes trieb, war das Erlebnis des Krieges selbst, dessen mörderische Schrecken in ihren Augen das Ergebnis der potenzierten Geistfeindlichkeit der bürgerlichen Ordnung waren. Enthielten in der Vorkriegszeit die gesellschaftlichen Verhältnisse noch Ansätze zur Reform, so ergab sich während des Krieges eine Polarisierung, der keine Veränderung der gegebenen Verhältnisse total genug erscheinen konnte. Wir haben es hier also mit einem Prozeß der Radikalisierung zu tun, in dem die Intellektuellen nicht die Antreibenden, sondern die Reagierenden waren. Mit dem menschlichen Elend des Krieges steigerte sich ihre Sehnsucht nach einer Welt des Friedens und der Harmonie in glühende Utopien menschlich-ethischer Erneuerung.

Insoweit als Rubiner, wie andere Aktivisten auch, den Krieg als die notwendige Folge einer materialistischen Lebensordnung ansah – und er war mit den Bedingungen dieser Lebensordnung gründlicher vertraut, als man ihm gemeinhin zugesteht – ist verständlich, daß er den Ansatz zur Veränderung der Verhältnisse im Immateriellen, Geistigen suchte. Und nachdem er sich dann eine Erneuerungskonzeption als die Realisierung des Geistes in der Welt zueigen gemacht hatte, war ihm eine Analyse der gesellschaftlichen Verhältnisse bereits reine Zeitverschwendung. Mehr noch: die Berücksichtigung des politischen Alltags mußte von seinem Standpunkt aus notwendig eine Blickverengung und ein erneutes Sich-Ausliefern an die Bedingtheit, Orientierungslosigkeit und Konfliktgeladenheit der atomisierten Wirklichkeit mit sich bringen. Der Geist dagegen bot ihm nicht nur einen allgemeinen Bezugspunkt, sondern würde bei seiner Realisierung diese Wirklichkeit in sich aufheben. Hier gründet auch seine Neigung, sich sprachlich im Allgemeinen zu bewegen. Schon die bloße Benennung des Besonderen brachte in seinem Bewußtsein die Gefahr mit sich, anderes, dem Allgemeinen, dem „Geist" Zugehöriges auszuschließen.

Dadurch daß Rubiners Erneuerungwille vornehmlich aus einer Reaktion auf erlittene Zeitumstände resultierte, gewinnen seine Vorbehalte gegen die Wirklichkeit viel deutlichere Konturen als die Utopie der Gemeinschaft. Aus der Radikalität der Ablehnung resultiert die anarchistische Überbewertung des blossem Umsturzes und die Bereitschaft, alle Kräfte der Revolution undifferenziert in den eigenen Änderungswillen mit einzubeziehen. Wo es gilt, die eigene Gegenposition zu erläutern, verfällt er der eklektischen Neigung vieler Expressionisten, sich zur Unterstützung ihrer eigenen Ideologie Verbündete zu suchen, wo immer sie zu haben waren, was einerseits zu einem unglaublichen Gemisch aus Hegel, Jesus, Tolstoi, Voltaire und Stirner, andererseits zu einer höchst subjektiven Aneignung und Interpretation von Begriffen führte.

Rubiner wandte sich immer wieder gegen den Vorwurf, ein Träumer zu sein. Träumer waren ihm gerade jene, die ihre Verantwortlichkeit für ihre Mitmenschen nicht sahen und das Geistige als „Sonderexistenz" betrachteten. Da seine Biographie weitgehend unbekannt blieb, hat man ihn in dieser Beziehung bisher in der Forschung auch tatsächlich unterschätzt. Wenn auch die in seinen Aufrufen und Programmen anvisierten Ziele utopischer Natur sind, so war doch schon ihr blosses Erscheinen in einer Situation, in der die meisten deutschen Schriftsteller sich von der Kriegshysterie hatten hinreißen lassen, unbestreitbar eine politische Tat. Rubiners *Zeit-Echo* war eine vernehmbare „Trompete gegen den Krieg,"[341] seine verletzenden Angriffe auf jene Literaten, die ihre Feder dem Chauvinismus zur Verfügung gestellt hatten und dem Elend der Massen den Rücken zukehrten, um sich auf das eigene Werk zu konzentrieren, provozierte manche von ihnen zur öffentlichen Stellungnahme und zur Überprüfung ihrer politischen Position. Rubiner verharrte nicht in Schwärmerei, wie Muschg behauptet hat,[342] oder in einer bloß „verbalen Radikalität". Er gehörte zu den wenigen Mutigen, die gleich am Anfang des Krieges in der Schweiz Verbindung mit französischen Intellektuellen aufnahmen, um die Versöhnung der Völker zu suchen, eine Verhaltensweise, die Romain Rolland, der von den deutschen Künstlern im Exil im allgemeinen keine allzu hohe Meinung hatte, Rubiner nie vergessen hat.[343] Seine Anthologien nach dem Krieg, sein Wirken im Kiepenheuer Verlag wie im „Bund für proletarische Kultur" waren – man mag das aus ide-

[341] Hans Richter, *Dada-Profile*, S. 43.

[342] Vgl. Walter Muschg, *Von Trakl zu Brecht*, München 1961, S. 35.

[343] Vgl. Romain Rolland, *Zwischen den Völkern. Aufzeichnungen und Dokumente aus den Jahren 1914 – 1919*, Bd. II, Stuttgart 1955, S. 510/11.

ologischen Gründen verdammen oder nicht – praktische Beiträge zum Akutwerden der Frage nach einer Alternative zur bürgerlichen Ordnung.

Schwierig wurde für Rubiner am Ende die theoretische Rechtfertigung seiner praktischen Beteiligung an der Revolution, weil sich hierbei ein Zwiespalt aktualisierte, der seinen Schriften schon von je eigen war: die Ekstase aus bodenloser Sehnsucht, die Selbstüberschätzung und das Ausklammern der sozialen und wirtschaftlichen Verhältnisse auf der einen Seite und das Bekenntnis zur Masse und der Wille zur praktischen Tat auf der anderen. Rubiner entschuldigte diesen Widerspruch zuletzt mit seiner bürgerlichen Herkunft und der daraus resultierenden Schwierigkeit, sich – wie er es in seinem Nachwort zu der Sammlung *Kameraden der Menschheit* ausdrückt – der „menschlichen Schulung des Proletariats" anzupassen. Er führt hier über den „Dichter der Revolution", der er gerne sein wollte, aus:

> Er ist ein Neuling der Revolution. Er nimmt zunächst noch gar nicht an der wirklichen Gemeinschafts-Tat teil. Der aufrichtige Revolutionsdichter, den wir heute kennen, der nicht Schlagworte reimt, sondern durch dichtertische Schöpfungen die Revolution geistig vorwärts zu treiben sucht, stammt fast nie aus dem Proletariat, sondern beinahe immer aus dem Kleinbürgertum. So war seine historische Aufgabe zuerst, sich selbst aus dem Kleinbürgertum zu befreien. Daher ist die seelisch wertvollere Revolutionsdichtung nicht sozialistisch, sondern vorläufig noch utopisch. Aber in dem revolutionären Neulingstum des Dichters liegt auch ein ausserordentlicher Wert. Da ist, im Moment der Entstehung des Gedichts, die Unbedingtheit, der Fanatismus, die Kompromißlosigkeit; und das Schöpferische des Revolutionsgedichts: die ethische Entscheidung für die Zukunft. Es beschreibt nicht das Dasein, sondern ihm ist das revolutionäre Ziel selbst schon vollkommene Wirklichkeit, die der Dichter mitten unter die Menschen stellt, und an der er also aus dem Geiste und dem Willen mit zu bilden hilft. So gering unter den Dichtern die Sachlichkeit des Gemeinschaftszieles auftritt – die Produktionsmittel der Erde in die Hände der Produzierenden! – so groß ist dagegen ihre Sachlichkeit auf allen geistigen, moralischen und Willenswegen der Revolution. Ihre Tat war: die Proklamation des seelischen Neubaus, die Proklamation der revolutionären Solidarität, der Gemeinschafts-Freiheit, der sozialen Gerechtigkeit.[344]

So blieb Rubiner schließlich auch in den Reihen der proletarischen Revolution das, was er schon 1912 in seinem Aufsatz „Der Dichter greift in die Politik" von dem politischen Dichter gefordert hatte, der „Politerat", der die Zerstörung der bürgerlichen Ordnung forderte und das Verantwortungsbewußtsein des einzelnen in der Gemeinschaft bewußt zu machen versuchte.

Wolfgang Rothe hat die Etikettierung der Aktivisten als „Vorbereiter des Faschismus" durch Georg Lukács und andere als eine „malevolente Denun-

[344] Ludwig Rubiner, „Nachwort" in: *Kameraden der Menschheit*, Potsdam 1919, S. 174/75.

ziation" zurückgewiesen.[345] Der Streit ist müßig, weil man aus Rubiners Manifesten auch das Gegenteil „beweisen" könnte. Trotzdem, bei allen menschlich eindrucksvollen Taten Rubiners, trotz seines Rufens nach Freiheit und Verbrüderung: die Radikalität des Neuansatzes, wie er ihm vorschwebte, die mythisch-religiöse Basis seiner Ideologie, begründeten einen mit fanatischem Eifer vorgetragenen Rigorismus, der mit der Absolutheit des Anspruchs und der Forderung nach Unbedingtheit seinem Ruf nach Erneuerung eine faschistische Komponente verlieh. Am Grab Rubiners fand Felix Holländer bezeichnenderweise die Worte: „Wie ein Sturmgott war er durch die Welt gebraust – in Bereitschaft, die Peitsche zu schwingen und das Gelichter aus seinem Tempel zu jagen."[346] Rubiner selbst hatte 1916 in einer seiner Programmschriften geschrieben: „Wenn wir handeln, begehen wir oft Unrecht. Es ist falsch, darum vom Handeln abzulassen. Unsere Vereinzelung, die des Nichthandelnden, begeht viel größeres Unrecht."[347] Bedenklich ist dieser Relativismus im Handeln, zumal er sich bei Rubiner mit einer gänzlich subjektiven Sichtweise verbindet, die sich mit dem Anspruch, das wahre Allgemeingültige zu vertreten, unangreifbar zu machen sucht. „Wir müssen die lebendige Verantwortung für die anderen in unserer Entscheidung mit übernehmen," schrieb er in seinem *Zeit-Echo*. „Also nur noch entschiedener müssen wir werden."[348] Sein Stil verrät, daß sein Wille zur radikalen Umgestaltung der Gesellschaft viel stärker war als sein – als irgend ein Programm. Der Versuch am Ende, sich der proletarischen Revolution anzuschließen, ohne sein utopisches Ziel einer brüderlichen Menschengemeinschaft aufzugeben, ein Kompromiß, der die materialistische Grundlage einer solchen Utopie nicht mehr ausschloß und doch dem Idealisten noch eine öffentliche Rolle zugestehen sollte, war der verzweifelte Versuch des Aktivisten, den einzig sichtbaren Ansatz zu einer wirklichen und allgemeinen Abschaffung des verhaßten bürgerlichen Systems nicht zu verpassen. Am ersten Jahrestag des Todes Ludwig Rubiners schrieb Rudolf Leonhard in der *Freien Deutschen Bühne* dem Freund zum Gedächtnis:

> In einer Zeit des Zusammenbruchs, einer Zeit aufberstender und widereinander gärender Widersprüche, einer Zeit katastrophaler Neugeburt muß die Erscheinung des Dichters noch paradoxer sein, als es sein inneres Gesetz schon ist. Ludwig Rubiner hat am stärksten seine Zeit ausgedrückt – und war ihr heftigster Feind. Er war der führenden Literatur einer – und war Antiliterat, unliterarisch, unliteratenhaft par excellence. Er war einer der Führer, mit dem hei-

[345] Wolfgang Rothe, „Einleitung" in: *Der Aktivismus 1915 – 1920,* hrsg. v. W. Rothe, München 1969, S. 21.

[346] Zitiert nach dem *Literarischen Echo,* 22(1919/20), S. 856.

[347] Ludwig Rubiner, „Aktualismus", *Die Weißen Blätter,* 3(1916), H. 10, S. 71.

[348] Ludwig Rubiner, „Nach Friedensschluß", *Zeit-Echo,* 3(1917), Juniheft, S. 1.

ßen Willen des Führertums, ohne die herrische Geste des Führertums – und keiner hat wie er das Ende des Führertums, die Ergebung und Erlösung in der Masse gepredigt und gepriesen und der Masse gepredigt.[349]

[349] Rudolf Leonhard, „Zum Gedächtnis Ludwig Rubiners", *Freie Deutsche Bühne,* 2(1920/21), S. 585.

Bibliographie zur Einführung

Albrecht, Friedrich. *Deutsche Schriftsteller in der Entscheidung. Wege zur Arbeiterklasse 1918–1933.* Berlin und Weimar, 1970.

Allen, Roy F. *Literary Life in German Expressionism and the Berlin Circles.* Göppingen, 1974.

Angel, Ernst. „Revolutionäre Dramatik: Zu Ludwig Rubiners *Gewaltlosen.*" *Die Neue Schaubühne,* 2(1920), S. 187–190.

Arnold, Armin. *Prosa des Expressionismus.* Stuttgart, 1972.

Arp, Hans. „Dadaland. Züricher Erinnerungen aus der Zeit des 1. Weltkrieges." *Atlantis,* 20(1948), S. 275–277.

Arp, Hans. *Unsern täglichen Traum . . . Erinnerungen, Dichtungen und Betrachtungen aus den Jahren 1914–1954.* Zürich, 1955.

Bab, Julius. *Die Chronik des deutschen Dramas.* Teil V: „Deutschlands dramatische Produktion 1919–1926." Berlin, 1926.

Ball, Hugo. *Die Flucht aus der Zeit.* München und Leipzig, 1927.

Ball, Hugo. *Briefe 1911–1o27.* Hrsg. Annemarie Schütt-Hennings. Einsiedeln, Zürich, Köln, 1957.

Barbusse, Herni. „Die letzte Schlacht." *Das Forum,* 4(1919/20), S. 173–179.

Barthel, Max. „Ludwig Rubiner: Die Gewaltlosen." *Die Internationale,* 2(1920), H. 21, S. 66–68.

Behrens, Franz Richard. „Du darfst nicht töten. Für Ludwig Rubiner." *Die Aktion,* 8(1918), Sp. 94.

Benn, Gottfried, Hrsg. *Lyrik des expressionistischen Jahrzehnts. Von den Wegbereitern bis zum Dada.* Wiesbaden, 1955.

Best, Otto F. *Expressionismus und Dadaismus.* Stuttgart, 1o74.

Beyer, Manfred. „Expresssionismus. Literatur und Kunst 1910–1923." *Weimarer Beiträge,* 6(1960), S. 823–828.

Blei, Franz. *Das große Bestiarium der modernen Literatur.* Berlin, 1922.

Blei, Franz. *Erzählung eines Lebens.* Leipzig, 1930.

Bode, Ingrid. *Die Autobiographien zur deutschen Literatur, Kunst und Musik 1900–1965. Bibliographie und Nachweise der persönlichen Begegnungen und Charakteristiken.* Stuttgart, 1966.

Brauneck, Manfred. *Die Rote Fahne: Kritik, Theorie, Feuilleton 1918–1933.* München 1973.

Das bunte Buch. Hrsg. Kurt Wolff Verlag. Leipzig 1914.

Busoni, Ferruccio. *Briefe an seine Frau.* Hrsg. Friedrich Schnapp. Zürich und Leipzig, 1935.

Busoni, Ferruccio. *Briefe an Hans Huber.* Hrsg. Edgar Refardt. Zürich und Leipzig, 1939.

Busoni, Gerda. *Erinnerungen an Ferruccio Busoni.* Hrsg. Friedrich Schnapp. Berlin 1958.

Cahén, Fritz Max. *Der Weg nach Versailles. Erinnerungen 1912–1919. Schicksalsepoche einer Generation.* Boppard, 1925.

Cahén, Fritz Max. „Der Alfred Richard Meyer-Kreis", in: *Expressionismus. Aufzeichnungen und Erinnerungen der Zeitgenossen.* Hrsg. Paul Raabe. Olten und Freiburg i. Br., 1965, S. 111–116.

Chagall, Marc. *Mein Leben.* Aus dem Franz. v. L. Klünner. Stuttgart, 1959.

Chapiro, Joseph. „Ludwig Rubiner". *Die Weltbühne,* 16(1920), Nr. 22, S. 628–631.

Curjel, Hans. „Ludwig Ruhiners *Kriminalsonette". du,* 23(1963), S. 53/54.

Debusmann, Emil. *Ferruccio Busoni.* Wiesbaden, 1949.

Denkler, Horst. „Das Drama des Expresssionismus", in: *Expressionismus als Literatur. Gesammelte Studien.* Hrsg. Wolfgang Rothe, Bern und München, 1o69, S. 127–152.

Denkler, Horst, Hrsg. *Gedichte der „Menschheitsdämmerung". Interpretationen expressionistischer Lyrik.* Mit einer Einleitung von Kurt Pinthus. München, 1971.

Denkler, Horst. „Auf dem Wege zur proletarisch-revolutionären Literatur und zur Neuen Sachlichkeit. Zu frühen Publikationen des Malik-Verlages", in: *Die deutsche Literatur der Weimarer Republik,* Hrsg. W. Rothe. Stuttgart, 1974, S. 143–168.

Denkler, Horst. Drama des Expressionismus. Programm, Spieltext, Theater. München, 1967.

Duwe, Willi. *Deutsche Dichtung des 20. Jahrhunderts. Vom Naturalismus zum Surrealismus.* Zürich, 1962.

Edschmid, Kasimir. *Lebendiger Expressionismus. Auseinandersetzungen, Gestalten, Erinnerungen. Mit 31 Dichterporträts von Künstlern der Zeit.* Wien, 1961.

Edschmid, Kasimir, Hrsg. *Briefe der Expressionisten.* Frankfurt/Main und Berlin, 1964.

Einstein, Carl. „Brief an Ludwig Rubiner". *Die Aktion,* 4(1914), Sp. 381–383.

Elshorst, Hansjörg, „Ludwig Rubiner", in: *Handhuch der deutschen Gegenwartsliteratur.* Hrsg. Hermann Kunisch. München, 1965, S. 496/97.

Eykmann, Christoph. *Denk- und Stilformen des Expressionismus.* München 1974.

Fähnders, Walter und Rector, Martin, Hrsg. *Literatur im Klassenkampf. Zur proletarisch-revolutionären Literaturtheorie 1910– 1923. Eine Dokumentation.* München, 1971.

Faesi, Robert. *Erlebnisse. Ergebnisse – Erinnerungen.* Zürich, 1963.

Fechter, Paul. „Ludwig Rubiner: *Die Gewaltlosen", Deutsche Allgemeine Zeitung,* Berlin, 25. Mai, 1920.

Felixmüller, Conrad. „Widmungsblatt", *Die Aktion*, 7(1917), H. 16/17, Titelbl.

Frank, Leonhard. *Links, wo das Herz ist.* München, 1952.

„*Die Gemeinschaft,* von Ludwig Rubiner. Dokumente der geistigen Weltwende" *Die Rote Fahne*, Nr. 199, 3. Oktober 1920, Beilage.

Gross, Otto. „Ludwig Rubiners ‚Psychoanalyse- '", *Die Aktion,* 3(1913), Sp. 506–507.

Gross, Otto. „Die Psychoanalyse oder wir Kliniker", *Die Aktion,* 3(1913), Sp. 632–634.

Hamann, Richard und Hermand Jost. *Epochen Deutscher Kultur von 1870 bis zur Gegenwart.* Frankfurt, 1977.

Hardekopf, Ferdinand. „Das Café-Sonett. Für Ludwig Rubiner", *Die Aktion,* 6(1916), Sp. 17.

Hatvani, Paul. „Der Mensch in der Mitte", *Der Friede,* 2(1918/19), S. 12/13.

Heilborn, Ernst. „Zu Ludwig Rubiners *Die Gewaltlosen", Das Literarische Echo,* 22(1919/20), S. 1183/84.

Heinrich. „Ludwig Rubiner: *Die Gewaltlosen", Die Rote Fahne,* 26. Mai 1920.

Hellack, Georg. „René Schickele und die *Weissen Blätter", Publizistik,* 8(1963), H. 2, S. 250–257.

Henning, Hans. „Ludwig Rubiner, Zur Krise des geistigen Lebens", *Zeitschrift für Psychologie und Physiologie der Sinnesorgane,* Abt. I: Zeitschrift für Psychologie, Bd. 81(1919), S. 113.

Herrmann-Neisse, Max. „Ludwig Rubiner", *Die Aktion*, 13(1923), Sp. 87.

Herrmann-Neisse, Max. „Das Himmlische Licht", *Die Weissen Blätter,* 4(1917), H. 1, S. 230–231.

Herrmann-Neisse, Max. „Berliner Theater", *Die Neue Schaubühne,* 2(1920), S. 191–193.

Herzog, Wilhelm. „Dem toten Kameraden Ludwig Rubiner", *Das Forum,* 4(1919/20), S. 474–478.

Herzog, Wilhelm. *Menschen, denen ich begegnete.* Bern und München, 1959.

Hiller, Kurt. „Ludwig Rubiner tot", *Das Ziel,* IV(1920), S. 53–59.

Hiller, Kurt. *Köpfe und Tröpfe. Profile aus einem Viertel Jahrhundert.* Hamburg und Stuttgart, 1950.

Hiller, Kurt. „Begegnungen mit Expressionisten", in: *Expressionismus. Aufzeichnungen und Erinnerungen der Zeitgenossen.* Hrsg. Paul Raabe. Olten und Freiburg i. Br., 1965, S. 24–35.

Hiller, Kurt. *Leben gegen die Zeit.* 2 Bde. Reinbek bei Hamburg, 1969–1973.

Hinck, Walter. *Das moderne Drama in Deutschland. Vom expressionistischen zum dokumentarischen Theater in Deutschland.* Göttingen, 1973.

Hirsch, Karl Jakob. „Revolution in Berlin", in: *Expressionismus. Aufzeichnungen und Erinnerungen der Zeitgenossen.* Hrsg. Paul Raabe. Olten und Freiburg i. Br., 1965, S. 235–238.

Holitscher, Arthur. *Mein Leben in dieser Zeit. Der „Lebensgeschichte eines Rebellen" zweiter Band (1907–1925).* Potsdam, 1928.

Hülsenbeck, Richard. „Zürich 1916, wie es wirklich war", *Die Neue Bücherschau,* 6(1928), S. 611–617.

Ichak, Frida. „Proletarische Bühne in der bürgerlichen Gesellschaft", *Der Gegner,* 2(1920/21), H. 4, S. 115–118.

Jacob, Heinrich Eduard. „Berlin – Vorkriegsdichtung und Lebensgefühl", in: *Expressionismus. Aufzeichnungen und Erinnerungen der Zeitgenossen.* Hrsg. Paul Raabe. Olten und Freiburg i. Br., 1965, S. 15–19.

Jacobs, Monty. „Die *Gewaltlosen:* Neues Volkstheater", *Vossische Zeitung* Berlin, 13. Mai 1920.

Jung, Claire. „Erinnerung an Georg Heym und seine Freunde", in: *Expressionismus. Aufzeichnungen und Erinnerungen der Zeitgenossen.* Hrsg. Paul Raabe. Olten und Freiburg i. Br., 1965, S. 44–50.

Jung, Franz. *Der Weg nach unten. Aufzeichnungen aus einer großen Zeit.* Neuwied, 1961.

Jung, Franz. „Über Franz Pfemfert und die *Aktion",* in: *Expressionismus. Aufzeichnungen und Erinnerungen der Zeitgenossen.* Hrsg. Paul Raabe, Olten und Freiburg i. Br., 1965, S. 125–128.

Kändler, Klaus, Hrsg. *Expressionismus: Dramen.* 2 Bde. Berlin und Weimar, o. J.

Kändler, Klaus. „Soll es ein anderer Mensch sein? Oder eine andere Welt? Zur Vorgeschichte des sozialistischen Dramas der zwanziger Jahre", *Weimarer Beiträge,* Sonderheft 2(1968), S. 25–72.

Kayser, Rudolf. „Ludwig Rubiner, *Der Mensch in der Mitte". Die Neue Rundschau,* 29(1918), S. 989–990.

Kesser, Hermann. „Ludwig Rubiner", *Neue Zürcher Zeitung,* 7. März 1920.

Kesser, Hermann. „Überblick über den Expressionismus", in: *Expressionismus. Der Kampf um eine literarische Bewegung.* Hrsg. Paul Raabe. München, 1965, S. 217–225.

Klabund. „Pro domo", *Menschen,* 2(1919), H. 5, S. 20.

Klabund. „Herrn Ludwig Rubiner, Zürich", *Menschen,* 2(1919), H. 5, S. 21.

Klarmann, Adolf D. „Der expressionistische Dichter und die politische Sendung", in: *Der Dichter und seine Zeit. Politik im Spiegel der Literatur. Drittes Amherster Colloqium zur modernen deutschen Literatur 1969.* Hrsg. Wolfgang Paulsen. Heidelberg 1970, S. 158–180.

Klein, Alfred. „Zur Entwicklung der sozialistischen Literatur in Deutschland 1918–1933", in: *Literatur der Arbeiterklasse. Aufsätze über die Herausbildung der deutschen sozialistischen Literatur 1918–1933.* Hrsg. Die Deutsche Akademie der Künste zu Berlin, Berlin und Weimar, 1971.

Knudsen, Hans. „Ludwig Rubiner: *Die Gewaltlosen". Die Schöne Literatur,* 21(1920), Sp. 139.

Kobitzsch, Adolf. „Kameraden der Menschheit. 1919". *Menschen,* 3(1920), S. 60.

Koch, Walter. „Rubiner", *Sozialistische Monatshefte,* Jg. 1920, S. 539/40.

Kolinsky, Eva. *Engagierter Expressionismus. Politik und Literatur zwischen Weltkrieg und Weimarer Republik. Eine Analyse expressionistischer Zeitschriften.* Stuttgart, 1970.

Korrodi, Eduard. „Ludwig Rubiner", *Neue Zürcher Zeitung,* Nr. 353, 1920.

Kreuzer, Helmut. *Die Bohéme. Beiträge zu ihrer Beschreibung.* Stuttgart, 1968.

Lämmert, Eberhard. „Das expressionistische Verkündigungsdrama", in: *Der deutsche Expressionismus. Formen und Gestalten.* Hrsg. Hans Steffen. Göttingen, 1965, S. 138–156.

Landauer, Gustav. *Aufruf zum Sozialismus.* 2. Aufl., Berlin, 1919.

Landauer, Gustav. „Walt Whitman", *Masken,* 12(1916/17), H..14, S. 209–216.

Lehmbruck, Wilhelm. „Ludwig Rubiner", *Die Aktion,* 7(1917), Sp. 219.

Leonhard, Rudolf. „Proletarisches Theater", *Die Neue Schaubühne,* 2(1920), S. 10–21.

Leonhard, Rudolf. „Denkschrift über ein proletarisches Theater. Für den Bund für proletarische Kultur", *Die Neue Schaubühne,* 2(1920), S. 22–24.

Leonhard, Rudolf. „Zum Gedächtnis Ludwig Rubiners", *Freie Deutsche Bühne,* 2(1920/21), Nr. 26, S. 585–589.

Literatur der Arbeiterklasse. Aufsätze über die Herausbildung der deutschen sozialistischen Literatur 1918–1933. Hrsg. Die Deutsche Akademie der Künste zu Berlin, Berlin und Weimar, 1971.

Loerke, Oskar. *Literarische Aufsätze aus der ,,Neuen Rundschau" 1909–1941.* Hrsg. Reinhard Tgahrt. Heidelberg und Darmstadt, 1967.

Lohner, Edgar. „Die Lyrik des Expressionismus", in: *Expressionismus als Literatur. Gesammelte Studien.* Hrsg. Wolfgang Rothe. Bern, 1969, S. 107–126.

„Ludwig Rubiner", (anonym), *Börsenblatt für den deutschen Buchhandel,* 3. März 1920.

„Ludwig Rubiner", (anonym), *Vossische Zeitung,* Abendausgabe, 27. Februar 1920.

„Ludwig Rubiner", (anonym), *Berliner Tageblatt,* Abendausgabe, 27. Februar 1920.

„Ludwig Rubiner", (anonym), *Frankfurter Zeitung,* 26. Mai 1920.

Lukács, Georg. „Grösse und Verfall des Expressionismus", in: G. L., *Probleme des Realismus,* Bd. I, Neuwied und Berlin, 1971, S. 109–149.

Lunatscharski, A. *Die Kulturaufgaben der Arbeiterklasse.* Berlin-Wilmersdorf, 191o (*Der Rote Hahn,* Bd. 36).

Mann, Heinrich. „Geist und Tat", *Pan,* 1(1910/11), Nr. 5, S. 137–143.

Mann, Otto und Rothe, Wolfgang, Hrsg. *Deutsche Literatur im 20. Jahrhundert. Strukturen und Gestalten.* 5. Aufl., Bern, 1967.

Martens, Kurt. „Neue Essays", *Das Literarische Echo,* 20(1917/18), Sp. 649.

Mennemeier, Franz N. *Modernes deutsches Drama. Kritiken und Charakteristiken.* Bd. I (1910–1933), München, 1973.

Meyer, Reinhart. *Dada in Zürich und Berlin 1916–1920. Literatur zwischen Revolution und Reaktion.* Kronberg, 1973.

Mühsam, Erich. *Namen und Menschen. Unpolitische Erinnerungen.* Leipzig, 1949.

Muschg, Walter. *Von Trakl zu Brecht. Dichter des Expressionismus.* München, 1961.

„Nachruf auf Ludwig Rubiner", (anonym), *Das Neue Rheinland,* 1(1919/20), S. 308.

„Neues Berliner Volkstheater: *Die Gewaltlosen",* (anonym). *Kölnische Zeitung,* 27. Mai 1920.

„Notiz über Ludwig Rubiner", (anonym). *Die Bücherkiste,* 2(1920), S. 13/14.

Otten, Karl, Hrsg. *Schrei und Bekenntnis. Expressionistisches Theater.* Darmstadt, Neuwied, Berlin, 1959.

Paulsen, Wolfgang. *Expressionismus und Aktivismus. Eine typologische Untersuchung.* Bern und Leipzig, 1935.

Paulsen, Wolfgang, Hrsg. *Aspekte des Expressionismus. Periodisierung, Stil, Gedankenwelt. Die Vorträge des ersten Kolloqiums in Amherst, Massachusetts.* Heidelberg, 1968.

Peter, Lothar. *Literarische Intelligenz und Klassenkampf. Die Aktion 1911–1932.* Köln, 1972.

Pfemfert, Alexandra. „Die Gründung der Aktion", in: *Expressionismus. Aufzeichnungen und Erinnerungen der Zeitgenossen.* Hrsg. Paul Raabe. Olten und Freiburg i. Br., 1965, S. 43/44.

Pfemfert, Franz, Hrsg. *Das Aktionsbuch.* Berlin-Wilmersdorf, 1917.

Pfemfert, Franz. „Ludwig Rubiner tot", *Die Aktion,* 10(1920), Sp. 113/14.

Pfützner, Klaus. „Das revolutionäre Arheitertheater in Deutschland 1918–1933. Skizze einer Entwicklung", in: *Schriften zur Theaterwissenschaft,* Bd. I, Hrsg. Theaterhochschule Leipzig, Berlin 1959.

Pinkerneil, Beate; Pinkerneil, Dietrich und Žmegač, Viktor, Hrsg. *Literatur und Gesellschaft. Zur Sozialgeschichte der Literatur seit der Jahrhundertwende. Eine Dokumentation.* Frankfurt/Main, 1973.

Pinthus, Kurt. *Menschheitsdämmerung, Symphonie jüngster Dichtung.* Berlin, 1920.

Piscator, Erwin. *Schriften I. Das politische Theater.* (Facksimiledruck der Erstausgabe 1929), Berlin, 1968.

Pörtner, Paul, Hrsg. *Literaturrevolution 1910–1925. Dokumente, Manifeste, Programme.* 2 Bde., Darmstadt, Neuwied, Berlin, 1960/61.

Pross, Harry. *Literatur und Politik. Geschichte und Programme der politisch-literarischen Zeitschriften im deutschen Sprachgebiet seit 1870.* Olten und Freiburg i. Br., 1963.

Raabe, Paul. „Die Revolte der Dichter. Die frühen Jahre des literarischen Expressionismus 1910–1914", *Der Monat,* 16(1964), H. 191, S. 86–93.

Raabe, Paul. *Die Zeitschriften und Sammlungen des literarischen Expressionsimus. Repertorium der Zeitschriften, Jahrbücher, Anthologien, Sammelwerke Schriftenreihen und Almanache 1910–1921.* Stuttgart, 1964.

Raabe, Paul, Hrsg. *Ich schneide die Zeit aus. Expressionismus und Politik in Franz Pfemferts „Aktion" 1911–1918.* München, 1964.

Raabe, Paul. „Morgenrot! – Die Tage dämmern. Zwanzig Briefe aus dem Frühexpressionismus 1910–1914". *Der Monat,* 16(1964), H. 191, S. 52–70.

Raabe, Paul, Hrsg. *Expressionismus. Der Kampf um eine literarische Bewegung.* München, 1965.

Raabe, Paul, Hrsg. *Expressionismus. Aufzeichnungen und Erinnerungen der Zeitgenossen.* Olten und Freiburg i. Br., 1965.

Raddatz, Fritz J. *Marxismus und Literatur. Eine Dokumentation.* 3 Bde., Reinbek bei Hamburg, 1969.

Reso, Martin; Schlenstedt, Silvia; Wolter, Manfred, Hrsg. *Expressionismus. Lyrik.* Berlin und Weimar, o. J.

Richter Hans. „Ludwig Rubiner", *Die Aktion,* 7(1917), Sp. 222.

Richter Hans. „Widmungsblatt zu Rubiners ‚Kampf mit dem Engel' ". *Die Aktion,* 7(1917), Sp. 209/10.

Richter, Hans. *Dada Profile.* Zürich, 1961.

Richter, Hans. *Begegnungen von Dada bis heute. Briefe, Dokumente, Erinnerungen.* Köln, 1973.

Riedel, Walter. *Der neue Mensch. Mythos und Wirklichkeit.* Bonn 1970.

Rolland, Romain. *Zwischen den Völkern. Aufzeichnungen und Dokumente aus den Jahren 1914–1919.* Stuttgart 1954/55.

Rothe, Wolfgang, Hrsg. *Der Aktivismus 1915–1920.* München, 1969.

Rothe, Wolfgang, Hrsg. *Expressionismus als Literatur. Gesammelte Studien.* Bern, 1969.

Rothe, Wolfgang, „Nachbemerkung zu zwei Gedichten von Ludwig Rubiner", *Zet,* 2(1974), S. 38.

Rotschild, Recha. „Offener Brief an Ludwig Rubiner", *Menschen,* 1(1918), Nr. 10, S. 4.

Rötzer, Hans Gerd, Hrsg. *Begriffsbestimmung des literarischen Expressionismus.* Darmstadt, 1976.

Rühle, Günther. *Theater für die Republik 1917–1933 im Spiegel der Kritik.* Frankfurt/Main, 1967.

Rühle, Günther. *Zeit und Theater. Vom Kaiserreich zur Republik.* Berlin, 1973.

Schacht, Roland. „Die Gewaltlosen", *Freie Deutsche Bühne,* 1(1919/20), S. 930–935.

Schad, Christian. „Zürich, Genf: Dada", in: *Expressionismus. Aufzeichnungen und Erinnerungen der Zeitgenossen,* Hrsg. Paul Raabe, Olten und Freiburg i. Br., 1965, S. 169–174.

Schickele, René. „Revolution, Bolschewismus und das Ideal". *Die Weissen Blätter,* 5(1918), H. 6, S. 97–130.

Schickele, René, Hrsg. *Menschliche Gedichte im Krieg.* Zürich, 1918.

Schonauer, Franz. „Die Partei und die schöne Literatur. Kommunistische Literaturpolitik in der Weimarer Republik", in: *Die deutsche Literatur in der Weimarer Republik.* Hrsg. Wolfgang Rothe. Stuttgart, 1974, S. 114–142.

Schröder, Karl. „Ein expressionistisches Manifest", *Die Glocke,* 3(1918), S. 38.

Schüller, Hermann. „Proletkult – Proletarisches Theater", *Der Gegner,* 2(1920/21), H. 4, S. 109–114.

Schumann, Klaus, Hrsg. *Ludwig Rubiner: Der Dichter greift in die Politik. Ausgewählte Werke 1908–1919.* Leipzig, 1976.

Soergel, Albert und Hohoff, Curt. *Dichtung und Dichter der Zeit. Vom Naturalismus bis zur Gegenwart,* Bd. II, Neuausgabe, Düsseldorf, 1963.

Sokel, Walter H. *The Writer in Extremis. Expressionism in 20th Century German Literature.* Stanford University, 1959.

Sokel, Walter, Hrsg. *Anthology of German Expressionist Drama. A Prelude to the Absurd.* New York, 1963.

Stuckenschmidt, H. H. *Ferruccio Busoni. Zeittafel eines Europäers.* Zürich, 1967.

Szittya, Emil. *Das Kuriositäten-Kabinett,* Konstanz, 1923.

Tagger, Theodor. „Chronik", *Marsyas*, 1(1917) H. 1, S. 74–78.

Walden, Nell und Schreyer, Lothar, Hrsg. *Der Sturm. Ein Erinnerungsbuch an Herwarth Walden und die Künstler aus dem Sturmkreis.* Baden-Baden, 1954.

Walden, Nell. *Herwarth Walden. Ein Lebensbild.* Berlin, Mainz, 1963.

Weisbach, Reinhard. *Wir und der Expressionismus. Studien zur Auseinandersetzung der marxistisch-leninistischen Literaturwissenschaft mit dem Expressionismus.* Berlin, 1973.

Weisstein, Ulrich, Hrsg. *Expressionism as an International Literary Phenomenon.* Paris, Budapest, 1973.

Zeppler, Wally. „Ludwig Rubiner: *Der Mensch in der Mitte*". *Sozialistische Monatshefte,* III(1917), S. 1293/94.

Žmegač, Viktor. „Zur Poetik des expressionistischen Dramas", in: *Deutsche Dramentheorien.* Hrsg. Reinhold Grimm. Bd. II, Frankfurt/Main, 1971, S. 482–515.

Textauswahl

Der Dichter greift in die Politik (1912)

Die Legende ist der erste Schritt zur Wahrheit.

Dostojewski

Ein kritischer Dichter griff in die Politik, ein Literat. Viele wollen mich belehren, daß dies gleichgültig sei, daß der Fall überschätzt werde. Ich kann es nicht finden. Es ist zu bedenken, daß hier ein Mann Politik lehrt, der das Kunstdenken einer Generation erzogen hat. Wenn ein Psychologenblatt in einiger Zeit die Öffentlichkeit gewinnt (was nur eine Frage der Beharrlichkeit ist), so wird diese Politik auch wirken.

Gar nicht erst einlassen kann ich mich mit andern Leuten, Schweinen einer skeptischen Naivteuerei, die fragen: Wozu überhaupt man denn Politik treibe – und das Leben – und es komme doch alles von allein...

Politik ist die Veröffentlichung unserer sittlichen Absichten. Und wenn es irgendwo eine Wahrheit gäbe, die beweisen ließe, daß unsere sittliche Absicht keine sittliche Pflicht ist – so sind noch hunderttausend Menschen da und bereit, sie für eine sittliche Pflicht zu halten. Das ist ausschlaggebend.

Ich weiß Einiges, über das zu diskutieren ich nicht mehr bereit bin. Ich weiß, daß es nur ein sittliches Lebensziel gibt: Intensität, Feuerschweife der Intensität, ihr Bersten, Aufsplittern, ihre Sprengungen. Ihr Hinausstieben, ihr Morden und ihr Zeugen von ewiger Unvergessenheit in einer Sekunde. Ich kenne die Kanonaden der Erdkruste, Staub verfliegt, alte Dreckschalen werden durchschlagen, heraus siedet das Feuerzischen des Geistes. Ich weiß, daß es keine Entwicklung gibt. Ich weiß, daß das Anhäufen von Massen nicht die Motive dieses Anhäufens (im Menschen) ändert. Daß aus Quantitäten nie durch Addition Qualitäten werden (Entwicklungslehre). Sondern daß nur unsere Civilisation fortschreitet (ohne Hohn!). Wobei zu sagen wäre, daß Civilisation die Technik ist, unsere Ermüdungen abzulenken. Daß Civilisation weder zu bekämpfen noch zu erstreben ist, sondern etwas Vorhandenes, welches uns umfängt, uns verbindlich macht, uns gefangen hält – aber nie beherrscht. Genau zu sprechen: der Fortschritt (unserer) Civilisation wird uns immer mehr verhindern, unserm Tischnachbar ein paar Ohrfeigen runterzuhauen, aber er wird uns nie verhindern, dies zu wollen.

Ich weiß, daß es nur Katastrophen gibt. Feuersbrünste, Explosionen, Absprünge von hohen Türmen,· Licht, Umsichschlagen, Amokschreien. Diese alle sind unsere tausendmal gesiebten Erinnerungen daran, daß aus dem fletschenden Schlund einer Katastrophe der Geist bricht. Nur ein sittliches Lebensziel gibt es: von diesen Erinnerungen der neuen sanften Süssigkeiten der kurz vergangenen Zeiten herabzuhauen. Den Fortschritt der Civilisation aufzuhalten: herauszustoßen die Selbstverständlichkeit und Sicherheit des Getragenwerdens von der Umwelt. Einen schnellen Augenblick die Intensität ins Menschenleben zu bringen: Unter Erschütterungen, Schrecknissen, Bedrohungen das Verantwortlichkeitsgefühl des Einzelnen in der Gemeinschaft bewußt machen!

Es gibt Helden, und noch wenn sie krepieren, drohen sie Bewegungen des Schreckens an. Die Scharen der Civilisation, dröhnende Legionen von Gemüsehändlern, Portiers, Journalisten, Bankbeamten, Premierenbesuchern, unglücklichen Lotteriespielern und patriotischen Hurenwirten treten ihre Leichen mit den Stiefelabsätzen zu Brei.

„Wir?"

Nein. Ich bin nicht allein.

Obzwar dies kein Beweis ist. Aber eine Freude.

Wer sind Wir?

Wer sind die Kameraden? Prostituierte, Dichter, Zuhälter, Sammler von verlorenen Gegenständen, Gelegenheitsdiebe, Nichtstuer, Liebespaare inmitten der Umarmung, religiös Irrsinnige, Säufer, Kettenraucher, Arbeitslose, Vielfraße, Pennbrüder, Einbrecher, Erpresser, Kritiker, Schlafsüchtige, Gesindel. Und für Momente alle Frauen der Welt. Wir sind Auswurf, der Abhub, die Verachtung. Wir sind die Arbeitslosen, die Arbeitsunfähigen, die Arbeitsunwilligen.

Wir wollen nicht arbeiten, weil das zu langsam geht. Wir sind unbelehrbar über den Fortschritt, der ist für uns nicht da. Wir glauben an das Wunder, an das Abtun alles Fließenden in uns, daran, daß unsere Körper plötzlich vom feurigen Geist brennend gefressen werden, an eine ewige Sättigung in einem einzigen Moment. Wir suchen Feuerscheine aus unserem Gedächtnis das ganze Leben lang, stürzen hinter jeder Farbe her, wollen in fremde Räume hinein mit uns in fremde Körper; verwandeln wir uns in Orgelstimmen, ins Schwingen von Instrumenten, schlüpfen wir durch alle Zellklumpen der Musik, heraus und wieder drinnen, wie Blitze.

Wir zünden eine Zigarette an, wir passen uns in einen neuen Rock, wir trinken Schnaps; Frauen lassen sich mit zuen Augen und wirren Armen ins Wasser fallen (auch sind anbetungswürdige brandstiftende Frauen da). Wir stürzen uns, mit vier Armen, grinsend verkrümmt auf lächerliche Chaiselongues, über Gebirge von Röcken hinweg dringen wir ineinander; es ist für unser Wunder. Und wir tun das alles immer wieder, weil wir nie bis ans Ende enttäuscht sind. Unsere Hoffnung ist unermeßlich, daß die übermäßige Pressung der Seligkeit das tägliche Leben der Civilisation im Trümmer sprenge.

Wer sind wir? Wir sind die Menschen aus den großen Städten. Herausgetrieben, in die Luft gepfeilte Silhouetten zwischen Jahrhunderten. Wir sind die, denen ein Aufenthalt auf der Haut schmerzt; Sekunden der Enttäuschung würden unvergeßlich brennende Wunden der Langeweile fürs Leben. Es muß alles so schnell vorüber, daß die Vergangenheit zischend wie ein Staubschweif hinter Motoren in die Luft fährt. Um uns die Luft muß zittern. Niemals warten! Hindurch durch die schnellen Freundschaften und die Wutausbrüche Rußlands, die gelbgoldenen Trompeten-Sermone Frankreichs, unter italienisches Mißtrauen, blitzschnelles Aufdecken zwischen Conventionen, Hingegebenheit, stechende Worte, Sympathien, Überfälle – hindurch durch Englands Docks, morgens um fünf, unter einen stinkenden Berg von Menschen, die auf Arbeit warten, bereit vorzuspringen und den Nebenmann niederzutreten; hindurch durch den heulenden grauen Staub von Whitechapel... Wir wollen nicht länger warten. Wir können es nicht länger aushalten.

Wir lieben diesen politischen Dichter so, weil er es nicht aushalten kann. Wir waren noch Schuljungen, da hat uns dieser Europäer gelehrt, daß man nicht zu warten braucht. Und daß „Geduld, alles wird sich schon entwikkeln", eine Stammtischparole ist. Der Mann, Deutschland von Gnaden geschenkt, war immer eine lebendige Katastrophe. Sein Leben ist ein schon mythenhaftes Beispiel unseres Nicht-Warten-Könnens. Er kam immer mit Sprengungen in eine deutsche Öffentlichkeit, die gewöhnt ist, Schweinereien solange entrüstet zu bemurmeln, bis sie sich einkalken. Sein Leben wäre klar, wenn man sich diese folgerecht gebaute Spirale ausdenken könnte: Er beseitigt in der großen Stadt Tschikähgo Existenzen; einen herrschenden Kritiker, der von Kritisierten bar Geld und Victualien erpreßt. Einen herrschenden Dichtersmann, dessen Fett die Beef-Fabrikanten zum applaudieren bringt. Einen Polizeiregenten, einen Boss, den überhaupt niemand mehr erträgt. Folgerecht ist dies Leben! Wie, und nur, weil dieses Wirken in der fernen Stadt Tschikähgo abläuft, durch die Ferne exotisch umhaucht ist, sollt es uns mehr angehen, als, sagen wir, in Berlin? Wär in Berlin nicht dieser Weg viel Unsriger: vom Kritiker Tappert, dem gesellschaftlichen Fall; über den Dichter Sudermann, dem öffentlichen Fall; zum Dirigenten Jagow, dem politischen Fall?

Ich muß immer lachen, wenn ein Synthet ängstet: Destruktion. Uns macht nur die (einzig!) sittliche Kraft der Destruktiven glücklich. Beweis: Dieser politische Dichter hat jedesmal die deutsche Sprache bereichert. Er hat Rüdigkeiten gelehrt, die im deutschen Bereich noch keiner ausgedacht hatte. Immer, wenn er auffliegen ließ, wurden einzig unzerstörbare Geistigkeiten freigelegt; Beziehungen unserer (sorgfältig versteckt gehaltenen) täglichen Erfahrungen zu, ja, zu Seelischem.

Gewöhnung, Konservierung, Einpökelung, Abwendung, Schwindel ist es, wenn man den Fall dieses Europäers aus der Stadt erledigen will: „Er hat Mut, zugegeben!" Schwindel. Mut ist ein Symptom. Mut hat jeder Literat, wenn er dreimal um den Schreibtisch läuft. Es kommt darauf an, den Mut (oder den Unmut) zu wollen. Ich schrieb, vor etwa einem Jahr, und davon werde ich nichts zurücknehmen können:

„Dieser Mann, der Eindrücke empfangen und geben kann wie die Dichter, opfert selbst und bewußt das eilende, helle Leben: er mordet seine Lust. Mit einer ungeheuren Konzentration von Energie wandelt er Gefühlsformen völlig zu Zielen um, macht alle seligen Gleichgewichtsgenüsse seines Relativismus zunicht; und dieser von der Natur Eingesetzte, dieser herrliche ethische Jude – blond mit blauen Augen, ihr Rassentrottel – gibt Werte!"

Es kommt auf die Umwandlung der Energie an. Sittlich ist es, daß Bewegung herrscht. Intensität, die unser Leben erst aus gallertiger Monadigkeit löst, entsteht nur bei der Befreiung psychischer Kräfte. Umsetzung von Innenbildern in öffentliche Fakta. Kraftlinien brechen hervor, Kulissen werden umgeschmissen. Räume werden sichtbar, Platz, neue Aufenthaltsorte des Denkens; bis zur nächsten Katastrophe. Wir leben erst aus unsern Katastrophen, Störer ist ein privater Ehrentitel, Zerstörer ein religiöser Begriff. Und darum ist es gut, daß die Literatur in die Politik sprengt.

Jedoch:

In Deutschland hält man einen Universitätsprofessor für einen Genius, wenn er irgendwie auf das Jahr 1912 Bezug nimmt. Soviel Menschlichkeit traut diesem Gewerbe niemand zu. In Deutschland hält man einen Reichstagsabgeordneten für eine Individualität, weil er seit zehn Jahren immer dasselbe Buch von Anatole France citiert. Soviel Intelligenz hat niemand von einem Parlamentarier erwartet. In Deutschland hält man einen Revisionisten für den künftigen Leiter der Geschicke, weil er in Frisur und studierter Haltung Lassalle ähnlich sieht. Soviel Impetuoso hat man von einem Sozialdemokraten nie erwartet.

Die bescheidenste Öffentlichkeit imponiert in Deutschland so ungeheuer, weil man sie zunächst, insgeheim, von Geburt aus für minderwertig erachtet. Die Möglichkeit, daß einer unter Umständen gezwungen sein könnte, sich unverhalten zu benehmen, gilt schon als die (durchaus vollendete) Tatsache der Unverhaltenheit. Darauf fallen wir alle in Deutschland rein; immer wieder. Alle. Als, nur eins vieler Beispiele, Hermann Wendel, ein wertvoller Publizist Deutscher Sprache, in den Reichstag kam, haben wir uns alle gefreut. Wir trauten ihm zu, damals, daß er das Ungeschäftsmäßige, den gutgeschriebenen Satz, Ahnungen vom Blut und die präzis tötende Glosse der Polemik in die Politik bringe. Wir haben uns natürlich getäuscht. Aus Gedankenlosigkeit; wir hatten den ersten Hauptsatz zur Politik vergessen:

Verhaltenheit ist unsympathisch, aber die Atmosphäre der Öffentlichkeit macht in Deutschland die Leute dämlich.

Die Geschichte ist lächerlich. Wer in Deutschland die Öffentlichkeit besteigt, wird „fortschrittlich." Er fühlt nicht mehr die Verpflichtung zu helfen, sondern hat die Unverschämtheit erziehen zu wollen. Hier sagt, in der Öffentlichkeit politischer Läufte, kein Mensch mehr, wie er sich die Dinge denkt, sondern wie er . . . wünscht . . . daß man verstehen soll . . . wohin eine Vorbereitung zielt . . . die bewirkt . . . daß man einmal verstehen wird . . . was er jetzt verschwiegen hat. Fortschritt.

Politiker, die auch anständige Menschen sind, halten oft das Gelächter über ihre Politik für Symptom verstandloser Indifferenz. Indifferenz für Gemeinheit. Sie irren. Es ist nur Ablehnung einer Unterschätzung; Verachtung dessen, der einen unterschätzt. Nicht billige Überlegenheit, sondern eine, die uns trauert, und die wir sehr wegwünschten. Beispiele wären: Ein Musiker hat den Ruf des gewaltigsten Contrapunktikers, und man kennt nur Metropolliedchen von ihm. Ein Dichter heißt genial, und hat etwa nur Karl-May-Romane veröffentlicht; und ein geheimnisvoll schaffender großer Maler hat beide mit Illustrationen versorgt.

Wir wünschen, uns mit unsern Politikern zu unterreden; nicht, von ihnen erzogen zu werden. Wir verwehren dem deutschen Politiker den Zutritt zu unserer Gesellschaft. Er schreibt zu schlecht. Er verwechselt Verständlichkeit (die ist Anrühren von Dingen, als welche von Geburt an in uns allen liegen) mit Unwichtigkeit. Und er ist sehr anständig, wenn er unter Parenthesen durchscheinen läßt, daß diese unwichtigen, weitmaschig gestrickten Reden, nicht seine Angelegenheiten sind. In Momenten der Bewußtheit. Dies ist die Atomsphäre der deutschen Politiker. Währenddem in Frankreich die Politik den Menschen hebt, einen kaufmännischen Angestellten zu einem europäischen Schriftsteller macht, die (ewig erstrebenswerte) Kunst der Konzentration in die Menge bringt (Man denke an die Scene: Herr Clémenceau, niemals ein Genie doch ein Vertreter, deutet in einem höflichen Sätzchen von fünf Worten auf einen Quidam. In den Gängen laufen die Leute umher; ein Minister ist gestürzt. Und hinter diesem Mot stand nur ein Fragezeichen, wonach eine geformte Rede weiterging). Herr Bürger Cochon, ein Obdachloser, sieht aus seiner Wohnungslosigkeit das „Syndikat der Von-Hauswirten-vor-die-Tür-Gesetzten" erstehen, er gedenkt nunmehr Stadrat zu werden. Er redet gut, und witzig zum Brüllen. Dabei ist kein Zweifel, daß dieser Mann, der jetzt bewegliche Phantasie und Handlungsfähigkeit übt, einmal mit der berühmten „Rente" sehr zufrieden sein wird; kein Zweifel, daß Clemenceau ein Gauner ist. Allein in diesen Grenzen der französischen Sprache ist das Schöne, daß die Politiker an ihren Leuten nicht Pädagogik treiben, sondern Injektionen machen. Sie steigern. Sie haben ihre gegenwärtigsten Privatwünsche im Herzen (gleichviel ob aus Schurkismus oder Notlage) und ihre Intensität steckt die Luft in Brand.

Da möcht ich etwas Herrliches von Robert Musil hersetzen. Und ein Satz, moralisch und undeutsch wie schöne Brückenbogen. Lehrhaft wie von einem Enzyklopädisten, psychologisch wie von einem Jesuiten; tatsächlich und als runde Erkenntnis gesprochen wie von einem Visionär. Er sagt – in dem unschätzbaren, menschenfreundlichen, darum unermeßlich liebenswerten Novellenbuch „Vereinigungen" – er sagt: „Es kommt ja nur darauf an, daß man wie das Geschehen ist und nicht wie die Person, die handelt."

Es ist zu fragen: wie kann ein Mann unseres Verstandes den Entwicklungsschwindel stützen? (Man antwortet sich selbst: aus Güte versickernd in geduldetes Mißverständnis!)

Aber wo ist die berühmte „Entwicklung" und – wo nicht?

Entwicklung – Jargon des 19. Jahrhunderts; gleich = Steigerung von Fähigkeiten aus einer Summierung von Mengen (Qualitäten aus Quantitäten. Die Nuance als Stufe.) Wirkt re vera nur bei dem, was man, physikalisch gesprochen, „Masse" nennt. Also in der Zivilisation. Alles Technische steht unter der Entwicklung; die beliebten Fabrikschornsteine (in den netten Beleuchtungen populärer Maler), die Eisenbahnen („das gewaltige Schienennetz") die Telephone, die Rekorde der Titanics, die Drahtlosigkeiten, Seifen, Setzmaschinen, Kunstweine, die Gummiartikel, Photographien, Polizeiverwaltungen, die Kanonen, Luftschiffe, Konservenfabriken, Füllfederhalter, Mittagsblätter, die Anweisungen zu hypnotisieren, die gut imitierten Teppiche, Akkumulatoren, Gartentische, Gipsabdrücke, Rotationsdruck, Volksheere, Harrod, Duval, Aschinger und Sir Thomas Lipton – alle können sich entwikkeln. Oder ist dies ein ungenaues Wort? Etwa so: alle können sich verfeinern und vermannigfaltigen; fortschreiten – Atome umlagern unter Druck und Widerdruck. Nur kann sich nicht entwickeln, was die Entwicklung macht; der – entschuldigen Sie – Geist. Einer kann Groschensemmeln an eilige Gäste verkaufen, um zwanzig Jahre später die Wirtschaft des pleitegegangenen Ausstellungsparks zu übernehmen. Und selbst wenn Armeen von modern funktionierenden Lokalreportern begeistert mir beistimmen, ich darfs nicht unterdrücken: Mein Entzücken über das Wahrheitsdrängeln der dreitausend Bilderbolde, Professeurs, Regierungsräte, die ihr sogenanntes Schaffen als Aschingerkunst zu enthüllen gewillt waren. Das ist eine Entwicklung. Der Weg vom Wurschtbrötchen bis zur neuen Millionpleite ist kontinuierlich, ein Fortschritt.

Aber Ideen kriechen nicht so auseinander heraus. Zwischen der Idee, nun, des Luftschiffes und der Idee des Aeroplans gibt es weder eine Entwicklung noch einen Fortschritt. Sie sind ganz unabhängig voneinander. Ideen sind immer da, und immer neu. Und jede Idee ist eine Katastrophe, wie jeder neue Mensch, den man kennenlernt.

Einmal, als der kritische Dichter seine Wut bekam (in der er instinktiv zum Geist gegen die Zivilisation hält), brauchte er auf den typischen Zivilisationsdichter dieses Wort: „In Deutschland nennt man jeden, der das Messer nicht in den Rachen stopft, einen Aestheten". Man kann die (begreifliche, doch komische) Absicht der Zivilisationsrepräsentanten: ihre Entwicklungswelle für die der Welt zu halten, nicht stärken, witziger: sittlicher bescheinwerfen.

Zivilisation kann man lernen. Essen, sich in Grenzen aussprechen, unanstößig sein: Geschmack. Alles zu lernen. Dies vom Geist zu sagen, wirkt sofort komisch. Nicht vielleicht aus mangelnder Gewohnheit.

Sondern aus sicherster Überlegenheit vor dem rein Quantitativen, Zusammenklebenden, Massigen, naturkundlich geredet, dem Beharrensvermögen der Zivilisation.

Man sieht, es gilt hier nicht, gegen die Zivilisation zu sein. Dies wäre ein entsetzlicher Unsinn. Ebensogut könnte man gegen „Quantität" oder gegen „Materie" sein wollen. Verse, geseumet von der Farbe Rousseauscher Prismatik „seht, wir Wilden sind doch. . ." oder „wir Kokotten sind doch bessere Menschen" oder „seht, wir Künstler. . ." sind Quatsch. Die Zivilisation ist etwas Vorhandenes. Aber dies Vorhandene ist eine sehr partielle Angelegenheit der Welt. Im Übrigen gibt es noch den Geist, den Geist, den Geist.

Der gute Dichter dichtert nicht von den Fabriken, den Telefunkenstationen, den Automobilen, sondern von den Kraftlinien, die aus diesen Dingen im Raume umherlaufen. Das Ding ist für Menschen da. Wir sind keine Idylliker. – Nun, nachdem das Maulaufreißen vor der Technik vorbei ist, weil man sie als etwas Selbstverständliches eingeordnet hat; nun ist kein prinzipieller Unterschied mehr zwischen der Ilias und H. Manns „Kleiner Stadt". Kein prinzipieller. Was die Ilias näherrückt! – Kraftlinien bauen eine Dichtung. (Und nur solang man glauben konnte, daß Zivilisation die ganze Welt vollfüllt, und daß nicht ein Marconisender der bloße Ausdruck einer Idee, sondern ein Ding für sich ist; und solang man diesen Niggerglauben hatte, war Homer „veraltet". Indessen: bloß die Marconisender veralten!)

Ein Telephon ist angenehm, aber es muß manchmal zerstört werden.

Die Zivilisation ist wohltuend, aber sie trägt zu viel Zinsen. Wenn's nach der Zivilisation ginge, würde der größte Bauch prämiiert; doch scheint sich dagegen etwas im Menschen zu wehren.

Denn wenn nicht mal die ganze Kiste klafft, und alle Leuten einen Todesschreck kriegen, dann ist das Leben langweilig. Ich zitiere den Dichter: „Immer Salamiwurst. . ."

Wir freuen uns über jeden Kerl, der einen Moment lang die ganze Entwicklungssituation der Zivilisation zum Gerinnen bringt. Einfältige etwa schwindeln. „Weil die Geste schön ist". Nein – weil er Bewegung in Zusammenhängendes bringt. Herrlich, wer die Kontinuität stört. Höhnungen gegen Gewöhnungen. Krater gegen Demokrater.

Unwürdig ist es des politischen Literaten, des Störers, des Geistigen, des Grundgestaltweisenden, unwürdig ist es seiner, zu glauben, für uns müsse er unter sein Können herab. Der marxistische (Evolutions-) Nachweis, daß die Zivilisation des neunzehnten Jahrhunderts einmal allen verfügbar sein muß – ist eine Überschätzung dieser Zivilisation.

Wir wollen, daß der Dichter hineinstößt in die kommerziellen Gleise, diese Eckchen voll Augenzwinkern, diese Preßfehden voll geschwindelter Aufregung, dieses Geheimnischen, wo alles längst klar ist, dieses Verschleppen von Krisen. In die Sordinen dieser Immer-ruhig-Blut-Taktik nebst diätarisch bezahlter Aufregung auf Wochen, Tage und Stunden. In diese Bergwerks-, Eisenbahnen-, Petroleum-Interessenschübe. Hinein soll er in die Pathetophon-Vorstellung, so man Politik nennt. Und selbst, wenn Hemmungen sich vorschieben: wenn er seinem eigenen Leben nicht recht glauben will, sein Wüten nicht sieht, seine Katastrophen nicht erkennt; nicht mehr weiß, daß er um sich geschlagen hat, daß ihn der Wirbel seiner Aktionen auf Spiralen mitriß (und nicht auf sanften Ebenen). Selbst wenn ihm Naturwissenschaften imponieren, wenn er Sonntags in die Entwicklungskirche geht; wenn er an die Marxisme glaubt, gehäufte Zivilisationen gäben gehäuften Geist. Selbst wenn er sich einer fixen Idee von himmlichen Hinaufstufungen der Umwelt mehr verpflichtet fühlte, als den Zeichen seines eigenen Lebens: so tut er Unermeßliches, dieweil er in die Politik greift.

Man hat russische Revolutionäre angegriffen, die in fernen Dörfern sagten: Heraus, der Zar hat befohlen, daß ihr Revolution macht! – Man hat denen vorgeworfen, sie stützten das absolutistische Prinzip. Falsch, falsch, Rederei! Sie haben gut getan. (Wertvoll ist doch in diesem Spass: Durch Stützen Stürzen!) Es kommt darauf an, Erschütterungen zu erzeugen.

Wenn der Dichter, der Erschütterer, zur Politik kommt, – bei diesem Umwandeln der Selbstgenüsse und Selbstzerfleischungen in Ekel des Handelns, beim tiefen seligen Auskosten der Schweinerei: Volksmann zu sein; beim unermeßlichen Glücksgefühl, wehrlos, im Wind eine Stimme für andere zu sein (wenn man bis dahin seine eigene war); – bei dieser unschätzbaren Selbstaufgabe, die nur für den konzentriertesten Mann da ist, und also von neuem: bei dieser Umwandlung der Kräfte wird Unmeßbares an sittlicher Energie frei. Dies strahlt in den Raum, fährt mit Brisanzeffekt unter die Stühle von Literaten, Geniessern, Politikern. Soundsoviel Stuben sind plötzlich, in denen man merkt, daß es in der Welt klafft. Man nennt das die moralische Wirkung.

Darf ich reden, wie sie einmal zu spüren war, als in einer verängstigten Volksversammlung – weil nur zwei dünne Bogenlampen mit vielen Schatten grünlich flammten – der Politerat zu uns sprach. Wie er plötzlich uns kannte, als es um die Sache ging, wie er die ängstlichen Bedürfnisse einer Masse nach Pathos, Würde, Abwehr durchschaute. Mit unerwartet tiefer Stimme, sinnlicher Vergeistung, tiefe schwingende Metallzungen hinter blauen Samtvorhängen: pfefferte er eine Bombe voll Assoziationen unter uns. So konnt er auf einmal zitieren, sagen wir, einen Philipp II.; wir erinnern uns unter erschrecklichem Lächeln an Klassenzimmer, Wut, Ekel. Und wir greifen Wut und Ekel in unser Gefühl auf, um sie gegen jene Institution zu kehren, die von der Versammlung bekämpft wurde. Nun mußte er nur noch Deutung bestimmen. Nennen, wie von einem Transparent herab, die „moralische Wirkung". Und sie stand wahrhaft da.

Aber nur der erzielt das, der von dem geistigen, freien Schweben freiwillig sich herabschleudern läßt auf die Platt-Form des Volksmanns. Der Geistige, der zum Volksmann wird, gibt von dem Geist ab. Er fühlt, er „schraubt sich herab." Aber in Wahrheit setzt er das Verlorene um. Der Dichter wirkt tausendmal stärker als der Politiker, der im Moment vielleicht fetter effektuiert. Der Dichter ist der einzige, der hat, was uns erschüttert, Intensität.

Doch muß man ihn bitten, nicht schon das Herabschrauben allein für erschütternd zu halten. Er soll wissen, daß er ein Erzieher ist, auch ohne die Umstände eines solchen zu machen. Und er wird erinnert, daß es seiner unwürdig ist, etwa einen Justizrat Dr. Spiesser vom Hamsterbund für einen Lebensmenschen zu halten, menschlicher und leeblicher als er selber sei. Wir wissen, auch er überschaut beispielsweise, daß die Leute, welche in Abendtoilette Volksstimmung markieren, dieweil sie mit den Stiefelabsätzen sterbende Aufrührer zu Brei treten, von ein paar (demokratischen) Bankiers gemietet sind. Gemietet sind Empörung zu produzieren. Er weiß, daß diese öffentliche Meinung, diese Matins, Figaros, Petits Journaux, gekauft sind von Bänkern, die ihre allgemeine Existenz bedroht fühlen.

Das alles weiß er. Und – welche Pietät kann ihn verpflichten, das Leben in die Länge zu ziehen? Seinen Geist seine Katastrophen, sein Nicht-mehr-aushalten-können pädagogisch aufzuwenden in milderen Marxismen für das wählerische, doch indifferente Bürgertum?

Diese Horde, die ihn füttert, gewöhnt; verbraucht –: Nieder mit den Demokraten!

Er weiß, Dichter, Polites, Mann der Stadt, weiß, wie dankbar wir ihm für seine Existenz sind. Daß unsere Willen geneigt sind, in seinen Schwingungen zu stoßen. Doch er höre uns. Er glaube uns. Er wisse, daß ihn sein Körper nicht täuscht; daß sein Leben recht hatte, wenn es ihn über Katastrophen, Ermüdungen, Wutausbrüche, und über Ungeduld die tötete, geführt hat. Dies alles braucht er heute nicht mehr umzuschalten. Wir sind da, zu denen er direkt sprechen kann, ohne Umwege über Bequemlichkeiten und Wissenschaften. Er spreche auch zu denen, die nicht warten können – wie er nie warten konnte. Zu denen, die an ihm die Unbedingtheit lieben, die in ihm Zerstörerisches fanden, Intensität. Zu seinen Brüdern, den Ungeduldigen. Den Sittlichen. Er verhalte nicht seine heiße Haut hinter den Verteidigungstheorien der Zivilisation (Evolutionsmythen mit nunmehr kirchlichem Klimbim). Er spreche von den Katastrophen, die er zu sehen uns gelehrt hat. Er glaube uns, daß wir nicht Umschweife über Versprechungen hören müssen, um überhaupt hören zu können. Wir sind so ungeduldig wie er. Drum sprech er von sich, wir werden angerührt.

Der Fall liegt so: Verknoten von Wissen um Menschen mit Pflichten für Menschen. (Ein Augenblick der Verlegenheit.) Aber schon von der Möglichkeit dieser Kreuzung steigt sittliche Kraft aus dem Dichter. Doch welch eine Wirkung müßt es haben, wenn unter dem Druck der poltitischen Pflicht auch das Gewußte ganz gesagt wird!

Für einen politischen Fall der politischen Versprechungen, der Vertröstung auf Kommendes; der Herabstufung von lebendigem Dasein in Entwicklungskonfessionelles – für diesen Fall setzt ich die Formel Dostojewskis hin. (Eines Aufrührers, der sein Ich auf Jahrhunderte ins Volk gesprengt hat.)

Die Legende. Nichtisoliertsein. Gemeinsames suchen. Umhergreifen. Dabei hinfassen, wo die Luft bebt, hinein ins Geäder der Kraftstrahlen. Zusammenballen zur Form der Idee, aus der sie springen: Gestalten.

Und sei dies auch Erfundenes, Unmeßbares. So ist es doch das Brennen, in dem gewißlich wir leben. (Brennen, Feuer, Wunden, Abenteuer. Intensität statt bibbernder Zukunft. Denn Altwerden ist Schwindel oder Gemeinheit!)

Aber wie aus Illusionen Realismen springen, so steht drüben, auf der anderen Seite, unglaubhaft schwebend aus der Legende die Wahrheit als himmlisches Jerusalem.

„Die Legende ist der erste Schritt zur Wahrheit."

Doch täuschungslos gesprochen: sie macht nie den zweiten Schritt.

Der politische Dichter glaube an sein Leben, an seinen Körper, an seine Bewegung. Der Dichter greift in die Politik, dieses heißt: er reißt auf, er legt bloß. Er glaube an seine Intensität, an seine Sprengungskraft. Es geht ja weder um unsere Zivilisation, noch um ihre Entwicklung. Der politische Dichter soll nicht seine Situation in Erkenntnissen aufbrauchen, sondern er soll Hemmungen wegschieben. In Deutschland, wo meine Brüder sich verfluchten, als diese Zeilen noch nicht geschrieben waren (und wo man mit manchem, den man liebt, verkracht, da sie geschrieben wurden), in diesem Lande der Verdammnis und der Geißelung geht es jetzt nicht darum, von unserer Legende zu irgend einer Wahrheit zu kommen. Es gilt nur, daß wir schreiten. Es gilt jetzt die Bewegung. Die Intensität, und den Willen zur Katastrophe.

[*Die Aktion* 2(1912), Sp. 645–652; 709–715]

Brief an einen Aufrührer
(1913)

Meines Sinnes wär es, am Ende viele tausend Blätter aus weißem Papier alle Monat unter die Leute zu bringen, auf deren jedem nichts anderes zu stehen brauchte als die gewiß schönsten Worte unserer Sprache: *Freier Geist*. Heut erscheint mir diese tautologische Fassung als die machtvollste an Wirkung.

Weil sie ein Entschluß ist. Weil sie Zusammenhauen von historischen Hemmungen ist. Weil sie Umsetzung vieler betrachtender Stunden in einem Endsinn ist. Weil sie weit weg ist von Farbigkeit, von Eingehülltsein; von Melodie. Von Dichtung. Von Mitläufertum; von Genüssen; fern von Kunst. Herrlich. Des weiteren eine Kriegserklärung. Bewußt gegen alle Schwindler (die, um sich die kleinen technischen Vorteile ihres Schriftsteller-, Maler-, Musikgewerbes zu erhalten, den eigenen anständigen Menschen zu verstekken suchen). Denn dies alles handelt vom anständigen Menschen.

Heute glaube ich endgültig: es ist nötig, daß unsere Mitlebenden immer wieder in Unruhe gestellt werden. Nicht, indem man sich über sie lustig macht, da ja die Überlegenheit bloß das Leben in die Länge zieht. Sondern durch das Beispiel. Es handelt sich in der Welt, diesem Leben zusammen, um den anständigen Menschen. Dies ist uns allen sicher. Wir wissen von ihm, wir erwarten ja nie ein anderes. (Und allein die Lügenhaftigkeit eines Soziologen wird versuchen, hier Definitionen anzubringen. Man kennt die Methode und ihre Motive). Nur darum geht es, daß man zu jeder Zeit die Grundantriebe unsrer überhaupt möglichen Existenz der Öffentlichkeit bloß zeigt. Meinetwegen in der schmierigsten Illumination eines billigen Transparents. Oder mit Pathos. Oder mit irgend einem Mittel, das den Körper in Erschütterung bringt; ihn ahnen läßt, daß der mittelmäßigste Tod – der nur uns alle eine Sekunde besonnen zittern macht – besser ist als die mirakelvollste Hinaufstufung. Den einen Moment nur regen können! in dem alle Gewohnheiten abfallen als historische Kostüme. In dem alle selbstverständlichen Annehmlichkeiten des Lebens gar nichts nützen, sondern allein die Feuererinnerung unseres Kollektivdaseins. Daß wir da sind, mit vielen – die gewißlich dasselbe merken. Und die auf uns warten.

Alles Wort ist Schwindel, alle schöne Rede ist Beschwindelung. Das Wirkliche für unsere Ohren, das unbetrügerische Sinnvolle liegt einzig in der verschliffensten, verbrauchtesten, faulsten Rede; bei der keiner schon mehr was Besonderes denken kann.

Vielleicht ist heut der allerabgebrauchteste Ausdruck aller Ausdrücke das Wort: freier Geist. Gut. Sagen Sie es, sprechen Sie es aus. Schreiben Sie es: verbreiten Sie es. Und Sie haben die Propaganda durch das Beispiel. Sie holen bei Ihren Mitmenschen einen Mälstrom von unterdrückten Empfindungen herauf. Die Umsetzung aller Hemmungen (die den Einzelnen gewiß götterähnlich individualisierten) in ein deutliches, klar gezeigtes Resultat. *Resultat*. (Und das ihn wieder in die Menge einreiht). Diese ungeheuerliche Transposition des Seelischen in gestalthaftes Dasein sprengt auf unserer Erde alle Riegel zu den Instinkten der Mitlebenden. Menschenhaftes Beispiel – einzig von Wert in unserm Leben – ist da, sowie nur einer mit Bestimmtheit, und der unbedingten Aussichtslosigkeit des Mannes vor dem Schafott, Gedachtes ausspricht. Ausspricht. Dies Letzte in der Welt ejaculiert: Der freie Geist.

Doch sind noch einige Anhänge da, deretwillen ich die bedingungslose Rede vom freien Geist liebe. Ein Protest? Ja, sie ist ein Protest gegen die verschmierten Hirne von Liebhabern der schönen Künste, von Sektierern der Empfindung, von vegetativer Hochnäsigkeit der Sammler, oder nur so kleiner Leute wie unsere neuen alexandrinischen Poeten. Denn nichts auf der Welt ist gemeiner, verschmitzter, tiefer in schweinischer Hilflosigkeit versunken als die Künstler unserer Zeit und ihre Schriftsteller. (Jeder ein Ego, jeder ein Erleber, jeder ein besonderer Beschauer der Dinge. Und jeder Lump ein Erklärer).

Aber „Der freie Geist" – ist das nicht die Rede von 1848? Ja. Die gewohnte Abkürzung der Polemik mit Hinrichtungsabsichten ist, einen Gegner als aufrechten Achtundvierziger auszuläuten. Das bedeutet einen dicken Mann mit grauem Bart und Brille, wie etwa Franzosen den deutschen Professor denken. Und es ist ein Mensch, der sich an der Einbildung Demokratie vollsäuft, um beim Kegelspielen mit dem Trinkglas auf flacher Hand gegen Minister zu poltern.

Aber was geht uns ein Datum an? Nun, dieses zentrierte eine Zeit, in der Tagesschreiber dicke Romane fertigten, Reporter Gedichtbände ausgaben, Pauker Philosophie mimten. Sehr merkwürdiges Datum – ein Schimpfwort für Künstler, eine Verlegenheit heute für die Bürger, eine Lächerlichkeit für die geordneten Systematiker der proletarischen Umwälzung (durch Abwarten). Offenbar ein Protest-Datum.

Oder – da man diesen gebrechlichen Klätschern wohl mal auf die Historie hauen muß – oder führen diese epileptisch datierenden „Gegner" etwa mit List einen kurzbeinigen Politiker aus der Bismarckzeit an?, rechnen sie auf Ahnungslosigkeit des Zuhörers durch geschwinde Überredung, hegen sie die komische Hoffnung, ein Geduldiger werde vielleicht die Bürgerphrase irgendeiner Kaiser-Friedrich-Liberalie besinnungslos mit dem Wissen um lebendige Kraft vertauschen lassen?

Ah, vielleicht rufen Sie sich alle Sekunde nur zurück, wo zu Deutschland in den letzten Jahrhunderten sich Menschliches regte. Menschliches, kein Begriff, sondern der Zustand eines einzigen Moments, der Augenblick, in dem klar wird, daß nichts, nichts, nichts zu verlieren ist. Daß es nicht zu lehren, zu verbessern, zu entwickeln gilt – sondern zu beseitigen. Zu stören. Zu zerstören: Hindernisse zu sprengen; die Klumpen der Materie zur Explosion zu bringen. Auf daß ein Funke, ein Wissen ums Erste, eine *Gewißheit vom Geist* in uns allen plötzlich und gemeinsam hinaufspringe. Ho, was nachher ist, das ist gleich; es gilt nur einmal, einmal an unser wahrhaftes Dasein in uns – und in allen – zu erinnern. Wann gab's das bei Deutschen, wenn nicht um jene Zeit! O, wir wissen alles selbst: daß die Katastrophe klein war, daß sie in eine „Bewegung" auslief, daß sie Staatliches zeugte und auch amerikanische Zeitungsbesitzer fett werden ließ. Aber. Aber sie war doch da; sie spritzte doch hoch, sie machte Unruhe. Und nicht durch Sammeln von Unterstützungsgeldern sondern durch *das Beispiel.* Durch das Lebendige an Körpern; durch indiskutable Handlungen, Gefahren, Wutausbrüche. Nie vorher und nie später hatten die gesammelten Menschen deutscher Sprache und deutschen Benehmens diesen Mut der Aufrichtigkeit. Dieses Ziel der Intensität. Diese Fähigkeit zur Expansion! (Und ich weiß selbst, warum die Geschichte schief auslief).

Es ist die sinistre Narkose der heutigen Gesellschaft, die immer wieder zwingt, historisch zu kommen, wo es sich doch um Angelegenheiten des Anfangs handelt. Ums Erste. Die entsetzliche Verkümmerung der Zeitgenossen steht immer wieder da in der Angst vor sich selbst, in der feigen Sorge entschieden anders Gesprochenes zu vernehmen, in dem Verstecken der eigenen Anständigkeit. (Und heute muß noch immer bestimmt gesagt werden, daß es sich nicht um Systeme der Anständigkeit handelt, sondern um die unzweifelbar in der Welt vorhandene Anständigkeit selbst. Die Angst der Havarierten unserer Zeit findet ja immer gewisse Mode-Symbole – das historische, das soziologische, das psychologische – um mit Hilfe von Definitionen eigene lepröse Gebreste zu vertäuschen).

Schnell noch Dummheiten abtun. Die dämliche Wahrheit ist doch, daß hinter allem Mißtrauen gegen den deutschen Aufruhr eine absurde Vorstellung steckt. Zwänge man, sie deutlich auszusprechen, zeigte sich Blödsinn. Vielleicht „zu jener Zeit gab es keine Kunstwerke. (Und nun ganz toll:) Zum Beispiel Stefan Georges Gedichte nicht." Und wollte man einigen Kretins wirklich erwidern, könnte man doch nur sagen: jeder Lümmel weiß, daß Corneille, Hölderlin, Alfieri, George – mächtige Kunst-Energien – in jeder Epoche (Epoche) selten waren.

Wieder hinauf. Man muß aus solchen Tagen das Wort überliefern „Die schlechteste Madonna ist mir wichtiger als das bestgemalte Stilleben." Und dieser Spruch eines Mannes, der die Lobrede auf Jean Paul ätzte, bleibt ewig;

bleibt für uns, weil er besitzloser, wissend verarmender, für immer unverkäuflicher ist als die berühmten Spargelbünde, an denen die Kunsthändler reich werden. Doch (zu schweigen von Bakunin, zu schweigen von Proudhon, die im Draußenland standen) blühte in jenen Jahren nicht der größte deutsche Mann, Stirner? Der deutlichste Seelenschreiber seit Meister Eckart, der gedrängteste Bauherr des Bewußtseins vom Aufruhr, der Lehrer der Katastrophen, der kalt hitzende Verkünder der Brände. Und seit Denkensmöglichkeit der Erste, der alles Erworbene von uns ablöst, alles Zufällige zermodern läßt, alles Zeitliche in seiner Gesetzlosigkeit entdeckt. Ein Mann, bestrahlend im hellen Lichtkreis das dunkelste Bewußtsein, die Erinnerung an embryonal atomische Zustände, an Dasein in Zellen-Frühe. Aufleuchten läßt der, was uns treibt aus Tagen vor unserer Geburt her. Unser Erstes, unser Menschliches, unser Anständiges. Und unser Gemeinsames: den Geist (ein Wort, dessen panoptikumartiges Alter niemand härter erwiesen hat als Er). Den Geist, der gewißlich frei ist. Frei – unzufällig, unzeitlich, unbesitzlich – ewig und frei; gerad so alt wie es diese Attribute aus Volksversammlungen sind. Daß die Volksversammlung Unrecht hat, ist eine dumme, von individualen Affen aufgestellte Behauptung. Natürlich, natürlich, sie hat auch nicht recht. Das wissen wir selbst. Aber dazu ist sie gar nicht da, um festzustellen, Resultate definitiv zu zeigen. Und aus dem einzigen Moment, wo die Kellner und die Biergläser und die Zigarren gleichgültig werden, und wo man dran ist, Tische umzuschmeißen – aus diesem Moment kommt ein Sinn hervor, den jeder längst kennt, und den ungestört auszudenken jeder sich schämte. Hier kann –

hier kann das bewußt werden, was wir Geist nennen. Unsere Wucht kann (kann) vorstoßen. Unser Dasein kann einmal im Leben ein Ziel haben: Alles Schwingen außer uns brennt blendend durch unsere Einzelheit hindurch! Gut – mögen einige hingehen, und darnach Fresken auf Kalkwände malen, daß nach Jahrhunderten versprengte Völker noch in ihnen sich bejaht finden; es mögen Leute diese Sekunde professionell vernutzen, um göttliche Dramen zu schreiben. Doch sagt dies nichts für die Schreiber und Maler, und alles für den Geist. Denn, hören Sie mich für diesen Ton, den wir alle hassen, und der uns unsere Kindheit vergällt hat, als wir begannen zu denken. Hören Sie mich für den Ton „Frei". Wie soll man das sonst nennen, dies lebendige Gewächse, das – nicht mit dem Defintiven, dem Festgestellten, dem in uns allen Gegebenen; mit den Resultaten nicht verkittet ist; nicht wolkig darum brütet, um Realismen oder Mystizismen zu zeugen. – Sondern diese helle, unzweifelbare, nimbische Kraft, die von den Resultaten erst ausgeht, die sich nicht bildet oder umbildet, nicht äußeres oder inners Ding produziert. – Sondern das Gegebene, letzt Erschienene, Befaßbare ... lenkt. Lenkt: des Gelenkten Organisches erweist, sein Wirkungsfähiges. Seine Latenz zum Zusammenhang. Da wird das Gegebene, das Ding, das Körperhafte mit einem Mal zum Sammler der Kräfte; zum Bild; zur Haltung, unter der man liebt und haßt. Zum Gleichnis, das zu führen *scheint* und mit dem wir in die ewigen Katastrophen der Empörung stürzen (und das uns zur religiösen oder politischen oder sozialen Draperie wird). Wie soll man das sonst nennen, das die trümmerhafte Zufälligkeit der Massendinge in Notwendigkeit zusammenzwingt, nicht durch Quantitatives, Gleich-ebenes, Stufung, Entwicklung; auch nicht durch „Einswerden." – Sondern lenkend, lenkend, gerad aus unseren eigenen Entkörperungen, aus unserem Nicht-Bemessbaren und Unzeitlichen; zuletzt gesprochen, aus unserem Menschlichen. Was ist das, wenn nicht der *Freie Geist*.

Wir sind beladen mit dem Gedächtnis an alle Klumpen des Massenhaften, an Daten des Realen, welche alle der freie Geist als Bilder und Kulissen bewegt, hingeworfen, umgeschoben hat. Alles Ding, das nicht belebt ist, wird ja für uns alt und abgebraucht sein. Darum nur schien uns das Feuer und der Wind, und der Meteor und der Blitz, darum dünkte uns das Schöpferische, der Geist der frei lenkt, alt und verbraucht.

Doch klar zu sein, daß dies da ist, der freie Geist; und mit Willen und Bewußtsein, im schwunghaften Herunterstreifen aller eitrigen Hemmungen, die uns Jahre auf der Haut brannten, laut zu nennen: was wahrhaftig in unserer Welt schafft – ist das noch großer Mut? Es ist nur eine Konfession.

[*Die Aktion,* 3(1913), Sp. 342–347]

Lyrische Erfahrungen
(1913)

Der heutige Maler hat eine andere Perspektive als einer aus den vorigen Generationen. Seine Perspektive ist nicht mehr eine optisch-geometrische, die alles nach einem einzigen „Augenpunkt" im Bild aufbaut, sondern eine nach den innerlich wichtigsten Vorstellungen. Nicht mehr eine Perspektive der Naturwerte, sondern eine der geistigen Werte.

Die Veränderungen im Kunstgefühl der Dichtung sind sehr ähnlich. Stefan George, der in den letzten zwanzig Jahren der mächtigste Gesetzgeber des deutschen Gedichtes war, ist für uns heute schon eine heldenhafte Episode der deutschen Sprache. Da sollte die Beschränkung auf das Nur-Gesehene sein. Und wir empfingen von dieser Handwerksbescheidenheit den neuen, herrlichen, ungeheuren sinnenhaften Lakonismus; eine durch Jahrhunderte nicht geübte Energieaufspeicherung der Rede. Dagegen, technisch: Beschränkung auf das Nur-Messende, die bloße Taktwiederholung des Verses. Und Georges Imitatoren haben ja, auf dieselbe Art wie der Dilettant in der Musik, das Rhytmische ganz verwischt und nur das äußere Taktmaß monoton wie Uhrpendel klappern lassen. (Merkwürdigerweise darf das in Deutschland „Form" genannt werden. Und es käme nur darauf an, daß Leute mit Mut zur Profanation der „Kunst" einmal praktisch zeigten, wie die angebliche Form dieser sogenannten Kultur-Dichtungen ganz automatisch, von Beschäftigungslosen in Fabrik-Kantinen erzeugt werden kann.)

Doch der neue Dichter weiß, daß er „gesehen" hat. Das liegt vor allen Ereignissen. Er denkt. Er hat nicht die Angst vor dem Denken (während die Generation der „Form"-Dichter es vorzog, „naiv" zu sein, ahnungslos, „rein",-mit den fürchterlichen Konsequenzen, die eine ins tägliche Verhalten übersetzte Kombination aus Richard Wagner und Goethe ergibt). Das Denken ist doch die Wirklichkeit des Dichters. Er bedichtet seine Wirklichkeit.

Und diese geistige Dichtung des heutigen Deutschland trat nicht willkürlich auf, hängt an keinem Einzelnen und ist keine „Schule". Die Dichter des Denkens kamen von verschiedenen Ländern auf dieser Himmelskarte des Geistes, mit verschiedenen Fähigkeiten; und ich weiß, einige von ihnen können sich sogar untereinander nicht leiden. Wir alle kennen heute Max Brod, den folgenreichsten Lyriker des Geistes, den impetuosesten: René Schickele; den berührtesten: Franz Werfel; und Ferdinand Hardekopf, den interessantesten Experimentator gehirnter Verse in unserer Sprache.

Zu ihnen tritt jetzt ein junger Mensch von großer, neuer Begabung, Walter Hasenclever. Sein Gedichtbuch heißt „Der Jüngling" und aus ihm liest man, hinweg über einiges Dumpfe und über zu viel ängstliche Reimlust, die große Zukunft eines Dichters, dem sein Denken (oft noch traditionell), zur rhytmischen Tatsachenvorstellung geworden ist.

„Wir spannen Drahtseile aus an metallnen Himmeln.
Wir sind ein Schwarm von Vögeln zusammengeballt.
Wir jagen mit Revolvern auf fliegenden Schimmeln.
Wir pendeln am Stricke vor dem Staatsanwalt.
Wir leben, um uns zu betrügen.
Wir tanzen alle Tänze mit dem Knie.
Wir umarmen brüllend den und die.
Wir fahren in allen Expreßzügen."

(„Wir tanzen alle Tänze mit dem Knie": stärkste Dichtung!)
Vielleicht sieht man an solchen Versen, wo unsere geistige Leidenschaft heute aufs stärkste erregt wird. Das ist im Bewußtwerden vom Zusammenleben der Menschen auf dieser Erde; von der Existenz der anderen. Eine Raum-Angelegenheit. Wir wissen heute von Menschen. – Zwanzig Jahre künstlerischer Inselexistenz haben die Augen geschärft und die Worte gestärkt. Aber der geistigen Dichtung unserer Tage geht es nicht mehr um Empfindungsgrade, sondern um Fakten. Nicht ein „Erlebnis" ist mehr merkenswert, sondern daß im Augenblick dieses Erlebnisses so unendlich viele, getrennte, unterschiedene Erlebnisse sich ereignen, die alle zusammen mit ihren Willenslinien den Organismus dieses Menschendaseins bauen.

Die heutige Dichtung wird wieder eine Dichtung der Werte. Sie wird auch schon, in einem erneuten Sinn, politisch.

[*März,* 7, III(1913, S. 71–72]

Zur Krise des geistigen Lebens
(1916)

Gerade den Lesern dieser Zeitschrift müßte es aufgefallen sein, daß bei den wertvollsten Menschen der Kulturwelt, bei den Führern, den Geistigen, die Psychoanalyse der größten Mißachtung begegnet. Diese Mißachtung ist heute nicht mehr zu verwechseln mit jener Mißkenntnis der vorletzten Generation, welche der Psychoanalyse so ungläubig gegenüberstand wie etwa die der siebziger Jahre des 19. Jahrhunderts der Hypnose, oder bei der wichtige Probleme nur zu Witzen wiehernder Herrengesellschaften dienten. Nein, eben jene ältere Generation ist – mitbewegt durch Massenerfolg, Einnahmen, d. h. unter dem Drucke der veränderten Zeitstimmung – längst zur Psychoanalyse bekehrt. Und kein Psychoanalytiker hat mehr die Gelegenheit, ein rührseliges Märtyrertum der Wissenschaft vorzuschützen. Dagegen die letzte Generation, heute zwischen dem fünfundzwanzigsten und dem fünfunddreißigsten Jahr, und die in ihrer Jugend den Kampf um die Psychoanalyse erlebt hatte, akzeptierte sie ohne weiteres unter ihren Voraussetzungen. So etwa, wie gebildertere Menschen zehn Jahre lang Hofmannsthal lassen, wo sie früher Berthold Auerbach gelesen hätten. Aber bereits die Selbständigen aus dieser Generation, diejenigen, welche schon das Feld für die nächste bereiten, diese stehen außerhalb und fern der Psychoanalyse. Um es gleich zu sagen: sie sind ihr an Fundamental-Methodik weit überlegen und an Sachinhalt weit voraus.

Sehen wir doch einmal zu, wer unter den Vertretern der älteren Generation neben den Modeärzten heute die Psychoanalyse betreibt. Die erstaunliche Antwort ist: fast nur Kurpfuscher der sogen. gebildeten Kreise: verunglückte Schriftsteller, schöpfungslose Dichter, Morphinisten, um die Ecke gegangene Mediziner – lauter Menschen, die keiner von uns ohne starke Bedenken an seinem Schreibtisch etwa allein lassen möchte. Alle diese psycho-analytischen Quacksalber wälzen wie im Fieber unablässig den Jargon der Schule mit vollen Backen im Munde. Aber faßt man sie ins Auge, so findet man stets, daß der Bruch in ihrem Berufsleben kein zufälliger ist, sondern daß ihre neue Wissenschaft nur ein Vorwand zur Loslösung von älteren Verpflichtungen ist; und daß sie selbst merkwürdig feige, unsichere und verantwortungslose Typen sind, die sich ans Deuten heranmachen, weil sie nie ans Handeln gehen werden, und die stets mehrere Wege offen halten, weil sie sich selbst nicht entscheiden wollen. Doch die Psychoanalyse ist bei den Geistigen heute (und schon vor dem Kriege war sie es ebenso) nicht verrufen wegen des moralischen Charakters ihrer Vertreter. Sondern umgekehrt. Der

Charakter ihrer Verfechter rührt von der geistigen Konsistenz der Psychoanalyse her.

Uns Heutige forderte im höchsten Grade das Mißverständnis der letzten Generation heraus, welche die Deskription eines lediglich technischen Komplexes zur Weltanschauung erheben wollte. Aber auch der Sachinhalt dieses technischen Komplexes erschien uns in bedeutendem Maße veraltert. Die Psychoanalyse ruht ja auf einem biologischen Determinismus. Inhaltlich ist sie ein System der Seelen-Mechanik; methodologisch ein System, um durch Enthüllung, Seiendes festzustellen. Nun kam der große Popularsieg der Psychoanalyse in eine Zeit, in der wir Nichtmediziner denkerisch den mechanistischen Determinismus und lebensmethodisch die berühmte Verklärung des bloßen Daseins, als Seligkeit an sich, schon längst los waren. Wir waren darum der Ansicht, daß die Psychoanalyse ein ausgezeichnetes klinisches Mittel sei, aber auch nur das; die Erleichterung der Anamnese. Doch die Psychoanalytiker wollten mehr. Man erlaube mir einige Stellen aus einer Polemik herzusetzen, die ich vor drei Jahren mit einem außerordenlich intelligenten und gebildeten Psychoanalytiker in der Berliner Zeitschrift „Die Aktion" führen mußte. (Die abgekürzte und bildliche Schreibweise wird aus dem Zwang zur Polemik erklärlich.)

„Herr Cox, der geübte Kanalschwimmer, erlebte an Bord eines Ozeandampfers einen Schiffszusammenstoß. Bevor er ins Meer sprang, zog er seine, in Paris gefertigten Lackschuhe aus; er wußte aus Erfahrung, daß unter solchen Umständen auch die reizendsten Schuhe für dieses Weiterleben hinderlich sind. Nach der Rettung – großer Protest der Pariser Schuster: ihre Fußbekleidungsindustrie überbetreffe nicht nur an Güte, sondern auch an Modernität alles je Dagewesene.

Die Psychoanalyse ist bloß eine *Technik*. Mein Gegner will nichts davon wissen, daß es für diese Industrie nur auf ihr Erzeugnis, den plumpen nackten Heilerfolg ankommt. Sie ist, meint er, etwas für sich Bestehendes. Ein Selbstzweck. Aber nein ... ein Selbstzweck? Sie sei alles. Unsere ganze Zukunft ...

In jedem technischen Betrieb gibt es Geschickte und Ungeschickte. Arbeiter und Vormeister. Dr. X., der wirklich klug ist, hat die manuelle Arbeit längst nicht mehr nötig. Er ist etwas ganz feines: er ist Zwischenhändler.

Doch darum die *Technik* (von der man „innerlich" lebt) für den Grundantrieb unseres Daseins auszugeben, das ist doch – Zeitungsannonce! Oder Selbstbeschwindelung. Ganz abgesehen von der Ahnungslosigkeit, daß Kämpfer unter uns das abgeklapperte L'art pour l'art längst als Verschleierung der Talentlosigkeit nachgewiesen haben. Wirklich, warum sind die Psychoanalytiker so ahnungslos? Sogar der große Freud mußte sich fragen lassen, warum er als Kunstbeleg in der „Traumdeutung" den ganz minderwertigen Feuilletonromanproduzenten Wilhelm Jensen zitierte.

Oder: Da alle Aufrichtigen einig sind, daß Flaubert neue Menschen *gezeugt* hat, mit Tinte und Feder bis dahin noch nicht gesehene Gestalten in die Welt pflanzte – schreibt ein Psychoanalytiker ein witziges, gut gearbeitetes Buch, das man liest wie etwa ein unterhaltendes Revolverblatt und „weist nach", daß des Flaubert „Heiliger Antonius" nichts als ein Kommentar zu Flauberts verdrängtem Geschlechtsleben sei. Dies kann man natürlich mit der „Bovary" auch machen, mit Balzac, mit Poe, zum Schluß sogar, wenn bis auf Homer die ganze abendländische Literatur, und bis auf das Gilgenmesch-Epos auch die altorientalische psychoanalysiert ist, kann man es mit Meyers Konversationslexikon machen.

Dabei ist klar: In allem von Menschen Gezeugten und in allem vom menschlichen Geist Erfundenen wird die „Wissenschaft" sich erst recht selbst wiederfinden. Mehrere Männergenerationen später kommt ja die „Wissenschaft" den Mitteilungen des Geistes (beispielsweise der Kunst) nach. Die Psychoanalyse, die dreißig Jahre nach Dostojewskis Tode, dem Höhepunkt der analytischen Psychendichtung, auftritt, verübt damit nur ein harmloses Lämmerhüpfen. Viel tollere Dinge könnte ein Wissender zu diesem Satze in der theoretischen Physik ersehen: also dem von subjektivem Einfluß angeblich unabhängigsten Gebiete des exakten Denkens.

Die Apothekertechnik: sage mir von wem du träumst, und ich sage dir, mit wem du nicht geschlafen hast. Ein vorzügliches Rezept. Ein . . . Rezept. –

Während in Wahrheit einige von uns heut wieder – nicht gesetzgeberisch, aber – *Gesetzgebende* sind, d. h. fähig, die menschlichen Ahnungen vom Inhalt und Glück einer kommenden Zeit des Geistes in unverlierbaren Vorstellungen zu fixieren. Als Ziel vor uns her zu stellen.

Dem Psychoanalytiker kommt es im wichtigsten (seinem tiefsten) Fall auf die Natur an. Uns, die wir die Menschen an den Geist erinnern, handelt es sich um den Menschen. Um diese einzige gläubige Inselexistenz, die . . . will.

Inselexistenz des Menschenwesens umflossen von der Natur.

Dr. X. teilt mit, die Psychoanalytiker erstrebten, die Menschen aus ihrer Einsamkeit zu retten.

Dagegen ist zu sagen: Die „Wissenschaft", die Psychologie, die Analyse individualisiert gerade. Die Psychoanalyse verprivatisiert ja. Der harmloseste Klient des Psychoanalytikers ist im Handumdrehen ein Seelen-Partikulier.

Die Entgrenzung der Menschen ist nur möglich durch Bewußtmachen ihrer Existenz als geistige Wesen (und nicht als biologische Substrate!)

Wenn ein Mensch mir etwas zu sagen wünscht, so weiß ich im schlechtesten Fall schon alles voraus. Es kommt aber darauf an, daß wir etwas *gemeinsam tun*. Nicht auf Umquatschung des Nichtgetanen.

Der Psychoanalytiker meint: Wozu habe ich mein Seelenleben, wenn ich es nicht an den Mann bringen kann?

Der Analytiker kümmere sich ums „Seelenleben". Und rede uns nicht in unsere *sacrae conversationes* hinein. Wir überlassen das Seelenleben den Patienten der Psychoanalyse. Wir kümmern uns nur um die schrecklichen, kaum berührbaren Elementardinge: daß Menschen nebeneinander Raum einnehmen und ihren Raum verlassen, ändern, verwandeln *müssen.* Daß sie leben oder sterben *wollen. Und daß sie das je vergessen konnten!*

Techniker bleib bei deiner Klinik. Hat denn Cox, Meisterschwimmer, Zeit, mit den Pariser Schustern zu diskutieren?" –

Man sieht aus diesen polemischen Stichproben, wie kritisch die Lage war. Die wissenschaftliche Welt hatte in der Psychoanalyse einen erbitterten Versuch gemacht, die geistige Einheit der Kulturwelt wiederherzustellen. Doch Schärferblickenden war die unerträgliche Diskrepanz nur noch deutlicher geworden.

Aber der Nichtmediziner, der aus der Welt des Geistigen herkam, sah drüben eine neue Gruppe von Menschen, die, auf der vollkommen dichten Basis naturwissenschaftlicher Vorbildung, mit der Welt des Geistigen in einer sehr wichtigen Leitlinie – gerade der wichtigsten, ja der einzig wichtigen – zusammengingen: im zielsetzenden Ethos.

Der Krieg hat scheinbar die neuen geistigen Werte der Kulturwelt erstickt. Aber das ist nur scheinbar. In Wahrheit lebten sie in vielen Variationen die schwerste Zeit durch, und man kann sagen, daß sie diese Prüfung bestanden; eine Krise, die überwunden werden mußte, und an der sie, nach tausendfachen Toden, erst ihr Existenzrecht zeigen werden. Diese neuen geistigen Werte sind wahrnehmbar im *Denken* und in der *Darstellung* unseres neuen Weltbildes. Die *Darstellung* unseres neuen, geistigen Weltbildes – im Gegensatz zu dem roh materiell-mechanischen der ältern Generationen – wird gewöhnlich mit einem populären Ausdruck (der indessen *nur* ihre *sichtbaren Stilmittel* bezeichnet) *Expressionismus* genannt. Der Expressionismus in der Literatur und in der bildenden Kunst ist jene Bewegung neuschöpferischer Menschen, die sich der deterministischen Abhängigkeit von der realen Umwelt, vom Milieu, von der Atmosphäre – kurz von dem was man gemeinhin „Natur" nennt – durch einen ungestümen Befreiungsakt entledigt hat. Die schöpferischen Begabungen des Expressionismus finden nicht mehr ihre Vorstellungen in der sie umgebenden Natur, um sie dann etwa möglichst illusionistisch zur Beschreibung zu bringen. Im Gegenteil. Sie stellen gerade jene Vorstellungen, die dem rein geistigen Leben des Menschen am vollkommensten entsprechen, als absolute, gewissermaßen das Leben regierende Gebilde fest; und diese Gebilde – die oft nichts mit den vertrauten Formen der sichtbaren Natur zu tun haben – projizieren sie aus sich heraus, mit allen Mitteln der Darstellungskunst, als wär's ein Stück Natur. Bei einer Schöpfung des Expressionismus tritt der Mensch sich gleichsam selbst entgegen, nur in reinster, abgezogenster Gestalt. Der Mensch, der so lange die Natur durchschaut hat, bis er sich ihr hingab und in Denken und Fühlen völlig von ihr abhängig wurde, hat auf einmal sich selbst entdeckt. Der Impressionismus, beispielsweise, und sein ganzes Jahrhundert, nahm den Menschen als ein Stück Natur. Im vollkommensten Porträt eines guten impressionistischen Malers hat der Mensch keinen anderen Wert als ein Blumenstilleben, oder das berühmte Spargelbündel Manets. Der Triumpf des Impressionismus war das naiv selige Unbewußtsein. Aber das Wesen des Expressionismus weiß, daß die Natur eine Projektion des Menschen ist; er weiß, daß es keine „Stimmungen" gibt, sondern nur aus uns heraus geschleuderte Vorgänge von Liebe und Haß, Smpathie und Antipathie. Und daß wir diese Vorgänge, deren Erschaffer wir selbst sind, erst aus eigener Kraft in die vertrauten Formen von Organismen, Situationen und Erlebnissen bringen. (Man vergleiche dazu die interessanten Aufschlüsse Alfred Adlers über *Schlafstellungen* in der Arbeit „Schlafstörungen" aus Heft 3 dieser Zeitschrift.)

Aber dies ist nur das äußere Szenarium der neuen Zeit, so wie es durch die Mittel des Sichtbaren eingefangen und ausgedrückt werden kann. Seine Grundlagen treten im entschiedenen neuen Denken unserer Zeit zu Tage. Hier nimmt man eine Erscheinung wahr, die seit Jahrhunderten aus dem Geistesleben der Völker verschwunden zu sein schien: die entschiedene Konzentration auf das Ethische. Um sich völlig auf das Ethische besinnen zu können, braucht die Welt freilich einen neuen und starken Glauben an leitende Ideen. Sagen wir es nur deutlich: sie braucht einen neuen Glauben, vielleicht eine neue Gläubigkeit. Und die ungeheure Geistesschlacht, die geschlagen wurde, kann durch nichts deutlicher werden, als durch die Feststellung eines merkwürdigen Zusammentreffens: Ungefähr zur selben Zeit, wo Fritz Mauthner seine drei Bände „Kritik der Sprache" der Öffentlichkeit übergab, also das durch Jahrhunderte stärkste Werk des vollkommensten Agnostizismus (ein Agnostizismus, der sogar die Sinne des Menschen als wilde Zufallsergebnisse resultierte) – zu dieser Zeit veröffentlichte auch Bergson seine ersten Werke, in denen er die unteilbare, unzufällige Totalität der Welt lehrte, und das System ihres Repräsentanten, des schöpferischen Menschen aufstellte.

Eine weitere denkerische Hilfe, die auf ganz anderen Wegen als Bergson geht, hat uns Vaihinger gegeben. Aus der kantischen „Kritik der praktischen Vernunft" – die bekanntlich im Rufe der ethischen Labilität steht – zog er ein Aperçu, das unter den Händen Vaihingers und seiner Schüler der Ethik eine wichtige Entscheidung bringen sollte: das Prinzip des „Als-ob". Die erkenntnis-theoretisch zerrissene und durchwühlte Welt lernte den Begriff der ethischen Fiktion kennen. Und die neuen Führer des geistigen Lebens gehen noch einen Schritt weiter als die Schule: sie stellen eben die Fiktion als die größte Hochrealität auf. Selbst wenn es durch irgendeinen empirischen Akt möglich wäre, die reale Natur-Existenz der großen leitenden

Generalideen der Menschheit zu bestreiten, so sei es doch zu jedem *wesentlichen* Handeln nötig, die Fiktion einer solchen Realexistenz aufzustellen; je vollkommener, durchgebildeter und durchgelebter die Idee als Realität hingestellt werde, um so allgemeingültiger, beispielhafter und menschlich größer werde das Handeln ausfallen. Das ist eine Konzeption, von der ein etwas roher und stark technisch und sinnenfällig aufgefaßter Abklatsch, der Pragmatismus, das ganz Amerika erobert hat. Der amerikanische Durchschnittspragmatist scheut sich heute gar nicht, das massive Wort zu sprechen: thoughts are things. Das heißt, von einer etwas höheren Warte aus gedacht: wir können unsere Ideen im Leben außer uns wirkend machen, als seien sie reale Organismen. Jedoch die geistig überlegenste und philosophisch bedeutendste Formulierung des neuen Weltbegriffs hat unstreitig der große Neapolitaner *Benedetto Croce* gegeben. Der Hauptsatz Croces in seiner „Theorie und Geschichte der Historiographie" ist: „Vergessen wir nicht, daß die Tatsachen von uns geschaffen sind".

Während nun zur Zeit des künstlerischen und geistigen Impressionismus der Mensch sich als ein unrettbar hilfloses Wesen erschien, das in unendlicher Winzigkeit von den ungeheuren und düsteren Mauern der Natur erdrückt wurde, erkennt sich der Mensch heute als Schöpfer. Er weiß sich als die Mitte der Welt, um die, stets wieder von neuem, er selbst den Umkreis der Welt schafft. Diese Peripherie der Welt, die er sich selbst schafft, hat er auch selbst zu verantworten. Und während in den Zeiten des philosophischen Determinismus die These von der natürlichen Unverantwortlichkeit des Menschen für seine Handlung fast selbstverständlich war, so ist die machtvoll auffallende ethische Orientierungslinie des neuen Denkens die Idee von der ungeheuren Verantwortung des Menschen; einer Verantwortung, die bereits bei ihm selbst, sich selbst gegenüber beginnt.

Wie diese geistige Haltung der neuen Zeit auch durch den Krieg nicht entwertet, sondern nur kasuistisch variiert werden konnte, sieht man etwa in dem (von Kurt Hiller bei G. Müller, München herausgegebenen) Sammelwerk „Das Ziel", dessen bedeutendere Mitarbeiter, alle von verschiedenen Ausgangspunkten her, die neue, schöpferische Lebendigkeit, das Außer-Uns-Setzen des Ethischen, künden und suchen, gerade auf Grund dieser erkannten Projektivität des menschlichen Geistes einen neuen menschlich wertvollen Begriff des Nebeneinanderexistierens der Menschen: des Politischen zu postulieren. (Einige grobe Opportunismen, welche, unter dem Druck der Verhältnisse, auch dieses Buch verunzieren, kommen aus der psychischen Fahrlässigkeit von Mitläufern; die fehlen ja keiner neuen Bewegung. Ebenso eine technische Entgleisung in Freudschen Determinismus, die aber bedeutende ethische Ziele jener Arbeit seltsamerweise nicht tangiert.) Jenes Buch, das erst im zweiten Jahr des Krieges erschien, ist der aktuelle Ausdruck einer Philosophie und Politik des Expressionismus. (Nur glaube man nicht, daß es sich hier etwa um eine Kunstphilosophie oder um eine Politik des Praeraffaelitismus handele. Im Gegenteil: die Hauptgedanken des „Ziel" – Buches lehnen sogar die durch ältere Generationen beliebte Bevorzugung der Kunst vor anderen geistigen Akten scharf ab: sie nehmen der Kunst ihre angemaßte Sonderstellung außerhalb des Ethischen und ordnen sie zunächst wieder in das große Gebiet der Humanitas ein. Dann aber gehen sie noch einen Schritt weiter, und bestreiten überhaupt den Wert für sich abgelöster Gestaltung, die, als bereits nur noch Ruhendes, schon eine Hemmung sei, jedenfalls aber weit entfernt von den unablässig treibenden und neuschöpferischen Endmöglichkeiten der Projektivität des menschlichen Geistes.)

Wie man sieht, klaffte zwischen dem wertenden, geistigen Leben der Zeit einerseits und den praktisch auf lebende Individuen angewandten Prinzipien der Seelenwissenschaft andererseits ein tiefer Spalt. Dieser Abgrund war nicht zu überbrücken. Wenigstens für unsere, der Nichtmediziner, Augen konnte da durch Opportunismus und bloße geistige Vermittlungstaktik gar nichts geschehen. Wenn wir überhaupt einer Wissenschaft anderes als bloße Quantitäten zubilligen sollten, wenn sie mehr als lediglich feststellend sein: wenn sie wertsetzend sein sollte, dann mußte sie sich mit uns in unseren Ideenkreis teilen können.

Aber, wenn wir recht sehen, so stehen mit uns in unserer neuen Welt des Geistigen: Alfred Adler und einige seiner Schüler. Wir andern, wir Nichtmediziner, die wir auch nicht von der Psychoanalyse herkommen, sondern von Kämpfen, die sich auf dem Gebiete der Kunst, des Schauens, des reinen Denkens, der Darstellung abgespielt haben – wir waren freudig überrascht, uns in gewissen Feststellungen mit Adlers Kreis zu treffen. Und uns zu treffen, nicht nur in Feststellungen, sondern vor allem, was ja jeder jungen Bewegung wichtig ist, auch in Forderungen. Schon der Titel des Sammelwerks, das Adlers Kreis herausgab, ist uns verwandt; „Heilen und Bilden", wobei uns die Weiterführung des Heilens in ein Bilden so nahe steht; also die Forderung, daß, wenn die notdürftigsten funktionellen Fahrlässigkeiten beseitigt sind, erst die eigentliche Arbeit beginne: das Individuum aktuell von Fall zu Fall praktisch zur Besinnung auf seine Existenz als eines geistigen Wesens zu bringen, und ihn zu lehren, nach dieser Bestimmung im Leben zu handeln. V. Strasser-Eppelbaum stellt in ihrer Arbeit „Das autistische Denken in der Dementia praecox" (Zeitschrift der gesamten Neurologie und Psychiatrie) Adlers Lehre kurz und klar folgendermaßen dar: „Für Adler kann ein Individuum nicht erkranken z. B. einer primären Assoziationsstörung wegen, sondern das Individuum ist zunächst Mensch in der Welt, und aus diesem seinem Verhältnis zur Welt ergibt sich erst die Krankheit."

Aber diese Worte – was ihre denkerische Einstellung anlangt – könnten ebenso von einem von uns, der von der neuen Kunst oder der Kulturwissenschaft herkommt, gesagt worden sein.

Was uns von der Psychoanalyse trennte, war deren Unfähigkeit, über bloße Feststellungen hinauszugehen, und vor allem ihre naturwissenschaftlich gegründete Unfähigkeit, anderes als pathologische Vorgänge zu erkennen. Das hatte zur Folge, daß für den Kliniker dieses Schlages ganze Kulturkreise entwertet waren, ohne daß eben diese Kulturkreise in Wirklichkeit durch jene Entwertung im mindesten tangiert wurden. So besteht der kindliche Stolz eines Psychoanalytikers darin, daß er etwa nachweist, wie ein großer Schöpfer „der Wirklichkeit aus dem Wege ging". Aber, das ist ja eine bereits tautologische Voraussetzung, wenn man eben neue Wirklichkeiten schafft! Man vergesse nicht, daß die Tatsache unserer Fiktionen keineswegs etwas Entwertendes aussagt; im Gegenteil, unsere Fiktivität ist vielmehr ein Zeichen für die Schöpferkraft des Menschen.

Den äußerst dankenswerten radikalen Bruch mit dieser psychologischen Bequemlichkeit scheint mir Charlot Strasser mit einer ausgezeichneten Formulierung des Aktivitäts-Tatbestandes am Menschen vollzogen zu haben. Er setzt den menschlichen Geist wieder als dominierend in sein Recht ein, und findet, die menschliche Imagination habe zwei Äste, den einen: die schöpferische Seite, und den andern: die Funktionsstörung. (U. a. zu finden in der Arbeit des vorliegenden Heftes „Über Unfall- und Militärneurosen".) Diese Formulierung ist äußerst fruchtbar. Zunächst für die denkerische Umgrenzung, dann aber für die praktische Forderung, für das in Aktualität überführte Ethos. Wir im „Ziel" haben beispielsweise eine große Anzahl von oft entscheidenden Kulturerscheinungen als Funktionsstörungen nachgewiesen (ohne von dieser schönen Definition eine Ahnung zu haben) und die Forderung der aktualisierenden Heilung und Gesamtumbildung ins positiv Schöpferische aufgestellt.

Ich halte den alten Begriff der Psychoanalyse, um Adlers und seiner besten Schüler Tätigkeit zu bezeichnen, für falsch, für irreführend, ja sogar für entwertend. Meines Erachtens würde das Gesamtbild dieser Tätigkeit in seinem Tatbestande und in seinen Postulaten viel besser bezeichnet durch einen Terminus wie etwa *Psychagogik*.

Eine *Psychagogik* ist es auch, die wir andern auf den Gebieten des rein Geistigen anstreben. Was hier die Probleme der Funktionsstörung und Organminderwertigkeit sind, das ist dort mit den Fragen der Individualisierung oder Sozialisierung der Menschen berührt, mit den Problemen der Gemeinschaft, und mit den ungeheuren Themen der praktischen Erweiterung des Verantworungsgefühls in der Einheit von Denken und Politik, die die besten heute als notwendige Totalität des Völkerlebens der kommenden Zeit postulieren. (Und die Kunst weder Privatsache noch geistiges Sonderproblem, sondern: ein Stenogramm aus diesem Parlament der Welt-Totalität! Ein Stenogramm erstarrt unter höchster, fast religiöser Verantwortlichkeit gegenüber seinem Weltball-Parlamente.)

So scheint mir, daß trotz des Krieges sich eine neue Zeit nicht töten ließ. Mein Optimismus ist so sicher, weil nur in starken und „erstmaligen" Zeiten der Geschichte es der Fall war, daß Geistesleben und Wissenschaft unter denselben ideellen Dominaten standen. Die Psychagogik scheint, von der Seite der Wissenschaft her, endlich den Schritt gemacht zu haben, die alte Kulturgemeinschaft des Geistes, nach langer Pause, wieder herzustellen.
[*Zeitschrift für Individualpsychologie*, 1(1916), S. 231–240]

Aus: Das Himmlische Licht
(1916)

Dieser Nachmittag

An diesem Nachmittag standen alle Kellerfenster offen, das faule Stroh wurde hinter den Polizeitritten auf die Straße geschmissen und zersank.

Die Fabriken stießen spinnwebene Fenster auf, Sauseluft um eiligen Ölgestank.
Unter den dumpfen Brückenbögen räkelten sich Geschwüre und blaßnacktes Fleisch, Fetzen, Lauslöcher, Wunden mit Maden.
Hinter den Bänken in grell dürren Parks, aus bestaubten Büschen krochen Beine hervor auf die feinen Promenaden.

In Paris, rauschend in Hell, in dem Hammerschlag New York, in Frisco voll Straßenbahndampf, dem harten, schattenlosen Madrid, London, dem gasflammengelben,

Im Leierkastengeklirr Berlins unter Springbrunnen
sonnenstaub geklopfter Teppiche, im Neuen Hell
Berlin, vorbei an den fetten Riesenbrotreihen der
Straßen

Brachen bleiche Köpfe empor, Aufbruch unterirdischer Riesenpusteln,

Faserhaare dünn über gequetschten Wurmmäulern; brauenlos runde Augen wie von ertränktem Aas messen die Straßen ab, Fliegen steigen klebrig auf vom Geruch,

Die Erde erhebt das Haupt der Bleichen,

O unsichrer Marsch der Halbtoten, Nächtigen, ewig Versteckten.
Blaßweiße Wurzelmienen, o Letzte, Unterste, Sarglose, ewig Halbeingegraben in kalten saugenden Dreck, tastender Zug in spähender Unsicherheit, die Nacht ist nicht da, sie dürfen sehen.
Sie sehen.

Sie sehen.

Der Himmel lief ihnen wie ein dünner Faden blau über die Erde hin. Aber in der Straße sahen sie den langen aufschießend flammenden Finger des Lichts.

O gab es noch Häuser, schwere Straßen, Schutzleute mit harten Stiefeln? Das himmliche Licht bergan schmolz mild zur rötlichen Kugel halb hinter Dächern auf.

Es war eine Orange, wie in dem vornehmen, betteln verboten, Eßwarenverkauf,
Es war ein wildes Zehnmarkstück wie hinter dem Fenster der Wechselbank,
Ein rotes rundes Glas Bier aus einem Aschingerschank,

Ein Schinken, ein Mund, Weiberbrust, ein Hut mit 'nem Band, ein Loch das rot klafft,

Ein weiches buntes Kissen. Ein Vogel im Käfig. Eine Tabakpfeife pafft.
Eine Tür offen zu 'nem menschenleeren Kleiderladen,
Ein rotes Boot am lauen Fluß zum Baden.

An diesem Nachmittag sah der arme Mob das Licht.
Es lief vor ihm her. Die anderen sahen es nicht.

Sie schwankten unsicher hinein in den Strahl, wie ein bleiches Rübenfeld kraftlos von schlechtem Dung.

Aus zerschlissenen Winkeln in den Städten der Welt brach göttlicher Glockenschwung.

O seliges Fliegen: Pustblumen im Hauch, die Stengel gefesselt und kahl,
Die zitternden Heere zerlumpten Leibs reckten gedunsene Köpfe zum himmlischen Strahl.
Um die ganze Erdkugel schwang tief durch die Winkel wie ein Klingelblitz das Licht.
Der Mob auf dem bewachsenen Ball hob hoch sein Kellergesicht.
Sie hatten wie sterbende Asseln wimmelnd im fauligen Dunkel gelegen,
Sie stürzten heraus, als gäbs Kinderfest, gelbe Luftballons mit buntem Bonbonregen.
Alle morschen Flüsse über die Meere hin stiegen zum Marsch, schmutzige Tücher wehten, da dehnten sich Arme, schwach und zerknüllt.

Sie schluchzten faltig und heiser, Riesenstimmen schrien über die Erde: die Zeit ist erfüllt!
Sie hatten wie Tote am Dunkel gesogen, sie warteten auf das Wunder und waren stinkend verreckt.

Aber heut hatte ihnen das Licht süß bis in den Magen geleckt.

Sie drängten eng durch die Straßen zum Himmel. Über Omnibushöhen lief das Wunder auf die Köpfe hin. Die vollen Straßenbahnen schoben in schallenden Scherbendeich.

Sie marschierten rund über die Erde. Nun gab es ewig Musik und warmes Essen und das tausendjährige Reich!

Der Mensch

Im heißen Rotsommer, über dem staubschäumenden Drehen der rollenden Erde, unter hockenden Bauern, stumpfen Soldaten, beim rasselnden Drängen der runden Städte
Sprang der Mensch in die Höh.
O schwebende Säule, helle Säulen der Beine und Arme, feste strahlende Säule des Leibs, leuchtende Kugel des Kopfes!

Er schwebte still, sein Atemzug bestrahlte die treibende Erde.
Aus seinem runden Auge ging die Sonne heraus und herein. Er schloß die gebogenen Lider, der Mond zog auf und unter. Der leise Schwung seiner Hände warf wie eine blitzende Peitschenschnur den Kreis der Sterne.
Um die kleine Erde floß der Lärm so still wie die Nässe an Veilchenbünden unter der Glasglocke.

Die törichte Erde zitterte in ihrem blinden Lauf.

Der Mensch lächelte wie feurige gläserne Höhlen durch die Welt,
Der Himmel schoß in Kometenstreif durch ihn, Mensch, feurig durchscheinender!
In ihm siedelte auf und nieder das Denken, glühende Kugeln.
Das Denken floß in brennendem Schaum um ihn,
Das lohende Denken zuckt durch ihn,
Schimmernder Puls des Himmels, Mensch!

O Blut Gottes, flammendes getriebnes Riesenmeer im hellen Kristall.
Mensch, blankes Rohr: Weltkugeln, brennende Riesenaugen schwimmen wie kleine hitzende Spiegel durch ihn,

Mensch, seine Öffnungen sind schlürfende Münder, er schluckt und speit die blauen, herüberschlagenden Wellen des heißen Himmels.

Der Mensch liegt auf dem strahlenden Boden des Himmels,
Sein Atemzug stößt die Erde sanft wie eine kleine Glaskugel auf dem schimmernden Springbrunnen
O weiß scheinende Säulen, durch die das Denken im Blutfunkeln auf und nieder rinnt.

Er hebt die lichten Säulen des Leibs: er wirft um sich wildes Ausschwirren von runden Horizonten hell wie die Kreise von Schneeflocken

Blitzende Dreiecke schießen aus seinem Kopf um die Sterne des Himmels,

Er schleudert die mächtigen verschlungenen göttlichen Kurven umher in der Welt, sie kehren zu ihm zurück, wie dem dunklen Krieger, der den Bumerang schnellt.

In fliegenden Leuchtnetzen aufglühend und löschend wie Pulsschlag schwebt der Mensch,
Er löscht und zündet, wenn das Denken durch ihn rinnt,
Er wiegt auf seinem strahlenden Leib den Schwung, der wiederkehrt,

Er dreht den flammenden Kopf und malt um sich die abgesandten, die sinkend hinglühenden Linien auf schwarze Nacht:
Kugeln dunstleuchtend brechen gekrümmt auf wie Blumenblätter, zackige Ebenen im Feuerschein rollen zu schrägen Kegeln schimmernd ein, spitze Pyramidennadeln steigen aus gelben Funken wie Sonnenlichter.

Der Mensch in Strahlenglorie hebt aus der Nacht seine Fackelglieder und gießt seine Hände weiß über die Erde aus,

Die hellen Zahlen, o sprühende Streifen wie geschmolznes Metall.

Aber wenn es die heiße Erde beströmt (sie wölbt sich gebäumt),
Schwirrt es nicht später zurück? dünn und verstreut hinauf, beschwert mit Erdraum:

Tiergeblöke. Duft von den grünen Bäumen, bunt auftanzender Blumenstaub, Sonnenfarben im Regenfall. Lange Töne Musik.
[Ludwig Rubiner, *Das Himmliche Licht,* Leipzig 1916, S. 17–20; 27–29]

Aus: Homer und Monte Christo (1917)

Vergessen wir nie: Nur den rohen Wortklang gemeinsam mit der Literatur hat der Literat. Kein höheres Wesen in der menschlichen Gemeinschaft, als der Literat! Der Literat ist für uns alle da; tausendmal opfert er sich in die aufreizende und vergängliche Stunde. Er wagt es, für uns das Wort zu sprechen, auf das Glück und die tolle Gefahr hin, daß es das Wort des Tages ist. Er stürmt für uns vor; er ist der Führer; und um den Preis, daß wir ein Ohr, ein Herzzucken, eine schwingende Masse sind, nimmt er selbst das ewige Vergessen von morgen auf sich. Zuerst unter allen Dingen der Welt ist der Dichter Literat. Zuerst ist der Schöpfer Literat.

Der Literat spricht unser Denken unmittelbar aus, als ein Feuertransparent vor unserem Leben. Dagegen die „Literatur" ist nur die ateliergeheimnistuerische Polemik über unser Denken.

Die Schöpfung ist ein Krater für die Aufrüttelung durch den Geist. Diese mächtigen politischen Romane dienen der Darstellung einer geistigen Idee. Schärfer begrenzt: der Idee des Geistigen. Die Odyssee, Robinson Crusoe, Gulliver, Tausend und eine Nacht, Karamasow sind da, um die Erschütterung des menschlichen Willens durch ein Geschehen über den Körpern, das unabhängig von allem Material der Welt ist, körperlich werden zu lassen. Diese Dichtungen finden ihren Ausdruck nie in Auseinandersetzungen und Erklärungen, sondern in Feststellungen und Resultaten. Darum, weil sie von einem Absoluten wissen. Was diese Werke über Jahrhunderte aneinander bindet, ist ihre selbstverständliche Voraussetzung: ein freier Wille des Menschen, der durch alle seine Handlungen vor einem unendlich Übergeordneten, aktiven Sinn außerhalb der Vorstellungsmöglichkeit Rechenschaft ablegt. Die Dokumentation des absoluten Geistigen erzwingt eine unmittelbare Aneinanderdrängung der Handlungen; jeder Ruhepunkt durch die Beschreibung (Bequemlichkeit der Deskription) wäre auch nur vor der Tatsache Gottes eine furchtbare Leere, es wäre eine Tatenlosigkeit auf der Welt, Verleugnung, ja Verstellung. Auf der Welt lebt man, um in jeder Minute seine Herkunft vom Geist in Taten darzustellen; und das Material der Welt ist dazu da, um unseren Willen zu zwingen, im Durchbrechen des Raumwiderstandes, unter Flammenkatastrophen, jeden Augenblick des Lebens immer wieder von neuem als den ersten Tag unserer Geburt vom Geist aufscheinen zu lassen. Der Aktionsroman gibt das Leben der Menschen in den Katastrophen der Gewißheit vom Geist. Seine Kunst ist nie ein für sich laufender Kreis, nie etwa die Nutzung des persönlichen Privilegs einer Offenbarung. Nie ein Luxus. Nie wertvoll. Sondern selbst wertend. Sie ist dazu da, um die menschlichen Handlungen auf ihre Ausfüllung der Willensmöglichkeit zu werten. (Und daher kommt das starke Mutgefühl, das den Leser des Aktionsromans immer umgibt.) Die Dokumentation des Geistigen erzwingt die Lückenlosigkeit der Erscheinungen des Willens. Die Konzentration der Handlung. Und erst die unerfüllten (Kultur-) Nachahmer meinen gewöhnlich, Kunst bestehe abseits von der Mitteilung des Menschlichen, und Konzentration sei ein Vorgang aus sich selbst. Dieser politische Roman der Dichter stellt, als wertendes, undeterministisches Werk, immer ungeheuerliche Forderungen auf. Daß diese Forderungen nicht leer phantastisch erscheinen, ist wieder erst durch die Intensität der Willenstätigkeit möglich, innerhalb deren diese Forderungen als Willensangelegenheiten verflochten sind. Dostojewski fordert Ungeheures vom menschlichen Herzen, der Robinson vom moralischen Bewußtsein, Gulliver vom gesellschaftlichen, Godwins Caleb vom rechtlichen; die Odyssee von der menschlichen Treue. Cervantes fordert Utopisches von der Verwirklichungsmacht der menschlichen Vorstellungskraft, und er ist auch tatsächlich der erste Romantiker, insofern er innerhalb seines eigenen Werkes Skeptiker an seinen eigenen Forderungen ist: Literatur taucht hier auf.

Die Literatur vertritt immer ihre Gesellschaft. Die Schöpfung vertritt nichts. Ein Ventil vertritt nicht seine Dampfmaschine. Die Schöpfung ist ein Ventil dieser Welt für die Aktivität des Geistes. Das Geistige geht unmittelbar durch sie hindurch, und darum ist sie unmittelbar aktiv. Die Literatur beschreibt die Katastrophe; die Schöpfung ist ein Teil der Katastrophe selbst. Die Literatur schildert bestenfalls die Aufrüttelung, die Schöpfung macht mit die Aufrüttelung.

Die Schöpfung ist unabhängig von ihrer Gesellschaft und von jeder Gesellschaft. Sie hat mit Kultur nichts zu schaffen (die Literatur alles). Denn die Gesellschaft ist ihr nur ein bestimmtes Trägheitssymptom des menschlichen Willens, wie ihr auch jedes andere Material sich als Trägheitssymptom darstellt. Die Schöpfung ist dazu da, im Brennen des Geistes die Trägheit zu vernichten. Die Intensität der Schöpfung ist wirklich der Gesellschaft feindlich; aber das ist so zu verstehen, daß sie eine unendlich viel größere Rolle für die Gesellschaft spielt, als die Gesellschaft für sie. Gesellschaftsdichtung oder soziologische Dichtung gibt es ebensowenig wie logische oder psychologische. Nicht etwa nur, weil dies ein Übergang in die Wissenschaften wäre; diese Antwort zeigt allein das äußere Bild des wahren Grundes. Sondern weil der Geist eine andere Welt ist als das Material. Das Licht von der Sonne kann zwar durch ein Prisma gebrochen werden, aber nur das Licht ändert die Umgebung des Prismas, und das Prisma wirkt nicht auf die lichthervorbringende Sonne zurück.

Die Schöpfung des politischen Romans flammt durch das Material der Gesellschaft hindurch, und bleibt Geistiges; die Gesellschaft und die Umwelt ändert sich, wird von einer Aufwühlung in die andere getrieben. Der Sinn aller Katastrophen im Aktionsroman ist: Den Menschen immer wieder, durch Zerstörung aller Trägheitslieblichkeit der Umwelt, unmittelbar in die fürchterliche Helligkeit des Geistes zu stellen; von der er stammt. Den menschlichen Willen immer von neuem als auf dieser Welt sichtbar fortsetzenden Strahl des Geistigen zu weisen.

Die Substanz des aktiven Romans, der wahre Stoff und Vorwurf seiner Dichtung: sind jene Urelemente des Fühlens zwischen dem Feuer und der Nacht, der Helle und dem Tod, die wir seit unserer Kindheit kennen, und die uns stets an unsere geistige Herkunft erinnern. An denen der menschliche Wille sich zu verkörpern hat. Alles, was unsere räumliche Existenz ändert. Man weiß erst, wie sicher die Aktivität des Geistigen, unabhängig von den Gelegenheitsänderungen des Materialen ist, wenn man feststellt, daß schon die rohe, nur erwähnende Aufzeichnung der Elementarsituationen des menschlichen Lebens auf uns wirkt, bis hinein selbst in die dichtungslose, weitmaschigste Verbreitungsliteratur. Die Spannung ist eine der Erscheinungsformen des Geistigen, so wie die Farbe eine Erscheinungsform des Lichts ist, und die Farbe wirkt auf uns bestimmend auch noch aus einem billigen Öldruckbild.

Diese immerwährende katastrophenrührende Aktivität des Geistigen: das Politische, macht die Dichtung des Aktionsromans zu einem revolutionären Werk. Die Forderungen, die er stellt; seine Arbeit, die herrschend unberührte Änderung, Umschiebung, Knetung – Umstürzung – des Materialen, der Gesellschaft, machen ihn zur Stimme des Aufstandes. Er lehrt nicht, er wirkt durch unmittelbare Wirkung. Er hat keine „Tendenz", er hat nur die eine Richtung aufs Geistige. Er analysiert nicht, er stellt fest. Er kritisiert nicht, er zerstört direkt. Er zerstört immer wieder mit seinen Katastrophen die angeebbten Gewohnheiten, die den Menschen zu einem Wesen seiner Umgebung verschwemmen. Er zerstört: Um den menschlichen Willen für den Geist frei zu machen.

[Ludwig Rubiner, *Der Mensch in der Mitte,* Berlin 1917, S. 62-66]

Der Kampf mit dem Engel
(1917)

Jeder Mensch kennt einmal im Leben das Wissen von seinem ganz Menschlichen: Von seinem geistigen Ziel, zu dem er auf der Erde gehen muß, um sein Schicksal als geistiges Wesen zu erfüllen; in das Schicksal wurde er hineingeboren. Alle Menschen kennen in Wahrheit das geistige Ziel des Menschenlebens. Alle Menschen sind beteiligt an dem Ziel, die Erde zu einem himmlischen Reich zu machen, zum wahren Staate Gottes, in dem jede irdische Verrichtung auch einen geistigen Sinn hat; den Sinn da zu sein selbst für den fernsten Nebenmenschen; aber in dem jede geistige Aktion auch eine ganz reale irdische Handlung ist, und nicht mehr fremd und verurteilt zu parasitär okkultem Sonderleben. Von diesem Ziel des geistigen Lebens wissen alle Menschen, aber sie kennen es oft nicht mehr, weil sie es verschüttet haben und vergessen.

Einmal im Leben steht die Offenbarung des Geistes vor jedem Menschen, wie der Engel vor Jakob. Da geschieht: die Menschen entziehen sich dem Engel! Entweder sie flüchten vor ihm, sie bleiben ihm fern, die Trägheit beharrte, und der Mensch wird Untermensch. Oder sie gehen ganz zum Engel über, sie kennen vor seinem Flug nur noch die Engelwelt, sie vergessen ihre Geburt auf der Erde, die Existenz der anderen Menschen, die Vornehmheit siegte, und der Mensch wird Übermensch. Beides ist nur eine Ausflucht. Beides läßt das blutende Dasein und Leiden der Erde unberührt, und in jedem dieser Fälle siegt weder Mensch noch Engel, sondern das Losgelassene, dämonische Element der Natur siegt und bricht in chaotischer Zerstörung gegen den Übermenschen und den Untermenschen gleich vernichtend heran. So wird der Kampf mit dem Engel zugleich ein Kampf mit den Gegnern des Menschen sein, mit den Trägen und den Vornehmen.

Wir aber leben auf der Erde, und die Erde ist unsere Aufgabe. Wir können weder Tier noch Engel werden, und wir dürften es auch nicht. Uns ist das Geschick gegeben, Mensch zu sein: Die Mitte der Welt. So bleibt uns nichts übrig, als unablässig zu ringen, daß unsere geistige Welt uns stets als das wahre und erreichbare Ziel der Erdenbahn gegenwärtig bleibe. Wer der Gesegnete des Geistes sein will, muß um den Segen kämpfen. Nicht, um selbst über das Menschliche hinaus zu kommen, müssen wir mit dem Engel kämpfen, sondern nur, um ins kleinste Blutkörperchen hinein das Menschliche ganz erfüllen zu können.

Die Führer und Berater der Menschen wissen das Ziel, zu dem sie führen. Aber ihr Kampf mit dem Engel ist, daß sie unablässig die ganze Erdfülle scheinbar kleiner Realitäten durchzusetzen haben, daß sie, aus dem Geiste, unzählige splitternde Erdhaftigkeiten verwirklichen müssen; daß sie Beamte der Menschheit sind, wo sie ihre Verkünder sein wollen.

Für die Erde, für unsere von Blutkratern zerlöcherte Erde, kämpfen wir mit dem Engel. Aber daß wir bis zuletzt uns nicht entzogen, daß wir uns erhoben zum Aufstand für die Erde, dies schon schließt die Segnung des Engels ein. Wer das Ringen um das geistige Ziel des Menschen zu Ende kämpft, der findet zuletzt, daß sein Ende kein Ende ist, kein ruhender Abschluß. Sondern jedes seiner Worte, jede seiner Taten, jede seiner Körperhaltungen, jeder Teil seiner geistgeleiteten Gliedmaßen geht, als frei und losgelöst von ihm, in die Welt ein, weißflammend und stark unter den Menschen wie tausend neue Engel, die mit tausend neuerweckten Menschen ringen werden.

Marsch zur neuen Zeit

Es ist nötig, im Namen anderer zu sprechen. Jeder muß selbst entscheiden, und von Stunde zu Stunde neu, ob er in einem „Wir" vertreten sein will. Diese Entscheidung, wohin die Menschen gehen wollen, ist gut. Mancher dürfte sich wohl durch eine angemaßte und allzu künstliche Entscheidung in seinem Fortkommen gehindert fühlen; bei andern wieder kann unter Umständen die Gemeinschaft da sein, doch keine Sympathie zu ihr. In jedem Fall ist schon das Entscheidenmüssen ein fruchtbarer Akt, der selbst bei getrennten Wegen die gegenseitige Lauterkeit verbürgt. Man ist schließlich doch nie allein; so fiktiv ist keine Kameradschaft, daß man nicht ganz genau wüßte, wer in der Welt auf uns zählen will! Mit jedem „Wir" und „Uns" wird, trotz allem, für Freunde und Kameraden gesprochen, die wirklich leben, und die eine Partei der geistig Unbedingten bilden, nicht nur in unserer nächsten Nähe. Aber auch nicht unerreichbar oder unsichtbar.

Die Forderung ist: den Kampf mit dem Engel aufnehmen! Die Forderung bedeutet: Wir können gar nicht menschenhaft konsequent genug sein. Aber der Fordernde muß aus seiner Forderung zuerst die Konsequenzen für sich selbst ziehen.

Hyänen heulen ringsum. Wer von uns ins Unbedingte schaut, wird angefallen. Wer ins Unbedingte schaut, selbst durch ein Prisma; wem selbst es nur aufs Farbenspiel des Prismas ankommt, auch der Troubadour noch wird angefallen.

Frondeure, liebe Brüder, wir müssen zusammenhalten. Auch der Mitläufer meint es mit Euch noch besser als die Hyänen. Wir sind eine kleine Karawane, die Wüste ist groß. Sollen wir die Kamele verachten?

Jede Fronde hat Mitkämpfer. Begabte auf fabelhaftem Schreibtischniveau. – Die weithin spiegelnde Glaskugel auf dem Springbrunnenstrahl fällt immer wieder ins Niveau zurück. Unnötig, sie zu stoßen. Der Mitläufer springt zu uns herauf, er fürchtet, den Anschluß zu versäumen. Aber er fällt noch im Sprung ab; er begnügt sich mit dem Ruf des Gesprungenseins. Nennt ihn nicht Verräter. Er ist keiner. Er spiegelt ja nur.

Freunde, Ihr habt recht. Wir können gar nicht endgültig genug, gar nicht äußerst genug sein. Wir können uns das Letzte gar nicht weit genug setzen. Unser aller Ziel, auch das Eure, ist zugestandenermaßen eine Fiktion, die wir selbst uns schufen.

Benedetto Croce, der Neapolitaner und ein heutiger Humboldt, in seiner „Historiographie": „Vergessen wir nie, daß erst wir selbst die Tatsachen schaffen!" Der Ton liegt auf dem schaffen.

Feststellungen allein, auch die profundesten, fördern weder Euch noch uns. Es kommt darauf an, daß wir unser Ziel, unsere Tatsache: unsere Schöpfung! bewußt wirklich vor uns hinsetzen. Immer müssen wir glauben – und je deutlicher alles um uns sich neigt – immer sicherer, daß nichts uns helfen wird, wenn nicht eine ungeheure Umgrabung des Bewußtseinszustandes des Menschen vorhergeht. Diese Änderung des Bewußtseinszustandes – die „Änderung der Welt" – aus dem Dumpfen ins Menschliche ist möglich. Also nötig.

Gestehen wir, noch lange nicht haben wir sie mit allen Mitteln vertreten. Zu dieser Änderung können wir nur aus einer ungeheuren, ganz absoluten Liebe kommen, die uns selbst überlegen ist. Jedes Wort, das wir sprechen, dürfte nur das belichtende Transparent einer wirklichen Handlung sein, und müßte eine brennende, doch unendlich selbstverständliche Güte tragen.

Statt dessen findet man nur das Brennen. Man trifft allein die Belichtungen an. Aber: rednerische, schriftstellerische, agitatorische Arbeit ist nichts, das für sich da sein dürfte. Politik der Politik wegen: hat uns bis hierher geführt. – Wir sagen die öffentlichen Worte. 0 törichte und erdenverfluchte Vornehmheit des Denkers! Wir, die wollen, denken, veröffentlichen: Wir haben das Wollen, Denken, Veröffentlichen den Routiniers, den Dilettanten, den Lumpen überlassen. Wir waren fahrlässig. Untätig. Lieblos. Vornehm. Jene wurden verstanden. Wir nicht. Wir haben das gewollt. Diese Clubmen-Feinheit war niedrig von uns. Wenn es eine Sünde gibt, und es gibt sie, so haben wir sie begangen. Wir haben zu Menschen gesprochen, wir haben mit der Schaufel in der Hand am Weinberg ihres Bewußtseins graben wollen: in einem unerhört eingewickelten Denk-Chiffernsystem, in einer Philosophengrammatik, die nur Universitätskathedern verständlich ist; in einem Signalfeuer, das voraussetzte, der Empfänger habe seinen eigenen Privatleuchtturm und sei eingestellt auf das Alphabet dieser Raketensprache.

Aber man denke, welche unermeßliche Güte dazu gehört: verständlich zu sein, immer wieder geduldig von vorn anzufangen, bis ans Ende lesbar – das heißt doch: menschlich! – zu bleiben.

Also? Als Aufrufer – Ausrufer sein! Welche Güte, welches Entströmen der mächtigen Liebe zum unbekannten Andern kann aus dem Leitartikel kommen.

Man denke daran, und man wird uns mit Recht verwerfen.

Wir dürfen uns nicht wundern, wenn uns eines Tages der Journalist beschämt. Wenn einer kommt, menschlicher als wir alle, entschiedener, auf gefährlicherem Posten und mit tieferer Gefährdung seiner Umwelt, mutiger als wir, und darum wirksamer für Anständiges. –

In Kritiken, Briefen, Äußerungen vernimmt man stets nur: Die Veröffentlichung ist schön – ist nicht schön. Ist tief – ist flach. Ist realistisch – ist mystisch. Ist harmlos – ist gefährlich. Aber alle diese Urteile sind nur dumpfes Gerede. Würde jemand eine wirkliche Kritik üben wollen, so müßte sie, unter den vielen möglichen Anleitungen, mindestens so aussehen: „Wenn Sie es ernst meinen, dann gehen Sie zu diesen und jenen Erben Treitschkes und reden Sie ihnen zu. Allein die Tatsache Ihres Erscheinens wird die höchste Verblüffung hervorrufen, und Sie haben schon halb gesiegt. Aber nur halb. Wichtig ist, daß Sie stets bewußt sind, der Teil zu sein, welcher die größere innere Sicherheit hat, und die Gerechtigkeit auf seiner Seite. Nur nie sich durch die wohlstudierte Freundlichkeit des Anderen gewinnen lassen; nie ausgleiten in Anerkennung des angeblichen Auch-Standpunkts des Andern; nie in Mondänität verfallen, wie die Carriere-Demokraten! Auch nie irgendwelchen spezialistisch sicher hingeschnurrten Antworten ein vermeintlich „höhnisches Schweigen" (das nie wirkt!) entgegensetzen, was nur intrigante Damen tun dürfen, die man im Hauptzimmer abfertigt, und die auf der Hintertreppe Gift spritzen. Vielmehr, wenn Sie den Leuten gegenüberstehen, seien Sie sicher, daß Sie ein neuer, heutiger Typus sind, noch unbedingter, geladener noch mit gutem und bösem Zeitenablauf, noch wissend hingerissener als es ehemals die Urchristen waren. Daß Sie allen Gefahren entgegengehen. Und daß Sie nur eintreten dürfen mit der höchsten Besinnung auf Ihre geistige Berufung. Tun Sie alles, was physisch auf die Menschen wirkt. Reden Sie laut und leise, taktvoll und taktlos. Singen Sie, beten Sie, rutschen Sie auf den Knien durchs Zimmer. Nur zeigen Sie, daß Sie die Person von der Sache nicht trennen!

Was hat denn Fronde überhaupt für einen Sinn, wenn nicht den, die Menschen zu stellen! Sie zu erinnern, daß sie mindestens so anständige Wesen sind, wie wir selbst. Und daß nur ihre, der anständigen Wesen, Zahl größer sei als die unsrige. Und daß sie preiswürdiger seien als wir, denn sie wurden einfach durch uns daran erinnert, daß sie geistige Wesen, Söhne Gottes seien. Wir aber mußten uns selbst erinnern.

Es gibt, seit Herrschaftsfragen existieren, zwei Ströme des Wollens: Den freiheitlichen, der sich meistens von einer positiven Naturvorstellung tragen läßt, und den konservativen, der fast immer ein göttliches Recht zu Hilfe nimmt. Zuweilen dreht das Verhältnis auch um, wie in neuerer Zeit. Es ergibt sich der immerhin ungewohnte Zustand: Wir Freiheitsmenschen der Fronde berufen uns heute so von Grund aus auf ein göttliches Recht, daß wir als Mittler zwischen uns und Gott nicht einmal die Natur mehr zulassen können. Dagegen die konservativen Elemente unter den Denkern sind so entsetzt über unsere Naturferne, daß sie uns sogar mit spinozistischen Mitteln angreifen. (Ein merkwürdiges Überkreuz-Verhältnis, das nur erweist, wie sehr es dem konservativen Geist lediglich aufs Bewahren eines irgendwann eingebürgerten Denkinhalts ankommt, auch wenn der einmal selbst revolutionär wirkte.)

Mißverständnisse sind grober Unfug. Es gibt keine Mißverständnisse.

Immer noch kann man sich nicht darüber beruhigen, daß wir der Kunst ihr Primat nahmen. Muß es wiederholt werden? Kunst ist ein Ausdrucksmittel. Es kommt darauf an, was ausgedrückt wird. Müssen Beispiele genannt werden, daß nur Inhalt: Dienst an der Sache, gilt? Daß – übertragen auf unsere, völlig andere und neue Welt – nur der politisch-religiöse Homer, nur der politisch-religiöse Dante bleibt! Daß nur die Kirchenmusik, die wahrhaft dienende, existiert. Daß uns der Zeitgenosse der vorletzten Generation, etwa Richard Strauß, ebenso fernsteht wie sein Cousin Paul Lincke! Nur die großen Dienenden können Führer sein! Daß uns die außerordentliche aber indirekte Malerei Manets anödet, aber daß ein neuer Pisaner Maler vom „Triumph des Todes" unser Mann wäre – allein er würde zum Triumph ganz anderer Zustände als dem Tode führen. Wie erst, wenn die großen Diener in Musik, die Palaestrina, Heinrich Schütz, Bach, wenn sie Heutige wären, neu und erstmalig, und, in unserer Zunge, uns leiteten mit zu neu erstandenem Leben aus dem Geiste auf Erden. Wenn sie uns heute sagten, wie jene Musiker den ihren: so sollt Ihr Euer Fühlen lenken!

Muß man immer wieder zeigen, daß jene Beispiele unserer Gegner, die hohlköpfig gegen uns darlegen sollen, „Gesinnung allein sei nichts, (angeblich), wenn die künstlerische Fähigkeit mangle", – daß jene Beispiele falsch sind! Weil Gesinnung sich nie am Unvollkommenen nachweisen läßt, sondern stets nur da, wo sie bis zu Ende spricht.

Man muß es immer wieder zeigen. Und doch ist es nicht sehr wichtig. Wenn wir immer wieder rufen müssen: „Kunst an sich ist nichts. Der Inhalt ist alles!" so bewiese das nur, daß unsere Inhalte dürftig sind.

Wären sie es nicht, dann wäre die Diskrepanz nicht möglich. Dann würde der Wert, das Göttliche, Geistige, Heilige (was eben ja man allein „Inhalt" nennen kann!) schon längst das dienende Ausdrucksmittel, seine bloß variationale Anwendung, deutlich bestimmt haben. Ein ganz selbstverständlicher Vorgang würde das sein. – Aber so mußte man erst noch laut rufen. Wonach eigentlich? Nach Herrschaft der Geistigen – oder, nur boshaft, nach Machtlosigkeit der Dienenden?

Indes, wie blind waren unsere Gegner, als sie nicht sahen, daß wir nur schamhaft verschleiert sprachen. Sei es nun enthüllt: Wir, wir gaben der Kunst – indem wir sie aus dem angemaßten Inhaltswert vertrieben – erst wieder den Inhalt. Wir gaben ihr, deren Existenzberechtigung wir verneinten, erst wieder neue Existenzmöglichkeit, neue Geburt, neues Sein, neuen Quell, neue Aufgaben. Wir befreiten sie von der Wiederholung, diesem Totgebären, und führten sie zur Schöpfung. Und frage man einen großen Dichter, einen bedeutenden Musiker, sogar einen Maler von Zwang – sie werden das bloße Tun um der ruhenden Seligkeit des Tuns willen als die sinnlose Behauptung ärmlich leerer Nachahmer erkennen, die überernährte Selbstbetätigungssucht saturierter Erben, wuchernd an übernommenem Kapital. Den wirklichen Schöpfern sind ihre Künste nur Verständigungszeichen. Doch nicht das Zeichen, selbst nicht die Verständigung ist wichtig. Wichtig ist, worüber man sich verständigt.

Wir sind gegen die Musik – für die Erweckung zur Gemeinschaft.
Wir sind gegen das Gedicht – für die Aufrufung zur Liebe.
Wir sind gegen den Roman – für die Anleitung zum Leben.
Wir sind gegen das Drama – für die Anleitung zum Handeln.

Wir sind gegen das Bild – für das Vorbild. So weit die kommenden Künstler auch von uns entfernt sein werden, dennoch werden sie nichts ohne uns sein. Sie werden nicht aus eigener Absicht der Person sein können, sondern alles nur aus Inhalt. Und sind sie nur einigermaßen Mensch, dann werden sie auch nicht Künstler sein, sondern Mitteiler, inspirierte Geber, Ausrufer der ewigsten Forderungen von Menschensinn. Auch das kleinste Vaudeville wird ohne uns nicht möglich sein!

Wir sind Wollende und Fordernde. Propheten haben es gut bei uns, weil sie nur unsere Forderungen ins Kommende zu versetzen brauchen. Aber wir selbst sind keine Propheten; wir fänden es unlauter, selbst Prophet zu sein; denn Prophetie, das hieße: unser Wollen als einen bestehenden Zustand zu betrachten. Wir fänden es unlauter, uns mit der Realität von morgen zu begnügen.

Wir sind keine Beschreiber.

Wir sind Rationalisten.

Wir sind die Menschen, welche verkünden, daß das Geschlecht dieser Erde ein geistiges Geschlecht ist. Daß wir Wesen aus göttlichem Strahl sind. Und daß wir uns danach zu richten haben. Wir verkünden, daß wir unsere Abkunft von Gott nicht vergessen dürfen. Und wenn wir sie vergessen sollten; selbst wenn uns die Erinnerung an unsere höhere Existenz schwände; auch wenn unsere Geistigkeit – das ist die Sprache der Wesen göttlicher Geburt – uns nur als eine Fiktion erschiene: Noch dann müssen wir die Würde des Geistwesens Mensch als letztes und erstes Ziel des Lebens vor uns setzen.

Das ist Rationalismus.
Zielsetzen ist Rationalismus.
Kein Ziel setzen ist: Sünde.

Man glaube uns doch, daß wir unsere Erdheit, unsere Tierheit, unsere Natürlichkeit ebensogut kennen wie unsere Gegner. Mußten wir nicht tausendmal den Weg durch unser Dasein zurücklegen, hin zu unserm Unbedingten?

Unsere Gegner fordern in lächerlicher Unwissenheit, daß wir bei unserm Dasein verweilen. Daß wir zufrieden seien. Darum so lächerlich, weil sie, die gegen das Fordern sind, unversehens selbst fordern, nur unversehens.

Aber wir versehen uns des Daseins und der Natur, des Bestehenden, des Gegebenen und Seienden besser, als die darin versinken. Denn wir brechen durch im unmittelbaren Aufstand unseres Wesens zum Geist.

Das Ziel selbst nur zu nennen ist schon ein ungeheurer Griff in die Welt.

Allein, nie dürfen wir die furchtbarste Mahnung in Vergessenheit fallen lassen: *Das Dasein selbst existiert nicht; das Bestehende existiert nicht. Wir machen alles erst!* – – –

Unsere stärkste Forderung, die der Rationalisten – und welche uns über das Niveau bloßer erbärmlicher Rechner erhebt – ist die Forderung: Abkürzung der Qual. Ausschaltung des Bestehenden, das sich an uns breit macht, das nur durch uns geschaffen wurde, durch unsere naive Zubilligung seiner Existenz. Es ist grausigstes Hindernis, in die Längezerrung der Leiden, Damm vor unserem Vordringen zum Menschentum. Wir fordern Ausschaltung!

Abschaffung.

Wir brauchen die Änderung der Welt. Aber ohne eine Änderung unseres Bewußtseinszustandes aus dem geduldig Dumpfen ins menschenartig Helle wird uns eine einfache formelle Umschiebung der Tatsachen nichts helfen. Die Arbeit an der Änderung unseres Bewußtseinsstandes, diese Gigantenarbeit: uns dem Leben im Urzellenstand zu entreißen, und das Leben im Geiste, das Leben zu Gott uns vorzusetzen; das Leben nicht im Relativen, welches uns frei macht – diese erbittertste aller Tiefbohrungen, diese Umwühlung von Ewigkeit her ist

Rationalismus.

Das schöpferische Leben besteht nicht von allein. Wir müssen es erst schaffen.

Rufen wir für uns einen Bruder auf, den unsere Brüder hier über zwei Jahrtausende grüßen werden. *Herodot*. Er war für uns. Er war für die Menschen da, er war doch wohl, wie wir, Weltverbesserer, Rationalist. Ein Wort Herodots, das in unserm Mund erst Leben und Wirksamkeit haben wird:

„Laßt nichts unversucht. Denn es geschieht nichts von selbst, sondern der Mensch erlangt alles erst durch seine Unternehmungen!"

Die Gegner

Nun, da wir alle so viel durchgemacht haben, darf da noch einer sein, der Menschentum für eine Phrase hielte?

Nun, da Millionen Zufriedener wissen, wie Hunger ist, darf da noch einer sein, der nicht jedes Mittel zur ewigen Beseitigung des Hungerns guthieße?

Geist ist die Äußerungsform Gottes gegenüber dem Menschen, und die darum eine Gemeinsamkeit für alle Menschen bildet. *Geistige* sind die Menschen, welche durch diese Gemeinsamkeit vor dem Absoluten sich in einer besonders großen Verantwortlichkeit gegenüber den anderen Menschen verpflichtet fühlen. (Im Gegensatz zu allen modernen Mystikern, die behaupten, ein Privatabkommen mit Gott zu haben, das sie aller handelnden Verantwortung überhebt.)

Man hat gegen die Geistigen alles unternommen. Man hat uns bekämpft, man hat uns denunziert, man hat uns zu sehr – zu wenig – radikal, demokratisch, sozialistisch genannt. Man hat uns Verräter geheißen, man hat uns ignoriert, man hat uns gelesen, verlacht, aufgenommen, benutzt. Nur nicht verwunden.

Aber wie kläglich sind unsere Gegner. Diese Blumentöpfchen von Denkern! Da ist das unsichere Schäfchen, das alles mitmeckert, den Frieden und den Krieg, Volkstum und Dynastie; das sich nie entscheiden kann trotz des historischen Koteletttebärtchens, das an einen alten tapfer unbedingten süddeutschen Landsgenossen demokratisch erinnern soll. Es rettet sich stets in die List, aus purer Angst, vors Gericht des Geistes geladen zu werden und seine Ausflucht ist, wohlwollend die Geistigen längst dagewesen zu finden. Aber jener ahnt gar nicht, wie dagewesen wir erst ein Jahrhundert später sein werden! – Heran springt der übliche wilde Kriegsindianer, der dem Staat empfiehlt, uns zu füsilieren. – Aufzug, wankend, des umständlichen Stammlers, der zwecks Empfehlung seiner eigenen, heiser vorsichtigen Postillen, undeutlich Erbittertes gegen uns hustet. –

Mit forschem Zinnsoldatenschritt marschiert, einer für sich, der Kulturkonservative, von niemandem als einem eigenen Entschluß zur politischen Repräsentation beauftragt, trocken, intelligent, und vielleicht nur durch massiv kapitalistische Umgebung bei allzu dicker Naivität geblieben. Er findet es gewöhnlich unerhört, die bloße Konstatierung dessen was ist, zu verlassen. Eine Diskussion, die keine ist, denn unser Ziel ist ja gerade die strömende, zeugende Fruchtbarkeit, gegenüber einer Konstatierung des Seienden – welche uns bloß Nehmen, Wucher und Selbstgenuß bedeutete.

Schiefe Köpfe, gute Herzen, achtbare Leute. Sie sind entrüstet. Und selbst wenn sie uns in der Hitze minutenweise den Tod wünschen, so kann man sich immer noch mit ihnen freundlich hinsetzen und ihnen zeigen, wie fahrlässig sie handeln. Wir wissen den Moment, wo sie zusammenbrechen werden und mit stumpfer Miene einsehen, wie sie persönlich fast verbrecherisch gehandelt hätten. Oder seht unseren Gegner, den Erlebnisphilosophen; er denkt begeistert alles mit, wie es auf ihn zustößt, den Krieg, den Frieden, den Waffenstillstand; und er wird sein Lebenswerk schaffen als eine „Philosophie der Konjunktur", tief ehrlich, immer von neuem aus der Bahn geworfen. Er hält es für gut, das Gegebene – das jedesmal ihm blindlings ohne sein Zutun Gegebene – zu bejahen, und aus dem einen Moment, der eben herrscht, die ganze Welt zu entdecken. Er hält das Erlebnis nicht für die Lehre des Lebens, nicht für den Weg, den wir durchs Material hindurch zum Unbedingten nehmen müssen, sondern für sein Ziel. Er wäre sogar bereit, uns das Erlebnis zu verschaffen – in der Meinung, wir wüßten nichts davon. Die alte schlechte Voraussicht der Nur-Methoden-Menschen, dem andern das Erlebnis verschaffen zu wollen: sie verwirklicht sich im besten Fall als Intrigue! – Und herzu lügen sich die letzten Widersacher: der unschöpferische Schreiber, der Phantasielose, der Talentarme; das grobe ungefüge Handgelenk; der ungeistig Geistgelähmte. Der literarische Couleurfriseur im Renommierschmiß-Stil. Der gebildete Reisebrief-Lakai der Zeitungen. Gasmaske her vor den Feuilletonrülpsern des vollgeschlemmten Kajütenbauches aus finnigem Ferkelchenmaul. Die religiösen Reiseredner fürs Hapag-Dessert. Die Antithetiker des Lebens: Zionisten aus Judenhaß Imperalisten aus barbarossaschem Humpenrittertum. Der ärmliche Passagierpublizist, der die Erde aufgeteilt hat nach Novellenmotiven, Romanstoffen, Journalbriefen, und zähneknirschend sie zeilenmessend absuchen muß, um amtlich nachweisbar überall seinen Bleistift aufgepflanzt zu haben. Die Exoten-Wippchen der nördlichen und südlichen Halbkugel. Und zuletzt die erlogenen Freunde, die mitgehen nicht für die Sache, nicht für den Geist als Unbedingte; sondern um, gut berechnet, in der Gesellschaft der Zukunft gesehen zu werden; um der Gegenwart sich als Vermittlerpöstchen zu empfehlen!

Droschkenkutscher her, Straßenreiniger her, Steinsetzer her, Dienstmädchen her, Waschweiber her; Mob, Unterproletariat, Verzweifelte, Unorganisierte her, die nichts zu verlieren haben; Besitzlose, ganz Besitzlose her! Menschen her! Her zu uns, wir sind für Euch da! Die Zeit geht dem Ende entgegen. Einmal wird der himmlische Horizont wieder an die Erde stoßen, und der Umkreis unserer Augen wird wieder den Glauben sehen, das Wissen von göttlichen Werten. Dann werden die, welche in Europa ihren Mund auch nur ein einziges Mal haben das Unrecht sprechen lassen, für immer in der Jauchegrube des Vergessens ersticken. Aber sie sind keine Gegner. Nur Mitläufer der vergangenen Zeit; Mitwürmer der Verwesung; Mitgerüche der Auflösung.

Wo ist unser Gegner, der Gegner? Ich vermisse den Teufel. Warum ist er nicht da? Der Inbegriff des Elementaren, zustoßend Erlebnishaften, der geschleuderten Seele, des Isoliertseins! Der Inbegriff des Einzeltums gegen die hohen, südlich lichtbauenden Bogen des Allgemeinen. Wo blieb der Teufel?

Aber der Teufel ist nicht mehr da. Er zerfloß, als wir ihn erkannten, als wir ihn benennen konnten; als wir aussprachen, daß nicht der Sturm, das Getriebene, das dämonische Element, das Wogen der Seele: daß nicht er menschenhaft sei, sondern der Geist. In unserm Kampf mit dem Engel wird zur selben Zeit auch gewirkt die Beschwörung des Teufels. In unserer neuen Zeit des Absoluten ist der Herr des Relativen nicht mehr Feind. Und von ihm blieben nur dünne, erstarrende Blutstropfen zurück: die Tänzer, Sänger, Schauspieler; die Künstler, die Reizbetäuber. Unwissend ihrer selbst, im Absterben. Der matte Bleichblut-Tod einer zusammengefallenen Luxuswelt.

Ihr, die Ihr uns geistig Freund seid, Ihr könnt den Einzelnen nicht trennen von den wenigen Anständigen des heutigen Tages, von Kameraden, mit denen man sich nicht zufällig zusammenfand. Und wenn es mit rechten Dingen zugeht, dann werden wir Genossen die mitlaufenden Amtskandidaten überreden, das Amt fahren zu lassen, und sich um ihre ewige Seligkeit zu kümmern, die da ist: ihre Haltung vor dem Auge der Ewigkeit. Wenn es aber mit unrechten Dingen zugeht, dann müssen wir versuchen, sie recht zu machen. – *Herodot:* „Laßt nichts unversucht!" – Und wenn sich herausstellt, daß jene bei unrechten Dingen verbleiben wollen, daß sie nur die Oberhand suchen, daß ihnen die Sache gleichgültig und nur der Streit wichtig ist; daß ihnen das Vergnügen künstlicher Schlußfolgerungen lieber ist als der Ruf der Menschlichkeit; daß sie nur bloße Themen behandeln (Schriftsteller), und nicht Handlungen vertreten; und daß sie auch nur über ihre Themen denken, schreiben, drucken, reden, ohne im geringsten ihren persönlichen Leib mit ihren Worten zu identifizieren...

Wenn also sich herausstellt, daß jene nur ruchlose Betrachter sind, anstatt Zeuger zu sein, – dann ist damit nur ein gravierender Beweis gegen uns selbst geliefert. Dann ist der Beweis geliefert, daß wir selbst nur zu vornehm, zu eitel, zu lau waren. Daß wir selbst nichts getan haben, um irgendeinen Menschen von der Würde des geistigen Lebens zu überzeugen. Daß wir nicht überzeugen, weil wir selbst kein Beispiel geben. Daß wir ohne persönliches Beispiel nicht Führer sein können. Und daß nur die Führer das Recht, die Fähigkeit und den Standpunkt zu einem Lebensurteil über andere haben (auch wenn sie darauf verzichten). – Ein Urteil, abgegeben aus Hochmut, ist gar nichts wert, es ändert nichts. Zwingend ist nur ein Urteil aus Liebe.

Die politischen Parteien haben für den Mann, der ihr Programmatiker ist, einen wilden Ausdruck von der Rennbahn: sie nennen ihn „Einpeitscher". Es kommt aber zuerst nicht darauf an, Meinungen einzupeitschen, sondern sie zu vertreten. Es kommt zuerst darauf an, seine Meinung selbst zu sein.

Es gibt kein Privatleben. Es gibt nur den öffentlichen Menschen. Entweder wir sind öffentliche Menschen – oder wir sind nichts. Entweder wir sind öffentliche Menschen – oder wiederum wird in den nächsten hundert Jahren alles niedergestampft, niedergeschossen, niedergebrannt, was wie bisher nur gelernt hat, die Person von der Sache zu trennen. Entweder wir sind öffentliche Menschen – oder wiederum hundert Jahre bleibt das geistige Leben, die *Sache* – ohne die Person – nur ein Zungenschlag, ein Demutsspiel für alte Damen. Entweder wir sind öffentliche Menschen – oder wir bleiben Suppenesser, Schläfer, Vergnügungsreisende mit verschmitzten Denkreservaten, und schließlich Gerippe, deren Existenz nie über eine, von Komplikationen begleitete Stoffwechseltätigkeit hinaus gegangen ist.

Glauben wir aber: es gibt schon öffentliche Menschen! Es gibt schon Führer. Also wird es auch in allen Ländern der Erde bald mehr geben. Jeder Mensch ist geschaffen, ein Führer zu sein. Jeder Mensch ist unersetzlich. Der öffentliche Mensch kennt die Unersetzlichkeit des Bruders. Der öffentliche Mensch führt uns zum Leben im Geiste. Aber Leben im Geist ist zuerst Leben auf der Erde, wirkliches Leben, Lebendigsein im Fleisch. Und nur wenn wir zuerst selig sind über die Existenz des Nebenmenschen, werden wir dem Nebenmenschen Führer sein.

Der Führer

Der Führer ist, überall von dem großen, bebenden Völkergeschöpf umgeben, das unaufhörlich seine Gestalt und seine Substanz ändert. Immer liegt es zitternd um ihn.

Er ist kein besonderer Mensch, er denkt einfach, er ist nicht merkwürdig und schön.

Er hat schon den faltigen Schauspielermund, er hat den kurzen wichtigen Schritt, der über viele Tribünen geht. Er weiß längst, wie er seinen Augen kommandieren kann, und er muß auf neue Register der Erregung sinnen wie der Akrobat auf neue Trapezsprünge. Er merkt bei allem, wie er der Mitmensch seiner Genossen ist, und er ist jede Sekunde darauf gefaßt, daß aus der ungeheuren Menge, zu der er spricht: einst ein Bruder aufsteht, der noch zum ersten Male und unabgenutzt den Mund öffnet. Und der ihn zu einem Häuflein Asche verwandelt, weil in seiner Hand die wahren Blitze Gottes ruhen. Doch bis dieser Augenblick eintritt, wird er selbst, mit allen Mitteln, mit der abgenutzten Wahrheit, mit dagewesenen Blitzen und den großen unermüdlichen Beteuerungen vom Wissen: seine Pflicht tun.

Er weiß sich eine kleine, Störungen unterworfene Blutsäule. Er kennt seine Kleinheit. Um ihn herum liegt die Ewigkeit. Um ihn, überall, steht die Gewißheit so sicher wie die Horizonte, die sein Auge überkreist in der Ferne. Um ihn, über ihn strömen die Saftstrahlen des Absoluten, sie schießen in eine kristallene Glocke rund über den Erdball hinaus; fern und blaß ziehend wie die durchscheinende Milchstraße schwebt die unbedingte, göttliche Wahrheit um den Menschenball.

Der Führer weiß, wie fern und wiederholt er ist. Er will zur Ewigkeit. Er will, daß sein Schritt mit der Drehung der Erde geht (der Schritt des Magiers). Er will, daß seine geballte Faust abgestorbene Planeten zu Himmelsstaub drücke. Er will, daß seine Augen, die den Blick der Menschen aufwärts blitzen, eine Straße wahrhaft ins unbedingt Zukünftige bauen; er will, daß die Worte, die sein Mund als Fackeln auswirft, die zwar flammen aber nur aufs Geratewohl zünden, wahrhaft unabänderlich in die Welt gefallene Tatsachen seien.

Er will nichts anderes als die Ewigkeit. Aber er weiß, daß er ihr namenlos fern ist. Er weiß, daß die Menschen um ihn in einer grauenhaften Ungewißheit leben, und daß er sie nur aufrecht erhält, indem er ihnen von Zeit zu Zeit die Ewigkeit nennt. Aber er, was ist er denn? Ist er anders als jene? Auch er kann sich ja nur der Ewigkeit erinnern. Er kann sie nicht geben.

Kein Mensch von uns allen will vollkommen allein auf der Erde sein. Niemand will der Einzige sein – und um sich, unter sich, neben sich die Kugel leer von Menschen. Wußten wir es je, dann gewiß heute, daß es keine Übervölkerung der Erde gibt. Die Freiheit, die jeder Mensch auf der Erde will, heißt keinem, daß es um ihn öde sei. Im Gegenteil. Mit ihr meint man die Kraft: inmitten der Menschen vollkommen den Raum lebendig zu schaffen, in den man geboren wurde. Dies heißt: seinen Platz ausfüllen. Freiheit ist kein Begriff, der mit Moden oder intellektuellen Zeitströmungen kommt und dann wieder alt und wertlos wird. Freiheit ist ein ewiges und absolutes Ziel. Dieses Ziel schließt als etwas ganz Selbstverständliches das Wissen um die Unersetzlichkeit jedes einzelnen Menschenlebens ein. Nur der sinnlos teuflischste Bureauindustrialismus konnte zu der Entwertungsformel vergangener Jahre kommen: „Kein Mensch ist unersetzlich". In Wahrheit ist keiner ersetzlich. Denn mit dem Tode jedes Menschen wird jedesmal von neuem eine ungeheure und unausgeschöpfte Möglichkeit zu fleischgewordener Liebe vernichtet. – Aber zur Freiheit, zur Fähigkeit seinen Platz als Bruder des Menschen auszufüllen, gehört das Wissen von der Einmaligkeit dieses Platzes. Wir müssen einmal ihn ganz und allseitig stark sehen; es bleibt uns nichts übrig, als aus allen unseren vorhandenen Kräften einen unsichtbaren Turm zu bauen, von dessen riesenhoher Spitze wir unsere eigene Bestimmung in der Welt schauen, als wäre sie der Liniengang einer kleinen, bewegten Schachfigur. Dies ist das Wunder, an das wir glauben. Es ist nichts anderes, als daß wir in aller unserer gesammelten Energie vor das Absolute treten wollen. In dem Moment, wo wir zu Gott gehen, sehen wir uns selbst.

Aber dieser Augenblick wird uns nicht geschenkt; wir müssen alles selbst tun. Unseren Weg zu Gott wollen wir in einem Nu zurücklegen. Doch die Fähigkeit dazu wäre selbst schon göttlich. Man mißtraue den Mystikern, die ihre angebliche Einheit mit Gott bezeugten; sie waren entweder hingerissene Beschreiber von bloßen Seelenzuständen, oder sie drückten sich aus Wortmangel falsch aus, oder sie irrten. Wir sind selbst nicht Gott, nicht absolut, sondern Geschöpfe des Absoluten. Wir sind einfach Menschen. Wir sind nicht selbst Geist, sondern wir sind geistige Wesen.

Zwischen dem Absoluten und dem Menschen gibt es Stufen, und sie können dem Menschen helfen, zum Bewußtsein des Absoluten zu kommen. Doch nur, wenn er stets nicht sie erreichen will, sondern das Absolute selbst. Der Mensch muß auch mit der Hilfe kämpfen, die jene Zwischenexistenz ihm gewährt. Der Kampf mit dem Engel ist allein der Weg zu Gott.

Der Führer befremdet uns immer von neuem ein wenig. Vor uns wird er nie eine gewisse Lächerlichkeit los. Gleich darauf entzückt er uns, weil er von Dingen sprach, die die unsrigen sind. Doch dann bemerken wir, daß die Wege, auf denen er unser Bruder ist, uns lange selbstverständlich sind. Neuer Grund, ihn gering zu schätzen, und wir verurteilen uns, da wir bereits die Nennung eines uns werten Ideenkreises als Teilung des gleichen Interesses nahmen. Wir achten den Führer nicht, weil er nicht unser Leben teilt, und dennoch Führer ist.

Aber wir sind im Irrtum. Es ist der Irrtum der Vornehmheit. Unsere Vornehmheit – die Bequemlichkeit und Feigheit ist – hat das Leben in bloße Themen aufgeteilt. Der Führer befremdet uns, weil ihm nichts Thema ist, sondern alles Idee. Er denkt nicht, wie wir fahrlässig Zurückgezogenen, *über* eine Idee nach, sondern er denkt in einer Idee. Er scheint uns beschränkt zu sein, doch seine Begrenzung läßt in Wahrheit nur diejenigen unserer Lebensangelegenheiten zu sich, die ihm zu wirklichen Lebensleitern werden. Wir erwarten vergeblich, daß er unsere bequeme Allseitigkeit zum Ausgang des Führertums nehme. Wir erwarten dies darum, weil wir selbst nichts für unsere Angelegenheiten tun, sondern sie nur betrachten wollen. Unsere Vornehmheit kommt daher, daß wir die *Tat für uns* immer einem Anderen zuschieben wollen. Wir erwarten, daß der Führer unsere Sache tue, die wir selbst noch nicht einmal entschieden haben. Wir schätzen ihn gering, weil ihm unsere Revolten in der Tasche – und die uns selbst nur Ausflüchte sind – nicht am Herzen liegen. Wir wünschen von ihm, daß er unsere Vorstellungen in greifbare Wirklichkeit setze, jetzt gleich, bis heut mitternacht; unsere Vorstellungen, zu deren Verwirklichung wir selbst keinen Schritt getan haben. Wir wünschen von ihm das „Gleich Jetzt!", und uns selbst gewähren wir ewigen Aufschub.

Dabei vergessen wir: Er ist der Führer! Er führt auch uns. Aber wohin führt der Führer? Er führt zum Geist. Führer sein, heißt, zum Geist führen. Allein zum Geist. Wer nicht zum Geist führt, kann vielleicht ein begabter Vortänzer sein, aber nie ein Führer.

Er führt uns zum Geist auf allen Wegen, die des Geistes sind: Der Umkreis, den wir Politik nennen, ist seine Bahn, die Ermöglichung unserer menschlichen Gemeinschaft.

Der Geist ist das Palladium der Gemeinschaft.
Die Materie ist das Abzeichen der Isolation.

Man sagt, die Unterscheidung: hier Geist – dort Materie – sei eine nur schulmäßige Bequemlichkeit. Sehr gut! Jene Scheidung ist auch falsch, solange sie nur deskriptiv gemeint ist und behaupten will, sie stelle vollzogene Tatsachen dar. Aber sie ist herrlich: sie ist schöpferisch, wenn sie eine Forderung ist. Nur mit dieser Forderung, allein durch sie, leben wir: Seid geistige Wesen! Stammt von Gott ab!

Wenn unser Leib jetzt am Leben bleibt, so haben wir die Gelegenheit, gerade noch Blicke aus den schmalen Luken eines schauerlich versinkenden Zeitalters hinaus in eine neue Zeit zu tun. Aus dem Zeitalter der sinnlosen Welt – um es genau zu sagen, wie denn eigentlich die „Materie" aussieht: sie sieht aus wie die Welt, das Sein, das Gegebene, das für uns ewig Gewesene.

Die Welt liegt da vor uns, um von uns geknetet, geformt, gestaltet zu werden, stets von neuem, nach göttlichem Plan, dessen Zeiger wir sind.

Aber wie menschvergessen, wie ursprungs- und gottvergessen ist es, sich von der Welt, der Materie, kneten, formen, gestalten zu lassen. Als sei man selbst Untermaterie. Die Elemente drängen in uns hinein jene Macht, die man dämonisch nennt. Nur der Ungeistige wird vom Dämonischen übermannt. Alles, was an uns erlebt, das Seelische, das Außergeistige an uns, ist ungöttlich. O sinnlosestes, chaotisch blutendes Zeitalter, das nun zusammenbricht, Zeitalter des Erlebens, der Seele, des Elementenspieles! Es geschah das große Sichpassivmachen. Sichaufteilen als Objekt für Gelegenheiten. Jedes fremde Objekt zwischen sich und Gott treten lassen, ohne dazu etwas zu tun. Das Ereignis – den Accident – den Rohstoff des Lebens, die Natur, wie einen Billardball an sich stoßen lassen, und im Anprall erst das Ich vermuten. Zeitalter des ewigen Nehmens! Denn Erlebnis – in rückschlagender Rache ausgesetzt sein dem dämonisch Elementaren – ist: Nehmen. Während doch unser Leben die Liebe ist, und wir zu geben haben, geben, geben, geben, und um so mehr, je geringer die Zahl der Menschen auf der Erde wird, und wir einsamer werden. Das vergehende Zeitalter versuchte, das bloße Bild des Lebens zu genießen, ohne es selbst zu schaffen. Aber wir haben zu leben, um mit unserem Leben der Welt geben zu können.

Grausamer Millionentod ist die Gipfelung des elementarischen Zeitalters. Heraus aus dem Elementaren, aus der Seele, aus der Vereinzelung! Heraus aus dem Treibenlassen, aus dem Besitz des Gewesenen, aus dem Erlebnis! Seid göttliche Wesen. Geht in die neue Zeit des Geistes. Seid Führer zum Geist.

Wir haben die Erbsünde, sie heißt heute für uns: Isolation. Sie ist Insichsein, Einzelner sein, Seele sein. Nehmender sein.

Wir haben aber auch die Erbliebe. Und die ist: Geben; Schöpfer sein; Genosse, Mitmensch, Kamerad, Bruder sein. Die Erbliebe heißt: Gemeinschaft!

Nichts wird von unserm Kampf mit dem Engel uns erspart. Keine Mythologie steht zu unserer Hilfe mehr da. Zwischen uns und Gott hat nichts Gewesenes mehr Platz.

Der Mensch machte es sich leicht. Er formte eine Wachspuppe nach seinem Bilde, beweglich, lebensgroß mit Vollbart, langem Haar und Schlapphut. Sie steht auf ihrem Wachsfigurenpostament im Fürstensaal des Panoptikums. Der Mensch dreht das Uhrwerk auf, sie hebt mit knackendem Ruck eine Trompete krächzend an den starren Mund, darnach stößt sie dünne, rostige Laute aus, die vorbereiteten Ohren ähnlich klingen wie „Revolution, Revolution!" Eine ungeheure Wachsfigurengebärde schüttelt den Mantel über der Holzschulter zurecht. – Der Mensch steht befriedigt vor seinem Werk. Noch ist er nicht totgeschossen; so geht er höchst angeregt schlafen.

Der Mensch schläft. Kein Führer ist für ihn da, denn er selbst wollte nicht Führer sein. Unterdessen stehen die Führer der Dämonen grinsend bereit, gigantische Metzgergesellen, geschürzten Arms, mächtig mit erdachsengroßen Maschinengewehren, die Fleischfetzen und Totenklumpen bis zu den Sternen hochspritzen werden.

Die Dinge sind so einfach. Dennoch muß man um sie kämpfen. Was wir wollen, ist gar nicht neu. Es ist nur ewig.

Der Führer will immer wieder alles in der Welt plötzlich, mit einem Ruck und auf einmal ändern. Er sieht, daß dies nicht möglich ist. Aber er sieht auch, daß der sichere Glaube, trotzdem sei es möglich, nötig ist, um auch nur einen kleinen Schritt zurückzulegen. Der Kampf mit dem Engel besteht darin: Nicht zu resignieren.

Resignation ist Vornehmheit.

Nicht vornehm sein!

Immer wieder steht der einfache Mann – auf den wir herabsehen – als Führer da. Immer wieder sind wir die, welche vom Volksmann geführt werden, da wir nicht selber führen!

Der einfache Mann, der Führer, ist weder talentlos, wie wir glauben mögen; noch ungenial, wie wir ihn zwecks verbitterter Karikatur einschätzen; noch ist er absonderlich zufällig. Sein Talent, seine Gabe, sein Genius, seine Notwendigkeit, ist: der vollkommene Mut sich ganz hinzugeben, nicht Eigener im Besitz einer Seele zu sein; ganz erfüllt noch im letzten Blutstropfen Vertreter des Geistes zu sein. Auch auf rückständig kindlichen Irrtümern noch der gerechte Führer zu Geistigem zu sein. Nichts übrig zu lassen von sich für einen anderen als den öffentlichen Menschen. Kein Privatleben, keine Privatansichten, Privatfreunde, Privatfreuden mehr. Gleichviel was er sonst hätte sein können, und wie in einem anderen Leben seine Gemütseinstellung zu uns gewesen wäre (eine Perspektive der Unwirklichkeit, nach der wir ihn fälschlich beurteilen); gleichviel: Er ist der öffentliche Mensch, und das ist er ganz. Dies ist, gesehen vom obersten Turm der Menschenschicksale, seine göttliche Stellung in der Welt. Er erfährt oft erst sehr spät, in der höchsten Krisis der Menschheit, daß er göttliche Gesetze ausführt. Er kämpft mit dem Engel, um seine Besitzlosigkeit zu wahren, um nicht abzufallen zu dem Parasitenluxus des Augurentums; um trotz seines Hindurchschlüpfens durch eine neuere und vielverbrannte Haut von Menschenkenntnis dennoch mit der Unmittelbarkeit des scheinbar Naiven auf das Geistige und Absolute hinzugehen.

Wir sehen nicht, wie er kämpft. Seine Robustheit erschreckt uns, und seinen göttlichen Platz in der Welt erkennen wir erst, wenn er unsere eigenen Unterlassungen vertritt und mit auf sich nimmt. Wenn er laut unsere Sache führt, die Sache des Geistes.

Doch unser eigener Kampf mit dem Engel liegt auf der umgekehrten Bahn. Wir müssen herabsteigen. Jeder Schritt, den wir aus unserer erhaben skeptisch überwissenden Isolation herab in die heilige Vulgarität tun, vollzieht einen Teil unserer Aufgabe in der Welt. Heraus aus unserer Seele! Hinab in die Allgemeinheit! Wir ringen mit dem Engel, weil wir ihn uns einverleiben wollen. Wir wollen selbst der Engel sein – und können uns nicht entscheiden, ob aus Hoheit oder Trägheit. Aber wir sind, im schönsten Fall, nur einfache Menschen. Wir können nicht aus uns heraus Gesetze diktieren. Uns diktiert sie der Geist, und wir sprechen sie nur gesetzgeberisch aus, in Not, weil kein anderer da ist, der es zeugnishaft und bekennend täte. Aber um Gesetze aussprechen zu können, um führen zu dürfen, müssen wir sie vom Munde unseres Lebensengels ablesen. Ablesen die Gesetze vom Munde des Völkergeschöpfes. Nichts mehr darf an uns bleiben von Überlegenheit. Nur Heiligkeit darf noch bei uns sein; aber mehr noch ist der Weg durch die Gosse. Erst wenn wir freiwillig vor der tiefsten Gewöhnlichkeit angekommen sind, erst dann sind wir befugt, Pläne zum geistigen Leben zu zeichnen: Führer zu sein. Zum Engel sprechen: „Ich lasse dich nicht, du segnest mich denn!" ist immer wieder der Akt höchster, hoffnungslosester Verzweiflung, und dennoch muß es immer wieder unternommen werden. Immer ziehen wir im Kampfe mit dem Engel den kürzeren. Der Engel fährt davon, wir behalten blaue Flecke. Aber erst die Wundflecke aus dem Kampfe, erst die ganze Haut ein einziges großes brennendes Wundmal des Kampfes; erst die ganze Notwendigkeit einer Erneuerung der Haut: Erst da ist die Segnung des Engels.

Erkennen wir: Nicht die einzelne, nur stets unerfüllte Wunschsekunde, sondern der ganze, vielzeitige Umfang und die Gestalt des langen Kampfes erst ist in Wahrheit unser Führertum!

Nicht eher werden wir unsere neue Erde bauen, als zwischen Gott und uns kein Ding mehr liegt, an dem wir uns zurückhalten können. Wir müssen ganz besitzlos sein. Jeden Besitz müssen wir erkannt haben als unsere Flucht vor dem Menschentum. Aber die letzte Barrikade gegen das Leben im Geiste, gegen die unbedingte Freiheit zu Gott, gegen unseren Weg zum Absoluten: ist die Seele.

Das Denken, der Wille, die Verwirklichung sind untrennbar voneinander. Aber schon das Denken, das nur mit unserem Leibe sich völlig decken muß, um uns zu geistigen Wesen zu machen, errichtet uns Hindernisse auf dem Wege zum Geist. Unsere Feigheit vor dem Verwirklichenmüssen rettet sich zu den niederen Anwendungsarten des Denkens. Die niederen Anwendungsarten des Denkens, da wo es aus seinem Leben als Aktivität des Geistes herabgleitet in ungeistige Surrogatprozesse, sind, auf der Seite der Abstraktion: der Formalismus; auf der Seite des Figürlichen: Das Bild, die Vorstellung. Mit dem Formalismus und mit der Vorstellung lassen wir künstlich Naturgegebenes schaffen. Wir stellen das schon Vorhandene noch einmal dar; so erzielt unsere Angst vor der Verwirklichung, daß durch den Mangel an Verwirklichungsursprung die isolierende Schranke – Machtgefühl, Verteidigung des Besitzes – nur noch größer wird. Aber diese Zwischenfälle können nicht unsere stetig sich erneuende Besinnung auf das geistige Schöpfertum des Denkens, auf seine Menschenformung, aufhalten. Denn so erschöpflich und endlich die Natur ist, so unerschöpflich ist das Denken. Wäre auch die Natur – wie pantheistische Begeisterung besinnungslos behauptet – unerschöpflich, so würde sie der Verwirklichung des Denkens nicht ihre gewöhnlichen, heftig einmaligen Hindernisse bieten, sondern gradweis infinitesimale. Aber das geschieht nicht. Sondern zwischen dem vorangehenden üblichen Auftreten von Hindernissen und ihrem ebenso späteren Nachfolgen tritt jener heilig erhabene Fall auf, in dem die Verwirklichung des Denkens hindernislos ausgeübt wird. Man nennt diesen Fall der hindernislosen Verwirklichung: den Glücksfall. (Die Tatsache des Glücksfalles erweist die Erschöpflichkeit der Natur. Hier sei gleich bemerkt, warum kein Pantheismus uns gestattet ist, selbst im – nicht zutreffenden! – Fall, die

Natur wäre hochwertig schöpferisch. Jede Gleichsetzung Gottes mit der Natur und der Welt; jede Repräsentation Gottes durch einen kosmischen Prozeß; jeder solche Determinismus: ist ein Beiseiteschieben des Ethischen.) Aber der Glücksfall ist kein Zufall. Vielmehr, er ist das Wunder. Und jedesmal, wenn der Mensch das Denken ganz mit sich identifiziert, wenn das Geistige so um ihn Sphäre bildet, daß die Natur auf ihre Endlichkeit sich zusammenziehen muß, dann perlen um ihn – unglaubhaft für die bloß elementar naturabhängigen Zuschauer, aber glaubhaft selbstverständlich für die Mithandelnden – die Wunder auf.

Die Welt könnte voller Wunder sein. Aber die Seele hält uns von ihnen zurück. Nicht das Geistige des Menschen, nicht sein wollendes Denken in Wirkung wartet auf das Wunder; das Denken tut das Wunder. Sondern die Seele wartet auf das Wunder. Die Seele wartet auf das Wunder, weil sie von ihm eine Bereicherung erhofft. Bereicherung des Besitzstandes. Die Seele ist vom Denken abgesondert, geflissentlich. Sie ist nicht da, um zu verwirklichen; sogar, sie will nicht verwirklichen. Sie will in sich sein. Die Seele ist ein Zufluchtsort, eine geheime Ecke. Ein Schatz. Ein Besitz. Eine Machtfülle. Ein Überlegenheitsmittel. Ein Gegebenes. Ein Erreichtes. Ein Ausruhplatz.

Es kommt aber darauf an, keine Zuflucht mehr zu haben. Es kommt darauf an, daß wir in die vollkommenste Verzweiflung gehen, wo wir nichts mehr zu retten haben. Kein Geheimnis mehr. Kein Fürsichsein. Kein Privatleben. Es kommt darauf an, zu verwirklichen. Es kommt darauf an, Besitz, Macht, Gegebenheit zu vernichten, um das Bewußtsein von der Existenz Gottes zu erreichen.

Die Seele ist unsere tötendste Ausschweifung. Immer wieder sucht sie uns das Maß der Welt anzulegen, wenn wir die göttliche Unermeßlichkeit des Geistes menschenhaft anrufen. Immer wieder, wenn wir schöpferisch für das Menschentum werden, sucht die Seele uns zu Einzelzellen zu machen, stolz auf das Vereinzelungstum ihrer Zelle.

Der Geist ist die Gnade Gottes. Er ist fremd allen unreinen Wesen.

Die Seele steht im Banne des Teufels.

Der Kampf mit dem Engel ist auch unser inniger Wille, das weltgebundene Sonderwesen der Seele aufzuheben, und die reine Lichtfortsetzung des Geistes zu werden.

Will man handgreiflich sehen, was die Vertretung des Teufels, die Vermenschlichung der Welt ist? die Seele?

Die Seele kennt nicht Werte. Nicht Recht noch Unrecht. Nicht den Ursprung der Handlungen noch ihr Ziel. Sie kennt nur Wirkungen, und sie nimmt alle als gleichen Sinnes an. Sie wird darum stets zur Apotheose der Gewalt bestrahlt, denn die Gewalt beruft sich auf Macht, Geheimnis und inneren Besitz. Gewalt findet stets als ihren dunklen Anwalt die Seele.

Aber der Geist allein leitet, auch in der letzten Bedrängnis noch seiner Blutzeugen und öffentlichen Münder, die Verteidigung des Rechtes.

Der Privatmensch gibt sich der Seele hin. Aber für uns gibt es kein Privatleben mehr. Wir, die Öffentlichen, die Geistigen, die Menschen: die Geistesmenschen – wir müssen in unserm Kampf mit dem Engel den Weg durch die Seele nehmen, wie wir den durch die Welt nehmen müssen. Offnen Augs, lichtumflammt vom Geist müssen wir durch das Dunkel. Auch dieser Weg wird uns nicht geschenkt.

Wir erinnern uns, daß wir die Welt geformt haben zu einem Glied des Geistes. Wir Wesen des Geistes.

Nun haben wir alles von uns abgetan, das uns noch band. Wir stehen nackt da, und selbst unser Leib, der mit Wunden aus dem Kampf bedeckt ist, ist uns nur noch wert als Mittel, unser Geistiges durch seinen Raum zu verwirklichen. So sind wir ganz herabgestiegen von unserm Adels-Sockel, wo wir als Vornehmer, als Seele, als Persönlichkeit, als Einzelner standen. Wir stiegen bis zur letzten Tiefe, die uns gerade noch vom Tod trennt. Wir haben nichts mehr von unserm Besitz aufzugeben und zu verlieren, wir sind besitzlos geworden. Wir haben nichts mehr zu bewahren: Nun können wir geben, so unerschöpflich wie der Geist durch uns strahlt. Zum erstenmal sehen wir.

[Ludwig Rubiner, *Der Mensch in der Mitte,* Berlin 1917, S. 155-190]

Nach Friedensschluß
(1917)

Danach wird ein Streit kommen, schrecklicher als der Weltkrieg einer war, jahrzehntelang. Menschenvernichtender noch, menschenbeseitigender, Menschenleugnender. Er wird viele Generationen wegwischen aus dem Gedächtnis der Kommenden; Jahrhunderte von gewesenem Leben werden von der zärtlichen Erinnerung künftiger Geschlechter ausgeschlossen sein, und dermaßen nicht mehr vorhanden, wie der Moder von altem Schutt – einst kostbarer Besitz – achtlos verweht und verstampft wird in Staub und getretene Straßen.

Aber auch schneidender, unmenschlicher, herzzereißender wird das sein. Denn gerade bessere Menschen, irgend hinter Verdunklungen dem Geistigen Nahe, werden anspringen, um zu zerfleischen.

Es wird ein Streit sein, den das letzte Mißverständnis gegen das Zeitalter des Geistes kämpft. Die letzte Halbheit, die letzte Ungläubigkeit, das letzte, geschärfteste, verstrickt teuflischeste Aufgebot des Aberglaubens von Besitz und Grenzen. Die Truppen der überzeugungslos Lauen, der früh Zufriedenen, der Unsicheren und der halben Brüder werden den Kampf gegen uns aufnehmen.

Die wahren Kameraden der neuen Zeit wissen, daß die Verwirklichung des Geistigen sich nur in den Handlungen des freien Menschen zeigt. Aber die Mißverständler alle stehen auf gegen uns. Und zuletzt treten die Halbbrüder und Halbfeinde gegen uns vor.

Doch es geht für den Geist. Der Geist wird Führer sein der kommenden Zeiten, in der hohen Selbstverständlichkeit eines Führertums, das nicht mehr von Persönlichkeiten abhängt. Und alles wird fallen und spurenlos vergehn müssen, was noch Anstrengungen macht, um die Faust auf die Welt zu legen und von ihr Besitz zu ergreifen.

Wir haben nicht das Recht, uns für uns allein zu entscheiden. Wir müssen die lebendige Verantwortung für die andern in unserer Entscheidung mit übernehmen. Also nur noch entschiedener müssen wir werden. Unzweideutiger noch müssen wir uns in das Bekenntnis zum Absoluten stellen. Wir dürfen uns nicht von List oder Bequemlichkeit vorspielen lassen, daß Führerschaft durch den Geist und der Weg der Unbedingtheit nur im Lande Niemals lägen. Jede übernationale Realität lehrt es heute schon besser. Galt nicht einmal das Gold als Werteinheit für eine angebliche Ewigkeit? Und heute müssen Sehende die Entwertung und rapide Relativierung des Goldes durch den Krieg feststellen.

Unsere besten Zeitgenossen erheben die Hand, und mahnen uns, Schlagworten zum Trotz, die neuen Gesellschaftsbildungen mancher Staaten nicht für Wege zum Sozialismus zu halten, sondern sie als Kriegsmerkantilismus zu erkennen. Aber auch darüber dürfen wir uns nicht täuschen, daß diese neuen staatsmerkantilen Zwangsformen nur durch ein halbes Jahrhundert sozialökonomischer Ideenvorbereitung möglich waren. Schreibt einmal einer das Kapitel von dem chaotischen Kontrapunkt der Geschichte im neunzehnten Jahrhundert? Dann darf die Enthüllung jener wilden Zufallskreuzung nicht fehlen: Wie der große Rhythmus einer menschheitlichen Volksumwälzung zur Gemeinschaft auf dem Erdball – in einem tollen Mißverständnis sich zu decken begann mit einem ökonomischen Rechtsstreit, der nur die materielle Umschichtung einer spezifischen Klasse propagierte. Dieser Absturz aller menschheitlichen Ziele ist eine Folge der unerhörten Kleingläubigkeit, in der ein Jahrhundert lang die umwälzungsbedürftige Gesellschaft sich das Maß der kleinsten Zufriedenheit gesetzt hat, glückselig schon, wenn eine Bewegung auch nur verschwommen ähnlich einer drängend nötigen Umschaffung unseres Lebens sieht. In absichtlichem Selbstbetrug ist man froh, Umwälzung der Gesellschaft schon mit bloßer Umlagerung der Vermögen zu identifizieren. Und diese Klasse? Das Proletariat. Als ob es heute nicht schon längst eine unorganisierte Schicht der viel tiefer Bedürftigen um die ganze Erde herum gäbe, ein Unterproletariat von allen Seiten der Gesellschaft her; eine Leidenslegion von blutend Isolierten, so tief leidend, daß sie nicht einmal bisher sich organisieren konnten wie der hochmütige Gewerkschaftsmann; eine Katastrophenarmee von Verzweifelten, die bereit sind das Wunder zu empfangen, während den sozial und ökonomisch vorgeschrittenen Organisationsproletarier schon lange allzu befriedigter Stolz auf Erreichtes in Angst vor dem Schritt zum Unbedingten hielt.

Der blinde Wunsch, eine Partei zu bilden, statt einer Gemeinschaft für Geistesrevolution, die doch in Wahrheit nur unter dem Zeichen einer absoluten schöpferischen Änderung des Bewußtseinsstandes der Welt marschieren würde, führte zu der nie verzeihlichen Sünde, demokratischen Sozialismus gleichzusetzen mit Klassenkampf. Aber niemand hat, bei allen Nationen, den Krieg moralisch so stark unterstützt wie das gewerkschaftlich befriedigte Geschöpf des Klassenkampfes. Die bewußt organisierten Proletarier aller Nationen sprachen dieselben Raubtierparolen, wie die früher von ihnen bekämpften Leiter ihrer Todesschicksale. Doch selbst die bescheidene Forderung des Klassenkampfes ist eine schon historische Forderung, und sie ernsthaft zu stellen und laut auszusprechen war nur möglich in einer Zeit von verhältnismäßig großer Freiheit. Das alles geht heute nicht mehr, das alles hilft heute nicht mehr, das alles gilt heute nicht mehr. Wie billig, bequem und roh, wie unverantwortlich und menschenunwürdig: alle unsere Erwartungen, Hoffnungen, unsere drängendsten Aufgaben abzuschieben auf das organisierte Proletariat! Wie aussichtslos verrucht der feige Wunsch: den organisierten Arbeiter einzuspannen als Todgeweihtes Tier in den Beutezug unserer Änderungslust – und dann tatenlos von ferne zuzuschauen, wie der Verhungerte noch im Maschinengewehrtode für uns siegt! Aber das wird nicht sein.

Wir müssen höher und viel tiefer steigen. Die nächste lebendige Formel über den Erdball hin, die den Menschen wieder in die Mitte des Lebens fordert, heißt heute: Sklavenaufstand.

Schon heute, noch mitten im Krieg, finden wir es merkwürdig, und nach dem Staub der subalternen Registraturen schmeckend, daß man früher jene Bewegungen, die auf eine höhere Ordnung der Erde hinzielen – Ziele, die heute jedem Spießbürger sehnsüchtig klar scheinen – mit unpositiven Schreckbezeichnungen benannte. Der französische Gewerkschafter Lagardelle hat (mit Parteinahme für die Gewerkschaft) die Ziele zweier gesellschaftskritischen Bewegungen gegenübergestellt, das des klassenkämpfenden Syndikalismus auf der einen Seite, und ihm gegenüber das der unbedingten Freiheitsforderung. Nach seiner klaren Formulierung gilt für den Syndikalismus: „Die soziale Frage ist eine Arbeiterfrage. Der Feind ist der Angehörige der andern Klasse. Das Ziel wird durch Entwicklung des Klassenbewußtseins erreicht. Der Ausgangspunkt ist das Interesse der Gesamtheit." Dagegen gilt für die Freiheitsbewegung: „Die soziale Frage ist eine Menschheitsfrage. Der Feind ist der befehlszwingende (autoritäre) Mensch zu welcher Klasse er auch gehört. Das Ziel wird durch Entfaltung des Menschheitsbewußtseins erreicht. Der Ausgangspunkt ist das Einzelinteresse." – Man sieht bei beiden Richtungen ihre menschheitlichen Qualitäten und ihre staubigen Einseitigkeiten. Heute geht uns die Diskussionsnervosität vergangener Denkschlachten nichts mehr an. Wir haben zu Fürchterliches durchgemacht und mit angesehen auf dieser Welt, als daß uns der Satz „Ausgangspunkt ist das Einzelinteresse" nicht heute kindlich blödsinnig erschiene. Wir haben zu große Hoffnungen für die Zukunft, als daß wir nicht das Wort: „Ausgangspunkt ist das Interesse der Gesamtheit" als jubelndste unserer Forderungen bejahen würden. Aber heute wird jedes mutige Herz für die Menschheit stimmen, nicht für die Gewerkschaft. Die atomistische Kleinlichkeit des Gewerkschaftsprogrammes ist heute jedem Auge sichtbar. Die edle Liebe zur Erde, die Entfaltung des Menschheitsbewußtseins – nicht natürlich in einem Einzelinteresse sondern in einem höchsten Gemeinschaftsziel – hat heute sogar schon letzte kleine Lichter auf die Friedensprogramme der einander feindlichen Staaten geworfen; und Regierungen arbeiten in ihren Manifesten heute selbst mit Grundbegriffen von Ideenrichtungen, die sie vor wenigen Jahren noch in grausamen Verfolgungen ausrotten wollten.

Es ist Zeit, eine Bewegung, die auf der Vereinigung von Menschheitsbewußtsein und Gemeinschaftswillen baut, nicht mehr nach dem ablenkend negativen Schlagworte chaotischer Isolation zu bewerten, nach allem was sie von sich ausschließt, sondern nach den unmittelbaren Ideen, welche ihr die führenden sind. Diese Ideen strahlen im Begriffe „Sozialismus" zusammen. Das ist: bewußt hilfreiches Gemeinschaftsleben einer freien Menschheit.

Aber die Menschen werden sich noch einmal vor eine ungeheure Prüfung gestellt sehen. Ein Riesenkessel von Verwechslungen, Vertauschungen aus Absicht, von Verkennungen wird kochen. Alles, was wir heute schon „Sozialismus" nennen, ist in Wahrheit getrübt durch die kurzfristigen Interessen des Relativen, durch Schiebungen zwischen Macht und geringerer Macht, durch Kompromisse voll von Grenzen. Gegenüber diesem unfreien, diesem nur bedingten Sozialismus ist heute der Kapitalismus fast unbedingt zu nennen. Darum wird auch nicht dieser ungelebte und nur abgenötigte Zehntelsozialismus dem Kriege ein Ende machen, sondern der Kapitalismus. Der Kapitalismus wird dem Krieg ein Ende machen im Kampfe gegen den Pseudosozialismus; er wird das dann tun wenn er sich ernstlich bedroht sieht. In dem Moment, wo der Torso-Sozialismus völlig in den Staat eingehen will, wird der Kapitalismus seinen geringern Gegner abschütteln, und in jenem sichersten Wirkungskreis des Kapitalismus: seiner Internationalität, die sich des Staates bedient, seine überstaatliche Macht erweisen. Nach diesem Kriegsende von Gnaden des um sich besorgten Kapitals wird noch einmal eine ungeheure Welle des kapitalistischen Sieges von innen her über die Welt stürzen; eine fürchterliche Begeisterung für das bunte Weltvarieté des Kapitalismus wird aufbrechen, und nichts wird billiger sein als das Mißverständnis des Sozialismus, nichts bequemer als seine Verachtung, nichts deutlicher als der Widerspruch zwischen dem Mißgeschick seiner Absicht und der allgemeinen Rührung über die vollzogene Tat seines leicht siegreichen Feindes.

Aber das Mißverständnis liegt schon darin, aus diesem Widerspruch Schlüsse zu ziehen. Das Mißverständnis liegt schon in der Frage: Kapitalismus oder Sozialismus? Diese Antithese ist Unsinn. Sie existiert gar nicht, nicht als Feststellung, und erst recht nicht als Forderung. Denn der Kapitalismus ist nur die Systematisierung des auf der Erde befindlichen und verschiebbaren „Wieviel", ein ewig zitterndes, ewig erschreckbares „Wieviel mehr? – Wieviel weniger?", und nur darum mächtig, weil die Majorität der Menschen gebannt mit ihm mitzählt. Aber der Sozialismus ist eine Gesinnung, keine Sachsammlung. Seine Weltfrage heißt: „Wie sehr?", und Intensität war noch überall das Manometerzeichen des Schöpferischen. Sozialismus ist Erdballbewußtsein; seine Gesinnung heißt: Erdballgesinnung. Der Kapitalismus ist das atavistische Angstgebild des alten Einzelmenschen der tief vergangensten Höhlenzeit, des relativischen Fatalisten, des Deterministen, des Materienfetisch-Anbeters, der in Blitz und Donner erschreckt den Menschen für ein mechanistisch gebundenes Vegetativgeschöpf der Erdnatur hielt. Ihm war der Mensch ein Teil der Erde. Wie ungeistig! Dagegen wie unerhört schöpferisch ist die Hingabe und Projektivität des Sozialismus in die Welt, wie unvergleichbar überzeugend. Ihm ist die Erde ein Teil des Menschen. Sein kühnstes und doch einfachstes Wort sprach der Sozialpolitiker Silvio Gesell („Die natürliche Wirtschaftsordnung"): „Die Erde gehört zum Menschen, sie bildet einen organischen Teil des Menschen. Die ganze Erdkugel, wie sie im Flug um die Sonne kreist, ist ein Teil, ein Organ des Menschen, jedes einzelnen Menschen". Wie geistig! Hier ist das Thema des neuen Menschen, aus ihm strömt die schwebende freie Polyphonie der neuen Zeit. Tausende von Menschen, einander Unbekannte, in allen Ländern über alle Grenzen hinweg fühlen diese Worte auf sich zukommen wie einen brüderlichen Händedruck. Denn das Stärkste, das sie aus diesen Worten hören, heißt: Freiheit und Gemeinschaft! Der ganzen Erde muß unser Schöpferbewußtsein und unsere Liebe gelten, wenn wir vor unsern Augen auch nur einen ihrer Teile als Völkergemeinschaft sehen wollen, ein brüderliches Europa.

[*Zeit-Echo,* 3 (1917), Juniheft, S. 1-5]

DIE GEWALTLOSEN
Drama in vier Akten

PERSONEN:

Der Mann
Die Frau
Klotz
Der Gouverneur
Anna
Nauke
Der erste Gefängniswächter
Der zweite Gefängniswächter
Der Offizier
Der erste Gefangene
Der zweite Gefangene
Der Kranke auf dem Schiff
Der Kapitän
Der Führer der Bürger
Drei Bürger
Der Bucklige
Der Krüppel
Der junge Mensch
Drei Revolutionärinnen der Stadt
Der Junge von der Straße
Der Herr im Zylinder
Die Frau aus dem Volk
Ein Soldat
Volk, Soldaten, Matrosen
Die Schiffsgefangenen

Die Niederschrift dieser Legende wurde im Januar 1917 begonnen, im Herbst 1918 beendet. Inmitten der härtesten Verzweiflungsjahre, während die Siege des Weltkapitalismus sich über den Völkern hin und her wälzten. – Zürich. –

Die Personen des Dramas sind die Vertreter von Ideen. Ein Ideenwerk hilft der Zeit, zu ihrem Ziel zu gelangen, indem es über die Zeit hinweg das letzte Ziel selbst als Wirklichkeit aufstellt.

ERSTER AKT

ERSTE SZENE: STRASSENECKE

DER MANN *an einer Ecke, schreit:* Hier ist es. Hier! Alles findet ihr hier. MENGE *sammelt sich.* EINE FRAU *aus der Menge:* Haben Sie hier Milch? EIN ALTER MANN *läuft atemlos herzu:* Sie sagen drüben, hier gibt es Fleisch! EIN HERR *mit Zylinder auf dem Kopfe:* Ist es wahr, daß man Kohlen kriegt? DER MANN: Umsonst! Ganz umsonst! Alles wird verschenkt!

Das Leben verschenkt! MENGE: Wo? DER MANN: Du kannst haben, soviel du willst. Jeder, der will, bekommt seinen Teil! MENGE: Ich war zuerst da. Ich! DER MANN: Niemand braucht länger zu warten. Aufgepaßt. Jeder bekommt gleich alles. Das Leben! EIN JUNGE *aus der Menge:* Der redet so ausländisch. Das ist gewiß ein Spion. EIN ALTER MANN: Wo ist die Polizei? Ich stehe schon eine ganze Nacht. Man weiß heute nicht, mit wem man zu tun hat. DER MANN *zum Jungen:* Du kriegst Zigaretten. *Zum alten Mann:* Ihr kriegt alle Brot! DIE FRAU *aus der Menge:* Ich kann nicht länger. Ich falle um. DER MANN: Ihr braucht nicht mehr zu leiden! *Zu der Frau:* Halten Sie noch einen Augenblick aus, es wird alles gut. DER ALTE MANN: Vor dem Sterben noch was essen! DER MANN: Sie brauchen nicht zu sterben. Seht mich an, ich sterbe auch nicht. Niemand braucht zu sterben. Ihr könnt alles Leben haben, das ihr wollt! Ihr wollt, ihr wollt, ihr wollt! MENGE: Ja! DER MANN: Ihr wollt frei sein. Ihr werdet nicht sterben. DER JUNGE: Die Polizei kommt! AUS DER MENGE: Maschinengewehre. Militär! Die Truppen. DER MANN: Die Soldaten sind eure Brüder, sie dürfen nicht schießen. MENGE *Tumult:* Sie schießen! *Dunkel.* DER MANN *aus dem Dunkel:* Soldaten, Brüder! Ihr dürft nicht schießen!

ZWEITE SZENE: ZIMMER

DER MANN: Jetzt haben sie den Eingang zum Nebenhaus. DIE FRAU: Es geht gegen Morgen, ist das nicht Brandgeruch? DER MANN: Sie legen Feuer, damit wir herauskommen. DIE FRAU: Ich rede mit dem Offizier. DER MANN: Nein. Sie sollen mich nicht lebendig haben. DIE FRAU: Was hilfts dir, wenn du tot bist? – So ist noch eine Möglichkeit. DER MANN: Sie sind schon auf dem Dach. Wir haben keine Waffen. DIE FRAU: Ich winke mit dem Tuch aus dem Fenster, dann holen sie uns. Ich will nicht ersticken, wie die drüben. DER MANN: Wir können nicht mehr heraus. DIE FRAU: Wenn ich sie hereinlasse, kommen wir vielleicht noch davon. DER MANN: Nein. Sie schießen auf uns. Lieber wehren, bis zum letzten Moment. DIE FRAU: Womit willst du dich wehren? DER MANN: Wir haben keine Waffen. Ich kann mit dem Stuhl den ersten, der zur Tür kommt, niederschlagen. DIE FRAU: Das ist nur einer; sie schießen die Wände ein und kommen durchs Fenster. Dem ersten, der kommt, springe ich an den Hals und beiße ihm die Gurgel durch. Dann weiß man, wofür man stirbt. DER MANN: Nein – das rettet uns nicht. Sie morden – wir nicht! DIE FRAU: Aber wie davonkommen – ohne Gewalt? DER MANN: Mord und Gewalt ist nicht dasselbe! DIE FRAU: Verwirr mich nicht. Ich sehe nur dies: Unser heutiges Leben – Gewalt. Unser Ziel – Gewaltlosigkeit!

DER MANN: Luise, ich höre sie kommen. Es ist unser letzter Augenblick. DIE FRAU: Es ist heiß im Zimmer. Der Brand von nebenan schlägt herüber. DER MANN: Ich werde mich ergeben, dann wird dir nichts geschehen. DIE FRAU: Nein, so nicht. Ich habe mit dir gekämpft. Ich lasse dich nicht im Stich. DER MANN: Es wird hell draußen. Ich nehme alles auf mich. Bleib hier. Ich gehe ihnen entgegen. DIE FRAU: Bleibe. Ich lasse dich nicht. Wir sterben zusammen! DER MANN: Nein, nicht sterben. Ich will nicht sterben. Wir haben noch nichts getan. DIE FRAU: Zu spät. DER MANN: Zu spät oder nicht. Wie still es ist. Man hört nur die Schüsse, wie in einer Fabrik. Die Straße ist ganz still.

DIE FRAU: Du bist jetzt so ruhig. Fast könnte ich Mut haben. DER MANN: Wir haben nichts zu verlieren. Glaube nur diesmal noch. DIE FRAU: Wir sollten uns nicht rühren, wenn sie kommen. DER MANN: Dann machen sie uns nieder. DIE FRAU: Sie sollen uns niedermachen. Sie sollen uns binden, sie sollen uns erschlagen. DER MANN: Sie werden uns foltern, wie sie die Kameraden gefoltert haben. Sie werden uns Geständnisse erpressen, und dann erschießen sie uns. DIE FRAU: Sie erpressen uns nichts. Wir wehren uns nicht, und wir schweigen. DER MANN: Ich rühre mich nicht. Unser Wille ist mehr als ihre Gewalt! – Es geht zu Ende. Luise, küsse mich. DIE FRAU: Nein, nicht küssen. – Denke ganz an mich. DER MANN: Jetzt ist alles gleich. Du bist mein Freund, meine Schwester, mein Wesen, meine Frau. Es ist gleich, ob sie uns martern. Das ist gekommen, wann ich es nicht mehr erwartet habe. DIE FRAU: Ich umschlinge dich ganz fest. Ich denke nur von dir. – Sei ganz bei mir. Nun können sie morden. DER MANN: Ich will nur noch bei dir sein. Ich höre nur dich. Ich bin so stark bei dir. DIE FRAU: Alle Menschen stoßen mich zu dir. Ich höre nur deine Stimme noch. Wir sind ganz allein. DER MANN: Wir sind ganz allein. Alle sind tot. Ich weiß nur noch von dir. Ich habe nur noch dich. Vielleicht entkommen wir über die Leiter an der Wand. DIE FRAU: Sie sehen uns. DER MANN: Sie werden uns nicht sehen. Ich will. DIE FRAU: Ich will, daß sie uns nicht sehen. Ich will so stark, daß ich lautlos und wie eine Tote unsichtbar bin. DER MANN: Ich will, daß wir leben. Wir dürfen noch nicht hin sein. DIE FRAU: Ich will, daß du lebst. Wir haben noch alles zu tun. DER MANN: Komm, leise. Hinab. Ich will, daß wir ein Schatten der Mauer sind. Verschwinden. DIE FRAU: Verschwinden unter den Steinen, unter den Menschen für das Leben. Ich glaube an dich. DER MANN: Fliege mit mir, komm. Ich will. Halte dich an mir. Wir schweben. DIE FRAU: Hinunter. Hilf mir. Ich will. DER MANN: Glaube, daß du träumst. Fliege im Schlaf; du rührst nur leise die Füße. Niemand sieht dich. DIE FRAU: Ich schwebe mit dir. *Im Dunkel nur die beleuchteten Köpfe von Mann und Frau.*

DER MANN: Jetzt. Wir fliegen. DIE FRAU: Es wird so dunkel. Hinab. Wer zieht mich hinauf? DER MANN: Rund um mich ist dunkel. DIE FRAU: Meine Füße sind nicht auf Festem. Der Boden sinkt. DER MANN: Unten ist hell. DIE FRAU: Wir sind in einem Gang. DER MANN: Schreite, schreite. Es brennt wie Feuer. Komm hindurch! DIE FRAU: Mit dir. Wo sind wir? Ich strecke den Arm, ich fühle keine Wände. Ein runder Gang ist um uns. DER MANN: Hinab. Es reißt uns hinab. Rasende Schnelligkeit. Woran halt ich mich fest? DIE FRAU: Halte mich fest. Ich sinke. DER MANN: Wer ist da? Ich ersticke. Ist ein Mensch da? Wer steht da im Dunkel? DIE FRAU: Hindurch! O eile. DER MANN: Die letzte Kraft. Wir sind in einer finsteren Höhle. Ich sterbe für dich. DIE FRAU: Lebe und töte mich. Ich bin nicht mehr. DER MANN: Luft. Atme! Ich sehe Sterne. Es ist fest unter meinen Füßen. Luise, frei! DIE FRAU: Daß ich noch lebe! Fort, fort. Es ist mein Leib. DER MANN: Wir leben. Kein Mensch wird mehr sterben. Wir helfen allen. Wir sind stark.

DRITTE SZENE: STRASSE VOR DEM ZIMMER

Der Mann und die Frau machen den letzten Schritt aus dem Dunkel auf die helle Straße. Vor ihnen Trümmer einer Barrikade.

DIE FRAU: Wir sind auf der Straße. Komm. Nun hab' ich Kraft für die Ewigkeit.

Vor dem Zimmer ein Schuß. Die Türe wird aufgebrochen. Soldaten dringen ins halbdunkle Zimmer mit Laternen.

VIERTE SZENE

DER MANN UND DIE FRAU *auf der Straße:* Ich lebe! *Sie winden sich durch die Trümmer der Barrikade, sehen sich schwankend in der Straße um:* Komm schnell. Leben! DIE FRAU: Komm, eh das Wunder zerbricht! DER MANN: Leben! Für die Menschen! Nun hab ich Kraft auf ewig.

FÜNFTE SZENE:

DER MANN UND DIE FRAU *eilen ab. Noch ehe sie die Bühne verlassen, treten Soldaten auf.*

SOLDATEN: Halt, wer da? DER MANN *zur Frau:* Du schnell fort. Zum Schiff. Ich werde frei! *Zu den Soldaten:* Was wollt ihr? *Die Frau eilt nach der anderen Seite ab.* SOLDATEN: Entwischt! Das Weib ist uns im Dunkel entwischt! Dafür haben wir den Kerl. *Sie packen den Mann und schleppen ihn fort.*

SECHSTE SZENE

DER OFFIZIER *im Zimmer:* Wer hat sie entwischen lassen?

SIEBENTE SZENE:

EIN SOLDAT *stürzt auf:* Wir haben ihn. Er wird gefesselt abtransportiert. *Dunkel.*

ACHTE SZENE: IN DER FESTUNG. RAUM DES GOUVERNEURS

DER GOUVERNEUR: Sie geben also alles zu. KLOTZ: Ja. DER GOUVERNEUR: Wollen Sie jetzt das Protokoll unterschreiben? KLOTZ: Ja. DER GOUVERNEUR: Sie werden nicht gedrängt. Sie können es sich überlegen. KLOTZ: Ich habe es schon überlegt. DER GOUVERNEUR: Es ist gut, daß Sie sich so vernünftig benehmen. Wir brauchen keine scharfen Mittel gegen Sie anzuwenden. KLOTZ: Die würden nichts nützen, Herr Gouverneur. DER GOUVERNEUR: Seien Sie nicht hochmütig. Ich kenne diesen Ton bei den Untersuchungsgefangenen, er hört bald genug auf, wenn es Ernst wird. Sie sind nicht der erste mit dem ich zu tun habe. KLOTZ: Ich weiß. Aber ich bin nicht stolz.

DER GOUVERNEUR: Sehen Sie doch ein, daß Ihre Handlungsweise unrecht war. Sie war aber auch unsinnig. Ein Mann von ihrer Intelligenz hat nicht das Recht, unverständige Kreaturen aufzureizen. Das werden Sie ja büßen. Aber ich meine, Sie mit ihren Fähigkeiten könnten der Gesellschaft wirkliche Dienste leisten. Ich sage nicht, kommen Sie zu uns. Aber ich sage: lassen Sie Ihre bisherige Tätigkeit. KLOTZ: Nein, Herr Gouverneur.

DER GOUVERNEUR: Glauben Sie doch nicht, bei mir mit diesem Trotz Achtung zu erregen. Das hat gar keinen Sinn. KLOTZ: Nein, es hätte keinen Sinn. Es ist aber nicht um zu imponieren, und es ist auch kein Trotz. DER GOUVERNEUR: So, was ist es denn? KLOTZ: Es ist mein Glaube. DER GOUVERNEUR: Ihr Glaube? Aber sehen Sie denn nicht, daß er Sie irregeführt hat? KLOTZ: Nein. DER GOUVERNEUR: Ja, so sind alle Fanatiker. Sie haben einen Glauben, aber der andere hat keinen oder einen falschen! KLOTZ: Ich weiß. Auch Sie, Herr Gouverneur, sind ein Mensch. DER GOUVERNEUR: Lassen wir diesen Ton. – Ernstlich. Sehen Sie mich an. So, wie ich vor Ihnen stehe – warum meinen Sie denn, stehe ich hier, wenn ich nicht auch ich meinen Glauben hätte? KLOTZ: Nein, das ist nicht der Glaube. Das ist die Macht. DER GOUVERNEUR: Die Macht, sagen Sie. Ja, ich habe die Macht. Und der beste Beweis gegen Sie ist, daß Sie sie nicht haben. KLOTZ: Nein. DER GOUVERNEUR: Ah, und warum haben Sie sie nicht? Fehlte nur noch, daß Sie mir sagen, weil Sie sie nicht wollen. KLOTZ: Ja, weil ich sie nicht will. DER GOUVERNEUR: Nun schön. Ich lasse Sie jetzt abführen. Ich sehe, ich habe mich zu weit mit Ihnen eingelassen. Es ist immer wieder dasselbe: Sie und Ihre Genossen glauben bei der geringsten menschlichen Regung von unsereinem das Recht zum Mißbrauch zu haben. Es soll nicht mehr vorkommen. KLOTZ: Macht, was ist das? Ihre Zentralheizung, Ihr Telephon, Ihre elektrische Klingel, Ihre Beamten. DER GOUVERNEUR: Meine Beamten. KLOTZ: Ihre Beamten – wie lange? Solange Sie auf Ihrem Posten sind. Solange Sie leben. Solange Ihre Beamten leben. Übrigens, sind Sie Ihrer Beamten sicher? DER GOUVERNEUR: Solange ich lebe, und solange die anderen leben. Solange überhaupt Menschen leben. KLOTZ: Ah, und wieso stände ich denn hier vor Ihnen? Wie kommt es, daß Sie und Ihre Organisation vergeblich versuchen, meinen Mund zu schließen? Seit Jahrhunderten versuchen Sie das vergeblich. DER GOUVERNEUR: Vielleicht muß auch das sein. Sie sind nur das dunkle Feld – Ich sage nicht einmal: die Gegenseite! – auf dem unser Bau reiner und höher dasteht. Vielleicht sind Sie sogar nötig, um unsere Macht leuchtender und bewußter zu machen. Aber das hindert nicht, daß wir Sie und Ihre Kameraden aus der Welt schaffen. Und wissen Sie, wer uns dabei am meisten zu Hilfe kommt? Sie selbst. Was wollen Sie? Sie wollen selbst die Macht. In allen Ländern ist es das gleiche: Ihre Freunde schreien so lange, bis sie sich emporgeschrien haben. Schließlich ist alles nur eine Personenfrage. Zufall, daß nicht Sie hier an meiner Stelle stehen, sondern ich. KLOTZ: Wäre das so, wie Sie sagen, dann hätten Sie nicht das Recht, an dieser Stelle zu stehen. Sind Sie denn dafür, daß in der Welt ein Mensch, besinnungslos vielleicht, einen anderen Menschen beschimpft, oder quält, oder krank macht, oder zuletzt mordet? Nein, dafür sind Sie nicht. Sie sind auf Ihrem Posten, weil Sie glauben, daß dadurch mehr Gerechtigkeit herrscht. Sie vertreten die Gewalt, in Wahrheit, weil Sie glauben, daß Sie dadurch der Güte dienen. Aber Sie haben immer in einer einzigen fürchterlichen Angst gezittert: Man könne Ihnen wegnehmen, was Sie besaßen. Toll vor Angst haben Sie sich in den Jahren Ihren Posten erarbeitet, mit Fleiß, mit Klugheit, mit Protektion, mit Energie. Sie haben heute die Verfügung über Gefängnisse und Maschinengewehre. Und Sie stehen inmitten Ihrer Macht und zittern vor jeder Sekunde Ihrer Zukunft. Aber schon für eine schwache Stimme, wie die meine, für einen Mann, den Sie und Ihre Auftraggeber mit einer kleinen Verfügung beseitigen können, müssen Sie Ihre ganze Geistesgegenwart und Ihre Nervenkraft zusammennehmen. Für uns Schwache müssen Sie dieses große Haus hier mit dicken Mauern bauen, Schildwachen davorstellen. Unablässig müssen Sie eine Armee von Spitzeln in Tätigkeit setzen, Sie müssen die Marterschreie anderer Menschen erdulden. Ihr Leben vergeht in einem angestrengten Unsinn. Ihre ganze Macht ist dazu da, daß Sie Ihrer Angst vor sich selbst ewig neu preisgegeben sind.

DER GOUVERNEUR: Ich höre Ihnen geduldig zu und lasse Sie für Ihre Reden nicht bestrafen. Sie sehen, ich gebrauche meine Macht sehr milde. KLOTZ: Sagte ich denn, daß Sie, Sie, die Macht haben? Sie selbst sind doch ein Werkzeug der Macht, ein Sklave der andern sind Sie, wie die Wächter draußen Ihre Sklaven sind. Wissen Sie denn noch, was der Mensch ist, was Leben ist, was Freiheit ist? Sie lassen die Menschen peinigen, foltern, morden. Und Sie haben nur die Angst, daran zu denken, daß die Schmerzen, das geronnene Blut und das erstickte Leben der Gepeinigten und Hingeschlachteten Sie einmal anklagen wird bei der Menschheit, anklagen vor dem Ende der Welt, bei allem anklagen, was in uns noch Menschlichkeit war – und daß der Schrei der Gefolterten Finsternis in Ihre Seele bringt und Ihnen das Herz aus dem Leibe reißen wird. DER GOUVERNEUR: Warum sagen Sie mir das? Erwarten Sie vielleicht davon Ihre Freiheit? KLOTZ: Nicht von Ihnen. Wollen Sie es wissen: Ich bin frei. Hier im Gefängnis. Sie nicht. Sie haben alles zu verlieren, ich nichts. Ich bin es, der zu schenken hat! DER GOUVERNEUR: Sie schenken? KLOTZ: Das Geschenk des Menschen: die Freiheit. DER GOUVERNEUR: Ja, mit Worten! KLOTZ: Wenn Sie wollen, mit der Tat! – Wollen Sie! DER GOUVERNEUR: Was? KLOTZ: Das Letzte. DER GOUVERNEUR: Und? KLOTZ: Kommen Sie mit mir!

DER GOUVERNEUR: Sehen Sie sich um: Das alles bin ich, dieses ganze Haus bin ich. Diese Lampe hier brennt durch mich. Der Schritt des Wächters, den Sie draußen hören, geschieht durch mich. Wäre ich nicht da, so griffe alles ins Leere. Diese Mauern wanken. Das bröckelt in einem Nu zusammen, und an seinem Platz ist ein Schutthaufen, auf dem Kinder und Hunde spielen. KLOTZ: Sie sagen es: Kein Gefängnis mehr, sondern ein Schutthaufen, auf dem Kinder und Hunde spielen. Durch Sie. Wunderbarer Tag! DER GOUVERNEUR: Aber ich darf nicht. KLOTZ: Dann lassen Sie mich hier und gehen Sie allein.

DER GOUVERNEUR: Hier meine Hände, so leer wie sie, ist mein Leben. Ich brauche ja nichts. Ich bin allein. Ein Einzelner. Der andere nach mir läßt alles wie es war, und mein Sprung war nur für mich. KLOTZ: Ah, ein Mensch nur, der den Sprung tut, ein einziger nur, der sich ganz besinnt, daß er Mensch ist: Und Sie haben alle Macht der Welt vernichtet. Unüberwindlich wären Sie, ein Keim, der durch die Luft fliegt, unsichtbar, allgegenwärtig durch alle Wände, und danach zerfiele alle Gewalt der Erde wie eine schimmelige Bude in der Feuchtigkeit. Sie sind der Mensch. Sie sind: Wir alle. Und nur, der es wagen würde, ahnungslos an Ihre Stelle zu treten und die Räder der Macht weiter kreischen zu lassen, der wäre ein Einzelner. Grauenhaft allein wäre der unter den neuen Menschen, morsch, zum sicheren Sturz ins tödliche Vergessen verurteilt, wie ein angefaulter Telegraphenmast vom Wind gefällt wird. Die Macht liegt hinter Ihnen. Sie sind frei. Sie wissen, daß Sie frei sind. Kommen Sie! DER GOUVERNEUR: Meine Macht? Dieses Schlüsselbund hier auf dem Tisch ist meine Macht. Da ist der Schlüssel zu meiner Wohnung. Hier zu meinem Schreibtisch. Der da zu diesem Zimmer. Und das ist der Schlüssel zu den Verfügungen. Hier sind sie. Nehmen Sie sie. Ich gebe sie Ihnen. Mit diesem kleinen Stückchen von geschmiedetem Eisen befehlen Sie die Welt. KLOTZ: Nehmen Sie die Schlüssel zurück. Ich will sie nicht. Ich brauche sie nicht. Ich befehle nicht.

DER GOUVERNEUR: Sie stehen vor mir so weit, daß ich nicht einmal die Arme nach Ihnen strecken kann. Dieser Boden ist ein spitzes Gebirge. Kann ich mich noch retten? KLOTZ: Sie sind gerettet, Sie sind hinter dem Tod. Nun gehen Sie. DER GOUVERNEUR: Ich bin frei. Ich weiß es. Aber wohin gehe ich? KLOTZ: Zu den Menschen. DER GOUVERNEUR: Wer ist das? Ich bin ein Mensch, Sie sind ein Mensch. Ist es nicht Übermut zu gehen? Ich bin geboren und geschaffen in diese Welt hinein, in der ich gelebt habe. Wenn ich mit dir gehe, ist das nicht Lüge? Ich befehle Armeen und gewinne Schlachten. Die Sonne geht morgen auf, ich werde Armeen von Menschen befehlen, und Menschen werden von mir sich befehlen lassen! Ändert sich etwas? Die Macht bleibt. Ich weiß zuviel von den Menschen. Ich bin allein. Ich bin kein Bruder.

KLOTZ: Nein. Du bist nicht mehr allein. Niemand ist allein. Jeder von uns ist eine riesige, glühende, rote Sonne im Weltraum, sie scheint mild und klein hindurch in ein Krankenzimmer, und da erst weiß man von ihr. Ah, ich fühle es: Die Gewalt ist tot in dir; aber du zitterst noch vor deiner Erkenntnis? O strecke nur zum erstenmal die Hand aus, nicht um zu befehlen, sondern um zu helfen. Wende nur zum erstenmal den Kopf, nicht um zu richten, sondern um zu führen. Du bist geboren von Millionen Geschlechtern hervor aus dem Licht, um ein wehender Mensch zu sein, ganz unter den Menschen. Alles, was mit dir kam, und in dir, alles, was Erkenntnis weiß, schwingt sich durch das Blut deiner Adern in deinen Handgriff, mit dem du hilfst. Du warst einsam; aber dein Wissen, das dich trennte, springt unter den Menschen um in Tat. Wir alle werden unter den Menschenbrüdern sein, keiner mehr groß, keiner mehr klein. DER GOUVERNEUR: Wohin? Wohin? KLOTZ: In unser Reich. Wir bauen mit dir die neue Erde. Bruder!

Wir warten auf dich. DER GOUVERNEUR: Ihr wartet auf mich? KLOTZ: Ja. In Freiheit, in Liebe, in Gemeinschaft: Die ganze Menschheit zu befreien! Wirf deine Knechtschaft von dir, sei frei – frei! Mensch, der du in Wahrheit bist! Stoße die Angst von dir! Hilf der Menschheit. Du unser Bruder! DER GOUVERNEUR: Mensch sein. – Bruder. – Ich gehe mit dir!
Dunkel.

NEUNTE SZENE: GEFÄNGNIS

Eine Bank, auf der zwei Wächter der Gefangenen sitzen.

ERSTER WÄCHTER: In den Zellen geht etwas vor. Da ist nicht alles in Ordnung. ZWEITER WÄCHTER: Es ist alles ruhig. Ich habe eben noch einmal inspiziert und durch die Türen gesehen. Was sollte auch geschehen? Wir haben das neue Alarmsystem. Es kann gar nichts vorkommen. ERSTER WÄCHTER: Es geht etwas vor seit die neuen Gefangenen da sind. Wenn man zwanzig Jahre Dienst in der Festung tut, fühlt man es am Rücken, ob etwas nicht in Ordnung ist. ZWEITER WÄCHTER: An deinem Rücken spürst du das? Die Kerle sollen es an ihrem Rücken spüren, wenn sie sich unterstehen! ERSTER WÄCHTER: So etwas sagt man hier nicht. ZWEITER WÄCHTER: Wußte nicht, daß ich in einem Jungfernstift bin. ERSTER WÄCHTER: Grünling! Bei uns heißt es: Kein Wort mit dem Mund, aber alles mit dem Gummiknüppel. ZWEITER WÄCHTER: Habt ihr noch mehr von solchen Bibelsprüchen? ERSTER WÄCHTER: Wir schlagen nie. Der Gefangene hat sich immer gestoßen. ZWEITER WÄCHTER: Kenn ich vom Irrenhaus her: Der Patient kommt in Gummi, der kann kein Glied mehr rühren, auch wenn die Ohrfeigen von selbst kommen; nur noch schreien, und das hört keiner. Wenigstens uns hat das Schreien noch nie beim Essen gestört. ERSTER WÄCHTER: Wir sind hier nicht im Irrenhaus, junger Mann. Das hier ist eine anständige Festung. Da schreit keiner, denen ist das Schreien schon längst vergangen. Wenn da so eine feine, blanke Haut von draußen kommt, wo wir sehen, der hält nicht still; so einer wird gleich in eine Ecke gesteckt, wo ihm monatelang im Dunkel das Wasser von den Mauern über die Knochen rieselt. ZWEITER WÄCHTER: Und wenn er euch krank wird? ERSTER WÄCHTER: Soll er ja auch, du Anfänger! Ich geh gewiß nicht im Pflegerkittel zu ihm. So einen haben wir bald mürbe.

ZWEITER WÄCHTER: Du sagst aber selbst, daß in den Zellen etwas vorgeht! ERSTER WÄCHTER: Das ist was andres. Das spür ich. Vor zwanzig Jahren, als ich den Dienst antrat, hab ich es schon mal so gespürt. Damals haben wir ein halbes Dutzend mit unseren eigenen Händen still machen müssen. Die andern wurden an der Mauer von den Posten abgeknallt. Der letzte bekam's so, daß er bald am Schädelbruch starb. Seitdem heißt es, man soll nicht mehr schlagen. ZWEITER WÄCHTER: Weiß schon. Heute haben wir gebildetere Zeiten. ERSTER WÄCHTER: Du meinst, weil der Sträfling photographiert wird? Ich spür's doch im Rücken, daß etwas vorgeht, ich spür's viel stärker als damals; zwanzig Jahre lang war hier ein so stilles Leben, und heute ist mir auf einmal, als ob die Steine aus den Wänden fliegen und die eisernen Türen von Pappe sind. Ich bin gar nicht sicher.

ZWEITER WÄCHTER: Mach doch eine Meldung. ERSTER WÄCHTER: Ich kann's nicht beweisen. Dann heißt es nur, ich bin zu alt zum Dienst geworden. ZWEITER WÄCHTER: Wie lange muß ich Dienst machen, um dein Gehalt zu kriegen? ERSTER WÄCHTER: Für dich, mein Jüngelchen, aus dem Amt fliegen? Und was soll meine Frau und meine Tochter machen? ZWEITER WÄCHTER: Wie alt ist deine Tochter? ERSTER WÄCHTER: Und dann ist noch das Kind da; das Dreinschlagen nützt nichts, die Weiber wollen ihr Leben haben. ZWEITER WÄCHTER: Wenn aber deine Tochter heiratet, dann bist du doch versorgt. ERSTER WÄCHTER: Der Kerl, von dem das Kind ist, der ist längst über alle Berge. Heiraten? Auf dem Halse habe ich sie, und ich habe doch in meinem Alter so sehr meine Ruhe verdient. ZWEITER WÄCHTER: Ich muß gleich wieder Runde machen. Wenn du meinst, daß in den Zellen nicht alles in Ordnung ist, will ich den Revolver mitnehmen. – Kannst du nicht einen jungen Mann für deine Tochter brauchen? ERSTER WÄCHTER: Das heute ist kein Revolvertag, ich weiß das. Du willst meine Tochter heiraten?

ZEHNTE SZENE

Während die Wächter weitersprechen, erscheint hinter der Gittertür der Zelle der Mann. Der Mann hinter den Gittern in Ketten.

ZWEITER WÄCHTER: Wieviel Gehalt kriegst du? ERSTER WÄCHTER: Wenn du Anna heiratest, das ist was anderes; da kommst du einmal an meine Stelle. ZWEITER WÄCHTER: Und das Kind von deiner Tochter? ERSTER WÄCHTER: Ich lege ein Wort für dich beim Gouverneur ein. ZWEITER WÄCHTER: So alt das Kind ist, soviel Dienstjahre krieg ich von deinen. ERSTER WÄCHTER: Ich muß jetzt in den Keller, wo der Sträfling an die Mauer gekettet steht, seine achtundvierzig Stunden sind abgelaufen. ZWEITER WÄCHTER: Der wird nicht über heiße Füße klagen. Du gehst morgen zum Gouverneur? ERSTER WÄCHTER: Wenn du ernstlich einheiraten willst, gehe ich zum Gouverneur.

DER MANN: Gouverneur! Wo ist der Gouverneur? Ich will nicht länger. ERSTER WÄCHTER *zum zweiten:* Hol mir die Schlüssel, ich muß die Ketten aufschließen. ZWEITER WÄCHTER: Wieviel hast du in Ketten? ERSTER WÄCHTER: In jeder Kellerzelle einen.

DER MANN: Die Ketten ertrag ich nicht länger. Ihr sollt mich haben. Ich bin ein einfacher Mensch. Die Augen, die durch die Gittertüre grinsen. In der Nacht krachen die Ketten an mir wie Stücke Eis. Ich will alles sagen, was ihr haben wollt. Ich bin fertig. Ich mache nicht mehr mit. Wenn ihr mich leben laßt, werde ich Schreiber. Ich werde Hausierer. Ich werde Knecht. Ihr könnt mich schlagen. Fragt mich. Preßt mich doch aus. Ihr könnt alles wissen. Ich will frei sein. ZWEITER WÄCHTER: Wie frei der Kerl hier schreien darf! Müßte ihm das Maul stopfen. ERSTER WÄCHTER: Das ist noch nichts. Am Anfang beginnt's immer so mit Kleinigkeiten. Aber wenn er erst gegen uns tobt, dann ist's Zeit, ihn zum Schweigen zu bringen, daß er jahrelang noch Schmerzen spürt, wenn er nur von einer Wächterjacke träumt! DER MANN: Ihr verfluchten Hunde, laßt mich frei. Ihr Marterschweine, die Ketten herunter! Ihr Lumpendreck, der stinkende Teufel hat euch ausgeschissen, ihr tierisches Spitzelpack, ihr seid nie Menschen gewesen, als Nägel, als Peitschen, als Ketten seid ihr geboren, darum quält ihr Menschen! Ich spucke euch an, foltert mich; schließt mir den Mund, ich kotze euch doch an. Stecht mir die Augen aus, und wenn ihr sie schon tot an die Erde geschmissen habt, werden sie sich noch unter eurem Fuß vor euch ekeln! ERSTER WÄCHTER: Er beginnt. Jetzt ist's Zeit. Hol die Schlüssel. Nimm die Gummiknüppel mit. Auch den Knebel, es brennt mehr, wenn er nicht schreien kann. Bring auch meine Tochter mit dem Kinde mit, es macht der Kleinen immer Spaß, wenn wir einen Anfänger vornehmen. Es soll ja eigentlich nach der Vorschrift nicht sein, aber bei der Art Gefangenen erfahren die Herren doch nie, was wir tun! Mach schnell, die Sachen sind in meinem Zimmer, sag's meiner Tochter. ZWEITER WÄCHTER: Der sieht bald, wie ihm ohne Ketten zumute wird. Wußte nicht, daß ein Spaß für das Mädel dabei ist. ERSTER WÄCHTER: Eil dich! *Zweiter Wächter ab.*

ELFTE SZENE

DER MANN: Aus. Nun ist keine Hoffnung mehr. Ich war schwach, habe sie beschimpft. Die Gitterstäbe sind ganz schwarz und fest da; erst waren sie fast durchsichtig, daß ich glaubte, ich könnte nur durch sie hindurchgehen, wenn die Ketten fort wären. Es ist so trübe, früher zischte ein blaues Licht hinter mir. Als ich schwach wurde, flammten ihre Jacken auf wie gelber Dampf. Das Leben ist vorbei. Meine Knochen werden in der Dunkelheit zerkracht werden, mein Fleisch wird mir heruntergefetzt, ich werde hier wie ein blinder Wurm mich zu Tode zucken. ERSTER WÄCHTER: Es ist zu spät, zu bereuen. DER MANN: Bereuen? Welches Wort. Ich bereue nicht, denn ich war es nicht, es war die Dunkelheit, ich hatte alles an mir vergessen. ERSTER WÄCHTER: Seit ich in der Festung bin, höre ich von jedem Sträfling dieselben Worte. Der Mensch ändert sich nicht. DER MANN: Der Mensch! Wo war ich? Der Mensch. Ich vergaß. Der Mensch ändert sich nicht. Ich war es nicht, der gegen euch schrie. Ich ändere mich nicht, ich bin immer vom Licht geboren. Dieses Gefängnis hat gegen euch geschrien, die Stäbe, die zerpressenden Mauern, die Ketten. Ihr werdet das Gefängnis foltern. Ich bin der Mensch und ich lebe für den Menschen. Das Gefängnis ist tot und morsch. Ich habe dir nichts Böses gesagt, Wächter, die Mauern hier haben dich beschimpft. Du bist ein Weiser, du warst gütig; du hast recht: der Mensch ändert sich nicht. Du bist es nicht der mich quält, du hast mich nicht zum Haß gereizt. Du bist ein Mensch. Das war das Gefängnis um dich. Du wirst mich nicht foltern, du verkaufst deine Tochter nicht dem andern, du nicht. Das Gefängnis. Die gelben Flammen eurer Jacken, die Dunkelheit um euch, du nicht, du bist Mensch. ERSTER WÄCHTER: Schweige. Reden wird bestraft.

DER MANN: Ich verstehe. Oh, nun kommen wieder helle Lichter um mich. Ja, schweigen in sich, sich sammeln. Nicht dem Munde entlassen, was tot ist und nicht vom Menschen kommt! Welche neue Ruhe um mich. Diese Ketten tönen an mir wie Seidengerausch. Wächter, ich sehe jetzt dein Gesicht, deine Backenknochen, deine Augen. Dein Kleid ist nicht mehr gelb; ich sehe alles; es ist sanft und hell um mich, Wächter! ERSTER WÄCHTER: Ich antworte nicht mehr. DER MANN: Du bist ein Mensch wie ich, nicht niedriger als ich. Du brauchst dich nicht zu rächen. Du hast deinen Willen wie ich; du brauchst nur Antwort zu wollen. Warum gibst du deine Tochter dem anderen Wächter? ERSTER WÄCHTER: Will versorgt sein. – Aber das geht dich nichts an! DER MANN: Nein, es geht mich nichts an, du hast recht. Es geht deine Tochter an; weißt du, wenn sie will, könnte sie eine feine Dame sein. ERSTER WÄCHTER: Hat schon ihr Kind von der Feinheit. DER MANN: Eine große Dame, eine Gräfin, eine Prinzessin, eine Fürstin! ERSTER WÄCHTER: Wir sind arme Leute, nicht einmal wenn Urlaub ist, kriegen wir große Damen zu sehen. DER MANN: Aber ihr seid Menschen, man vergißt das mitunter. Du brauchst nur zu wollen. Den festen Willen haben, dann kommt alles. Ich will auch. ERSTER WÄCHTER: Nützt dir nichts. Was kannst du machen? DER MANN: Viel, Nachbar; höre, warum hast du keine Auszeichnung auf der Brust? ERSTER WÄCHTER: Unsereiner hat noch Jahre zu dienen, ehe er die Medaille kriegt. DER MANN: Medaille – nein. Ich könnte dir einen Orden verschaffen, einen schönen Orden, zweiter Klasse für Ehrendienste. ERSTER WÄCHTER:

Einen Orden – ohne daß ich auf Krücken ginge? DER MANN: Du brauchst nicht auf Krücken zu gehen. Du sollst deine geraden Glieder haben als richtiger Mensch. Deine Tochter bekommt einen vornehmen Mann. Du brauchst nicht mehr in den feuchten Gängen im Dunkel zu leben. Ihr lebt wie Menschen, im hellen Licht, unter Menschen, in der Freiheit. ERSTER WÄCHTER: In der Freiheit habe ich lange nicht mehr gelebt. DER MANN: Aber ich. Ich kenne sie. Ich lebe für die Freiheit. Kamerad, ich befreie dich! ERSTER WÄCHTER: Freiheit, o das habe ich schon seit Jahren vergessen. Man brauchte nicht Dienstberichte mehr abzufassen. Niemand wär, der mir kommandierte. Leben unter feinen Menschen. Man könnte ganz von vorn anfangen, als wenn man jung wäre. DER MANN: Du bist jung. Wer von vorn anfängt, ist jung. ERSTER WÄCHTER: Aber du bist ja selbst nicht frei! DER MANN: Ah, ich nicht frei? Schau zu mir herein, was siehst du? Siehst du meine Ketten? Nein, du sieht meine Augen, die umhergehen, wie sie wollen. Du siehst meinen Mund, der zu dir spricht, die Lippen, die Zähne, die Zunge; meinen Kopf siehst du, der jahrelang für dich gedacht hat! Ich sage dir, Kamerad, Bruder, erinnere dich, daß du ein Mensch bist, wie ich. Sei frei! ERSTER WÄCHTER: Und meine Frau, meine Tochter und das kleine Kind? DER MANN: Laß sie. Geh, schnell. Du hast Jahre Zeit gehabt, nun ist die Stunde für dich gekommen, laß sie nicht vorbeigehen. Sie kommt auch für die andern. Kümmere dich zuerst um dich.

ERSTER WÄCHTER: Bruder, was soll ich tun? Ich weiß, das Leben ist nun anders für mich. Ich will keinen Orden. Ich will dir helfen. DER MANN: Hilf mir nicht, hilf dir, Bruder. ERSTER WÄCHTER: Bruder, sag das Wort! Ich bleibe, was ich bin. Ich schaffe dich aus dem Gefängnis. DER MANN: Nein, ich bleibe. Gehe du, schnell, eh die andern kommen! Hinaus, eil dich, für immer aus der Festung, zu den Brüdern. Sie brauchen neue Menschen, hilf ihnen. ERSTER WÄCHTER: Freund, nimm diesen Händedruck von mir, ich bin ein alter Mann. Wo sind sie? DER MANN: In deiner Hand pulst ein Siebzehnjähriger. Draußen wartet das Schiff auf die neuen Menschen. Ich weiß, heute nacht geht es aufs Meer. ERSTER WÄCHTER: Auf das Schiff! Und du? DER MANN: Ich bleibe. Ich gehe nicht eher, als diese Mauern vor meinem Mund in Freiheit zerwehen. Geh, du mußt!

ERSTER WÄCHTER: Das Blut stürzt durch mich, als wäre ich über Äcker und Flüsse gesprungen. Ich will! Zu den Brüdern! Aufs Schiff! *Ab.*

DER MANN: Große helle Wölbung Licht strahlt. Lichtschalen schweben um mich her. Eine blaue sanfte Flamme rollt durch mein Blut. Durch die Mauern brennen meine Augen Lichtwurf. Dieses Haus ist weiches Glas.

ZWÖLFTE SZENE

ZWEITER WÄCHTER *kommt:* Hier die Schlüssel, deine Tochter bringt die Buckeljucker. DER MANN: Zu spät. Wir sind allein. ZWEITER WÄCHTER: Maul gehalten endlich, Sträflinge! Wo bist du, Alter? DER MANN: Was nützen deine Folterwerkzeuge. Wir sind allein. ZWEITER WÄCHTER: Still. Der Alte kommt gleich; dann vergeht dir das Geschwätz. DER MANN: Der Alte ist fort, für immer. ZWEITER WÄCHTER: Was heißt das? Du bist fest, in Ketten, du hast ihn nicht erschlagen. Wo ist er? Im Hause geht was vor. Meuterei! DER MANN: Freiheit. Er ist in die Freiheit! ZWEITER WÄCHTER: Zu Hilfe! DER MANN: Niemand hilft dir. Du kannst dir nur selbst helfen. ZWEITER WÄCHTER: Was soll ich tun? Ich steh unter seinem Befehl. DER MANN: Befiehl dir selbst. Was willst du? ZWEITER WÄCHTER: Ich kann nicht. Ich weiß nicht wohin. Wenn der Gouverneur kommt, werde ich davongejagt. DER MANN: Dann bist du frei. ZWEITER WÄCHTER: Ich kann nicht. Ich sollt seine Tochter kriegen; feste Anstellung, doppelte Dienstjahre. Ich verhungere. Was soll ich denn machen. DER MANN: Halte dich an die Menschen. ZWEITER WÄCHTER: Ich kenne keine. Vielleicht bist du ein Mensch. Vielleicht kannst du helfen. Sträfling, hilf mir! DER MANN: Du mußt die Tochter lassen. ZWEITER WÄCHTER: Mir ist sie gleich, die Hure. Sag nur, was ich tun soll! DER MANN: Du bist jung. Du hast Kraft. Draußen vor der Stadt warten die Kameraden im Schiff. Geh zu ihnen. ZWEITER WÄCHTER: Ja, ich gehe. Ich tue alles, was du sagst. Aber wem soll ich da gehorchen? DER MANN: Du sollst keinem Menschen gehorchen, nur dir. ZWEITER WÄCHTER: Ich kann nicht. Ich muß meinen Befehl haben. – Gleich kommt die Tochter, dann weiß ich nichts mehr. Ich schließe deine Zelle auf, ich nehme deine Ketten ab. Schnell, komm mit mir. Sag, wohin! DER MANN: Nein. ZWEITER WÄCHTER: Ich flehe dich an, komm mit mir. DER MANN: Nein. ZWEITER WÄCHTER: Komm mit mir, du bist frei, du sollst nicht mehr gefangen sein. Hier sind die Schlüssel. Ich halt es nicht mehr aus, das Haus erwürgt mich. Rette mich! DER MANN: Besinne dich, du bist ein Mensch, du bist frei. Hast du eine Mutter? ZWEITER WÄCHTER: Nein, was fragst du? Ich kann nicht mehr! Ich hab sie erschlagen, als ich zu den Soldaten ging, niemand weiß es. Oh, die Schlüssel brennen wie glühend in meiner Hand, weg mit ihnen! Verdammt, warum bin ich je hergeraten! DER MANN: Aufs Schiff, in das neue Leben, die Kameraden helfen dir. ZWEITER WÄCHTER: Es ist aus; die Tochter kommt! DER MANN: Fort mit dir. Vergiß diese Festung. Laufe! Schnell in die Freiheit, unter Menschen, in ein neues Leben. ZWEITER WÄCHTER: Menschen! Hilfe! Menschen! *Ab.*

DREIZEHNTE SZENE

DER MANN: Und nun, Wunder, sei bei mir. Licht strahle aus mir. Laß diese Eisen an mir verbrennen, wie die Jahre im Hauch der Erde.

Die Tochter des Wächters, Anna, kommt mit dem Kinde an der Hand. ANNA: Wo seid ihr, Lumpenkerle? Jämmerlinge sind diese Männer. In der Festung rumorts, und ihr seid nicht zu finden, habt euch verkrochen wie die Schnekken, damit keiner von euch dafür einsteht! DER MANN: Sie sind fort! ANNA: Fort? Was für eine zimperliche Stimme. Bist du das Sträfling, hast du schon dein Teil gekriegt, komm ich zu spät? DER MANN: Die Wächter sind fort. ANNA: Was soll das? Warum ist keiner hier? Ich will mein Leben haben! Seit Tagen spitz ich drauf, daß der Alte dir den Buckel vollschlägt. Soll ich vielleicht an den Gitterstangen rauf und runterrutschen? DER MANN: Dein Kind! ANNA: Das Kind? Sieht oft genug zu. Wo sind die andern? DER MANN: Frei. ANNA: Was redest du da sinnlos? DER MANN: Am Boden liegen die Schlüssel! ANNA: Die Schlüssel! Wer hat sie hingeworfen? DER MANN: Dein Bräutigam. Er ist fort. ANNA: Bräutigam? Der Weichling. Wo ist mein Vater? – Aber was frag' ich dich, den Sträfling? DER MANN: Dein Vater ist mein Kamerad, mein Bruder. Unter die Menschen, Kameraden. In ein neues Leben. In die Freiheit. ANNA: In die Freiheit? Der alte Narr. Keiner mehr da: warte einmal, dich will ich mir schon holen. – Da die Schlüssel. Ich mach dir jetzt auf. Hast du Hunger, oder bist du schon mürbe geworden im Keller? DER MANN: Mach meine Zelle nicht auf. ANNA: Ho, du wärst ja der erste Sträfling, der gefangen bleiben wollte. DER MANN: Ja, ich will bleiben, geh! ANNA: „Geh?!" Wohin denn? Vielleicht zu den andern? Hab ich nicht nötig. Hab an mir genug. KIND: Mutter, an mir! ANNA: Schweig, Fratze. Sei froh, daß du überall dabei bist! KIND: Mutter, hier ist es nicht lustig. DER MANN: Da liegen die Schlüssel. Die andern sind fort, selbst der Gouverneur ist fort. Wir sind die einzigen. ANNA: Sie sind toll geworden. DER MANN: Nein, nicht toll. Sie sind frei. DAS KIND: Mutter, hier ist ein Schlüsselbund. Horch nur, wie schön das klingelt! DER MANN: Dein Kind hat die Schlüssel. Das ganze Haus ist in deiner Macht. ANNA: In meiner Macht? *Das Kind klingelt mit dem Schlüsselbund.* Ich habe noch nie Macht gehabt, was kann ich damit tun? – Ha, ich weiß, du willst heraus! – O ich kenne die Menschen. DER MANN: Ich will nicht von dir befreit sein. Ich will dich befreien! ANNA: Mich befreien! *Das Kind klingelt.* Was soll ich damit. Ich kenne nur Lust, und ich kriege jeden Mann, den ich will, es sind genug an die Mauer geschlossen. Es ist alles nicht wichtig, und nachher ist alles wie es immer war. DER MANN: Doch, es ist alles wichtig. Es bleibt nicht, wie es war. Du hast die Macht. Du kannst davongehen und alle Gefangenen im Hause verhungern lassen.

ANNA: Es kommt vielleicht nicht mehr darauf an. Wir haben sie schon halb tot gequält. DER MANN: Aber du kannst auch fortgehen, Feuer an das Haus legen und die Schlüssel hineinwerfen! ANNA: Das will ich nicht.

DER MANN: Sieh auf diese Schlüssel. Sie sind hell. Ein Licht geht von ihnen aus. Jeder ist eine kleine blaue Flamme. Das kommt aus uns und das geht wieder zu uns zurück. Alle Menschen, die einmal geliebt haben, haben ihren Hauch in diese Gefängnisschlüssel geschickt. Sieh, wie es um sie strahlt. Du hast dein Leben in den Folterkellern verbracht, du kennst die Menschen im Dunkel, du sahst auf ihren Gesichtern nur Gewalt. Du hast nur die Angst und die Gier gesehen. Aber als du dein Kind bekamst, in der Nacht, im dunkelsten Schlaf, in deinen Träumen, da war es bei dir hell, du wußtest, daß du auch geliebt werden kannst; bei dir stand ein strahlender, schöner Mensch in weißem Licht, den hast du geliebt, für den warst du da. Der war in dir. Und nur am Tage fandest du die Gemeinheit in den Gefängniskellern. Dein Leben, wenn du bei dir warst, wenn du ruhtest, dein Leben in dir: war Liebe und Helligkeit. Du warst geliebt. Du kannst helfen! ANNA: Helfen! *Das Kind klingelt mit den Schlüsseln.* DER MANN: Hilf! Du wirst den andern helfen, allen. Diese Schlüssel, dieses kleine klingende Blinkfeuer weht die Gefängnismauern um! ANNA: Helfen. – Ich. – Mir ist so sanft. Wer bin ich? Ich bin ganz allein. Ich schwebe hinauf, ich fliege, ich bin so leicht. Um mich ist nur weißes Licht. Ich will hinaus in das Licht, hinauf. Ich bin nicht mehr allein. Sie schweben alle in dem Licht; der Alte schwebt da mit dem langen Bart, den sie dreimal in der Woche hungern lassen. Über mir – der hält mir die Hände entgegen, goldene Flammen – der Geschlagene, den sie an die Mauer gekettet haben. O, da bist du, ganz hoch oben, ganz weit, du, du winkst mir, du bist zu weit, ich kann nicht zu dir kommen, hilf mir, du – DER MANN: Ich bin dir nah. ANNA: O habe ich dich gesehen? Habe ich dich geliebt? Liebe ich dich? Bist du es? DER MANN: Nein, nicht ich. Alle. Du bist auserwählt. Dein Leben wird Aufscheinen unter den Menschen sein. Hilf ihnen! ANNA: Ich bin ganz neu. Ich habe das nicht gewußt. Was ist das in mir? DER MANN: Freiheit. ANNA: O ich bin dir ganz nah, ich könnte durch dich hindurchgleiten, verschwinden um dich, über dir, unter dir, um dich sein. Ich könnte dein Bett, deine Bank sein, deine Wand, dein Gitter, deine Ketten, deine Zelle, das Haus um dich. Das alles ist fort. Ich sehe nichts mehr, nur Licht, auf und ab und schwebende Menschen drin. – Freiheit! – *Bricht zusammen.* DAS KIND *klingelt lange mit den Schlüsseln.*

DER MANN: Freundin, Schwester, Kameradin! Hilf ihnen! ANNA: Wohin? DER MANN: Auf das Schiff. In das neue Leben. Die Brüder warten. ANNA: Und du? DER MANN: Erst sie! Befreiung, alle, sie warten jahrelang! ANNA: Freiheit. O Freiheit für die Menschen! Und daß ich meine Augen und meine Hände und meinen Leib habe, ihnen zu helfen! Ich gebe ihnen die Freiheit, ich Arme! Aber sind sie nicht begraben und vermodert und vergessen? Zu Hilfe, o her zu mir, zur Freiheit! *Ab.*

VIERZEHNTE SZENE

DAS KIND *läßt die Schlüssel fallen!* Die Mutter läuft in den Keller hinunter. Hörst du wie sie an den Türen schreit? Ich will mit! DER MANN: Nein, bleibe hier. Die Mutter will, daß du bei mir bleibst. DAS KIND: Hörst du, wie sie unten schreien? Ich habe Angst. DER MANN: Hast du oft Angst? DAS KIND: Nein, sonst nie. DER MANN: Du brauchst auch jetzt keine Angst zu haben. Ich bin ja bei dir. DAS KIND: Du bist aber ein Gefangener! DER MANN: Nein, nicht mehr! Hörst du, sie haben aufgehört, jetzt ist es ganz still. DAS KIND: Ich glaube, außer uns beiden ist niemand mehr da. DER MANN: Mein Kind, das ist die Freiheit. DAS KIND: Was ist das, die Freiheit? DER MANN: Die Mutter wird es dir sagen. Nimm die Schlüssel und schließe hier auf. *Das Kind schließt die Zelle auf.* DAS KIND: Führst du mich auch zur Mutter? DER MANN: Ja, ich führe dich zur Mutter. Nun wirst du bald mit vielen lustigen Menschen spielen, willst du? Wir gehen mit deiner Mutter auf ein ganz großes Schiff, schönes Schiff. DAS KIND: Ich war noch nie auf einem Schiff. DER MANN: Nun hier noch den kleinen Schlüssel für die Ketten. Mein Kind, du hast das Wunder gesehen! *Die Ketten fallen ab. Dunkel.*

FÜNFZEHNTE SZENE: DAS SCHIFF AM HAFEN

NAUKE *am Landungssteg geht als Posten hin und her, in teils zu weitem, teils viel zu kurzem Anzug mit sehr kleinem Kinderkragen:* Auf – ab. Auf – ab. Kehrt! Nauke auf Wache! Was sag ich: Wache? Revolutionsposten! Eine Ehre, Nauke, eine Ehre, das bitt ich mir aus! Das hätt auch niemand gedacht! In dieser Zeit hat jeder Posten den Präsidentenstuhl im Tornister. Präsidentenstuhl? Ein ganz gewöhnlicher Lehnsessel wär mir jetzt lieber. *Gähnt.* Auf – ab. Auf – ab. Kehrt! Verdammt kalt! Großartige Revolution – und nicht einmal einen Tropfen trinken! Aber, aber, aber Nauke! *schlägt sich auf den Mund, sieht sich um* wenn das nur niemand gehört hat! Na, wartet nur, wenn ich erst mal dran bin, dann wird ein Fäßchen aufgeschlagen, ein Fäßchen – mit einem Wort: ein Revolutionsfäßchen! ... Auf – ab. Auf – ab. Ich hoffe doch, so wirds nicht weitergehen, sonst könnt mir die ganze Revolution gestohlen ... *fährt zusammen, sieht sich ängstlich um, klopft sich wieder auf den Mund:* Gesegnet sein, natürlich gesegnet sein, Nauke! – Das ist öde hier. Da wird einem so schön gesagt: „Du erwartest die Brüder" – und dann kommt keiner. Nicht einmal die Schwestern! Hätt ihr nur was zu trinken, dann könnt ich meine Revolutionsrede ebenso gut halten, wie die andern. Ich glaube, den beliebten Ton treff ich herrlich. In der Art: „. . . Brüder, Schwestern, Eure Zukunft liegt auf der Liebe!" Wunderschön! Es geht, es geht Nauke! Du wirst deinen Weg machen!

Am Hafen vor dem Landungssteg nähern sich Klotz und die Frau.

SECHZEHNTE SZENE

NAUKE: Es ist schon Morgen. Und ich bin immer noch trocken. *Bemerkt die beiden, nimmt Würde an.* Halt, wer da? Ah, ihr seid es! Wo bleiben die Kameraden? KLOTZ: Sie müssen kommen, sie haben das Zeichen gegeben. NAUKE: Bist du sicher, daß sie frei sind? Wir können nicht mehr warten. DIE FRAU: Nur noch einen Augenblick Geduld! Ich möchte auch lieber mit Euch auf hoher See sein, uns brennt die Polizei im Nacken. NAUKE: Wenn wir so lange warten, bis die erste Runde kommt, sind wir verloren. Dann merken sie, daß wir die Offiziere eingeschlossen haben. DIE FRAU: Ihr habt sie nicht umgebracht? KLOTZ: Das hat keiner von uns beschlossen. NAUKE: Da kommt er! Schnell, letzter Augenblick!

SIEBZEHNTE SZENE

Der Gouverneur kommt.

DER GOUVERNEUR: Sind alle da? NAUKE: Nein, aber wir können nicht länger warten, sonst sind wir entdeckt. DER GOUVERNEUR: Wir müssen auf die Kameraden warten! Wir müssen die Gefahr auf uns nehmen. DIE FRAU: Wir sind verloren, da sind schon Leute, die nicht zu uns gehören.

ACHTZEHNTE SZENE

Der alte Mann und der Junge von der Straße sind gekommen und streichen umher.

DER JUNGE: Matrose, hast du nicht 'ne Zigarette, mir stehen die Augen aus dem Kopf, habe schon so lange nichts mehr im Magen. DER ALTE MANN: Lasst mich doch mal einen Augenblick sitzen, ich geh schon seit Tagen ohne Obdach, mir ist es so kalt. NAUKE: Verboten. Niemand darf an Bord.

NEUNZEHNTE SZENE

Der erste Wächter verwirrt auf der Flucht, läuft auf das Schiff zu, hinter ihm der zweite Wächter.

ERSTER WÄCHTER: Kameraden? NAUKE: Wohin? ERSTER WÄCHTER: Ins neue Leben. ZWEITER WÄCHTER *erreicht ihn*: In die Freiheit! NAUKE *macht Platz:* Eilt euch!

Erster und zweiter Wächter, Klotz und Frau, Gouverneur werden von Nauke über den Steg an Bord geschoben.

DER ALTE MANN UND DER JUNGE: Ich will auch an Bord. Ich will mich setzen. Was zu essen! Warum sollen die es besser haben!

ZWANZIGSTE SZENE

Volksmenge ist dazugekommen, streicht am Landungssteg umher.

RUFE: Wir wollen aufs Schiff! Aufs Schiff! NAUKE *zu den Kameraden auf dem Landungssteg und an Bord:* Jetzt ist es zu spät. Der Lärm verrät uns. Wir müssen abstoßen. Wer nicht da ist, muß an Land bleiben. DIE FRAU: Nur eine Sekunde noch, sie müssen ja kommen! NAUKE: Nein! Da, der Lärm an Bord? Wir sind verraten! *Ruft ins Schiff:* Kameraden, Wache, zu den Waffen!

Lärm an Bord.

EINUNDZWANZIGSTE SZENE

ANNA *kommt atemlos auf der Flucht mit einem alten, weißbärtigen Gefangenen und einem zweiten jüngeren Gefangenen*: Hier, kommt doch, wir sind da, wir sind in Freiheit! Helft mir, schnell, sie können nicht gehen! *Der alte und der junge Gefangene werden über die Landungsbrücke an Bord geschoben.* ANNA *will an Bord*: Halt, wo ist mein Kind? *Neuer Lärm an Bord.*

NAUKE: Alle an Bord! Jede Hand ist nötig! Abstoßen! ANNA: Nein, halt! Wo ist mein Kind? Ich gehe nicht eher!

ZWEIUNDZWANZIGSTE SZENE

Oben auf dem Deck der Kommandobrücke erscheint ein Kapitän, umgeben von einem Knäuel ringender Matrosen.

KAPITÄN: Hilfe, Meuterei an Bord, Hilfe! DAS VOLK *am Hafen kommt in immer größeren Scharen.* DER JUNGE *ruft*: Runter mit dem Kapitän!

DREIUNDZWANZIGSTE SZENE

Auf der Kommandobrücke tauchen der Gouverneur, erster und zweiter Wächter auf, und überwältigen den Kapitän.

GOUVERNEUR: Anker lichten! Abstoßen! ANNA: Mein Kind! Klotz! Zu Hilfe! *Der Mann kommt mit dem Kind auf dem Arm.*

VIERUNDZWANZIGSTE SZENE

DER MANN: Kameraden! – Freiheit! DAS VOLK: Das Militär! *Der Mann läßt das Kind zur Erde. Anna läuft ihrem Kind entgegen. Der Mann betritt das Schiff.*

Trommelwirbel hinter der Szene.

DAS VOLK: Die Soldaten!

FÜNFUNDZWANZIGSTE SZENE

Die Tochter eilt mit dem Kind an der Hand auf das Schiff. Am Schiffseingang erscheint, im Schiff, – inmitten des Knäuels von Kämpfenden der Kapitän, ringt sich los, springt auf den Landungssteg. Der Kapitän packt das Kind an der Hand und springt mit ihm an Land. Im selben Moment wird der Landungssteg ins Schiff eingezogen. Man hört einen Ruf: ,,Die Anker!" Die Anker gehen hoch. ANNA *am Schiffseingang*: Mein Kind! *Sie wird zurückgerissen.*

SECHSUNDZWANZIGSTE SZENE

Militär tritt auf, an der Spitze der Offizier.

KAPITÄN: Meuterei! Ergebt euch, das Kind ist Geisel! DER GOUVERNEUR *oben auf dem Verdeck*: Unsere Geiseln sind die Deckoffiziere. DER OFFIZIER: Das Kind wird erschossen! ANNA: Sie werden es nicht wagen! DER GOUVERNEUR *auf der Kommandobrücke*: wir erschießen die Deckoffiziere! ERSTER UND ZWEITER WÄCHTER *neben dem Gouverneur*: Nein, wir schießen nicht, Brüder keine Gewalt! KLOTZ: Kameraden, ihr seht wir können nur mit Gewalt das Kind befreien, nur jetzt nicht weich sein! ANNA: Mein Kind! Sie werden es nicht wagen! Nein, nicht schießen. Nicht

Gewalt! Du hast uns gelehrt: Nicht Gewalt! DER OFFIZIER *Unten am Hafen*: Ergebt euch, zum letzten Mal! DAS VOLK: Das Schiff stößt ab! DER OFFIZIER *reißt den Revolver hervor, zielt auf das Kind*: Haltet das Schiff an! DER JUNGE *aus der Menge:* Das Schiff fährt ab! *Der Offizier gibt Feuer. Das Kind sinkt tot um. Das Volk durchbricht die Kette der Soldaten.* DAS VOLK: Mörder! DER OFFIZIER: Mörder! Ich Mörder! *Er springt auf den Schiffseingang und befindet sich auf dem Schiff vor Anna, die mit geballten Fäusten vor ihm steht.* ALLE BRÜDER *auf dem Schiff rufen gleichzeitig einstimmig*: Wir töten nicht!!!

SIEBENUNDZWANZIGSTE SZENE

Auf dem Schiff. Der Hafen, das Volk und das Militär werden in diesem Moment in Dunkel gehüllt, man hört nur noch ferne, dumpfe Stimmen. Nur das Schiff selbst ist hell beleuchtet.

DER OFFIZIER: Ich Mörder! Ich habe es gemordet! Hier bin ich, macht mit mir, was ihr wollt! Ich will nicht länger leben! ERSTER UND ZWEITER WÄCHTER, DER MANN UND DIE FRAU: Nicht schießen! KLOTZ: Kameraden, der letzte Kampf! ERSTER UND ZWEITER WÄCHTER, DER MANN UND DIE FRAU: Nicht Gewalt! Brüderschaft! DER OFFIZIER *springt auf den Gouverneur zu*: Ich will nicht mehr leben! Macht mich nieder, gleich! DER GOUVERNEUR: Mörder, Mörder. Ich müßte dich töten. Ich kann es nicht mehr. Die um uns sind stärker als unsere rohen Hände. Hier ist Freiheit. MATROSE: Das Schiff ist auf See! Hohe See! ANNA: Mein Kind, – Mord! KLOTZ: Wir sind auf hoher See. Neues Leben. Freiheit! NAUKE: Gerettet. Für die Freiheit, für das neue Leben. Für die neuen Menschen! ANNA: O, und warum mußte ein neuer Mensch sein neues Leben geben? DER GOUVERNEUR: Für die Menschheit! ANNA: Und wer hat das Recht dazu, Menschen für die Menschheit sterben zu lassen? DER GOUVERNEUR: Die Gemeinschaft. DER OFFIZIER: Lüge, Lüge, Lüge! Sie will, daß wir leben!

Ende des ersten Aktes.

ZWEITER AKT

AUF DEM SCHIFF

ERSTE SZENE

NAUKE: Eßt, Jungens, eßt! Wenn ihr nicht satt seid, eßt weiter. Das ganze Schiff ist für euch da! Seit wir unterwegs sind, tue ich auch nichts anderes. DER ERSTE GEFANGENE: Freiheit. Es ist so gute Luft; hab ich schon zwölf Jahre nicht mehr geschluckt. NAUKE: Gute Luft? Find ich nicht. Seit wir vom Meer in den Fluß gelaufen sind, legt sichs mir dick über die Nase. ZWEITER GEFANGENER: Kann der Offizier nie seine Uniform abtun? Das bohrt mir die Augen ein, ich bin noch nicht ganz in die Freiheit gesprungen, solang ich die Streifen sehe. NAUKE *zum Offizier:* Zieh den Rock aus. Zwölf Jahre lang hat dem Alten die Uniform das Leben verdorben. *Der Offizier zieht den Rock aus.* NAUKE: Das ist das neue Leben, seht ihr? Wir werden noch manchem den Rock ausziehen. ERSTER GEFANGENER: Gerad das stand auf den Blättern gedruckt, deswegen sie uns eingesperrt haben. Der Staatsanwalt sagte ... NAUKE: Ach, laß den Staatsanwalt, es gibt keinen Staatsanwalt mehr! Als ich noch ein Junge war, hab ich mir schon hinter jedem Polizisten gesagt: einmal bin ich groß, und dann: den Rock herunter. Da seht ihr – wir haben jetzt die neue Welt, alle müssen den Rock ausziehen! ZWEITER GEFANGENER: Genau das hab ich in meiner Verteidigungsrede vor Gericht gesagt, ich sagte ... NAUKE: Laß das Gericht, Bruder, es gibt kein Gericht mehr. Wir reden nicht mehr, wir machen das wirklich. Was? Das ist ein Spaß, wies jetzt alle Tage geht. Wir heran an ein Schiff, überrumpeln, die Mannschaft festlegen, dem Kapitän die Uniform vom Leibe und alle herunter ins Verdeck zu den Gefangenen schmeißen! Ich habs geahnt, – als Schiffsjunge, als Schornsteinfeger, als Scherenschleifer – hab ichs schon geahnt, daß es so kommen mußte. – Offizier, hast du auch satt gegessen? OFFIZIER: Bin nicht hungrig. Ich esse, wenn wir anlegen. NAUKE: Hungre, Bruder Mörder, hungre ruhig, hier kann jeder essen und hungern, wie er will. Das ist die Freiheit, seht ihr!

ERSTER GEFANGENER: Wenn wir anlegen, dann adieu ihr da drüben, das alte Land hat mich geschmeckt. NAUKE: Wie, du willst fort?! Das gibts nicht, Kamerad! ZWEITER GEFANGENER: Was, ihr haltet uns fest? NAUKE: Festhalten? Aber Bruder, wo steckt ihr? Jetzt beginnt es doch erst! Das Schiff legt an jeder Stadt an, wir heraus, und unter die Leute. In jeder Stadt! Wir legen bei jeder Stadt am Fluß an. Machen Kameraden, die mit uns kommen! OFFIZIER: Aber dann? ERSTER UND ZWEITER GEFANGENER: Und was sollen die tun? NAUKE: Was die tun sollen? Brüder, Jungens, – was die tun sollen? Mit uns kommen, den Offizieren die Röcke herunterreißen, den Polizisten den eigenen Säbel zwischen die Beine halten, die Staatsanwälte ins Loch sperren, und mit uns kommen, mit uns kommen! Von einer Stadt in die andere. Hier auf dem breiten Fluß, auf dem Meer, den Schiffen die Ladung abnehmen, die feindliche Mannschaft ins Zwischendeck sperren, in den Städten die Vorratshallen aufmachen. Jeder nimmt sich, was er braucht. Die Freiheit, Freunde! Was fragt ihr? Seid ihr denn Männer? Meine Mutter hätt euch das schon sagen können: die rein zum Bäcker gelangt, und mit dem Brot unterm Rock raus, dem Schutzmann ein Bein gestellt, daß er über seinen eigenen Helm stolpert, – und das war doch nur ne arme, gejagte Matrosenhure! ERSTER GEFANGENER: Und dann an die Banken, und den Zins beseitigt! Ich hab zwanzig Jahre lang daran gerechnet. Das ist das Wichtigste! NAUKE: Zins? Geld? Ihr armen Kerle habt im Zuchthaus die Zeit verträumt. – Das wissen wir heute ganz genau: von Geld ist überhaupt nicht mehr die Rede. Jeder nimmt, was ihm vor der Hand liegt: Den Topf, das Haus, das Schiffstau. Der Erde ist groß genug für alle Hände. Wir tauschen alles, zuletzt uns selbst. Freiheit! Freiheit! Nieder mit der Gesellschaft! DER OFFIZIER: Wann legen wir an? Wann kommt die erste Stadt? Wann? O, die Mörder aus der Welt schaffen! Nieder mit der Gesellschaft! ERSTER UND ZWEITER GEFANGENER: Nieder mit der Gesellschaft!

DIE SCHIFFSGEFANGENEN *unten im Zwischendeck noch unsichtbar:* Laßt uns heraus! Leben! Wir wollen leben! DER OFFIZIER: Was ist das? Sie schreien. NAUKE: Die gefangene Mannschaft, die wir im Zwischendeck haben. Die sind sicher. Die stören uns nicht mehr. DER OFFIZIER: Ist jemand von uns bei ihnen? NAUKE: Die sind eingesperrt – das sind doch Feinde! Kümmere dich nicht um die, wir haben Wichtigeres zu tun! – Kamerad, du machst es an Land bei den Soldaten. Solche, wie du, gibt es noch mehr. Einer muß nur das Beispiel geben. OFFIZIER: Und die Frauen? NAUKE: Die Frauen machens auf die andere Art. Das weiß ich von meiner Mutter, daß ein Weib die halbe Stadt umlegen kann. Die Frauen gehen zu den Lauen, denen, die uns Gutes wünschen, und sich nie getrauen würden, mit anzupacken. Dann sag ich euch, ehe so ein Tag um ist, hat bald alles den Kopf erhoben, und es kommt ein Wutgebrüll wie von den Löwen in den Käfigen. Auf einmal, seht ihr, sind wir da. Und die neuen Kameraden haben schon die Fäuste den andern vors Gesicht gehalten, ehe sies selbst noch wissen! OFFIZIER: Die Frauen am Schiff! ERSTER UND ZWEITER GEFANGENER: Die Frauen! Die Frauen, kommt herauf!

ZWEITE SZENE

ANNA *kommt:* Was wollt ihr? Was ruft ihr mich? Was schreit ihr hinein in mein neues Leben? Ich war auf dem Meer, ich habe die Sterne gesehen. Das Licht sprudelte über mich. Um mich war Licht. So streck ich meine beiden Arme hoch im Licht. So umarme ich euch, meine Lieben, im Licht. Ihr seid die vollen milden Strahlen, und ich bin in den Strahlen. Wir haben die Finsternis zerrissen. Wir haben die Schatten zerschlagen. NAUKE: Zerschlagene Köpfe hatten sie freilich, die Schatten. Wir haben sie unten ins Zwischendeck gesperrt. Obs da wohl noch finstrer ist, als sonst? Und die Ladung, die wir ihnen abgenommen haben – alles Schattenware. Und der Wein, das Bier, der Rum und der Proviant, den wir von ihnen herübergeschafft haben – alles Finsternis. – Eßt, eßt, Jungens: Nieder mit der Finsternis! ANNA: Nieder mit der Finsternis! Wir sind vom Licht. Ich bin nur noch Licht. Du bist Licht. Ich dreh mich und schau dich: du bist Licht. Ich spring unter euch, wir sind eine große, breite, quellende Strahlenflamme. ERSTER GEFANGENER: Flamme, Flamme! Die Flamme über die Länder! Feuersbrünste an die Bankhäuser, Feuer an die Papiere, die Scheine; der Zins der ganzen Welt ist Asche! ZWEITER GEFANGENER: Ein Schutthaufen, klirrende Kehrichtreste das Geld! Die Menschen geben sich die Hände. Ich habs gewußt. Die Welt wird unschuldig. OFFIZIER: Unschuldig, unschuldig! Kann man Unschuldige töten? Ich knie vor euch nieder, ich umfass eure Füße. Ich bin frei geworden. Weib, hier halte ich mit beiden Händen deine Füße, dein erschossenes Kind lebt in mir! Und ich lebe in deinem Strahlenbett, dein Gesicht ist der Lichtbrunnen, deine Arme sind die zuckenden Lichtflüsse, umstrahle mich mit deinen Lichthaaren! Ich bin die Schuld. Ich komme aus dem Kasernendunkel. Ich bin Mörder, ich habe gemordet, ich müßte sterben: nun lebe ich neu im Lichtbrand. Ich knie vor dir auf der Erde, ich schlage vor dir auf die Planken nieder, wehrlos, du weißt alles von mir. Leuchte zu mir, ich lebe neu für die Freiheit. ANNA: Freiheit! Wie diese Wirbel im Kreis aus mir hochströmen! O, daß ich noch hier auf meinen Füßen stehe! Merkt ihr nicht, rasend aus mir, rund herum um die Welt die mächtigen Drehungen toben, die drohenden blitzenden Kreise. Was steht ihr da? Ihr ruft mich. Merkt ihr nicht, wie der Raum brausend hinter uns rauscht? Wo seid ihr? Warum bin ich allein? Warum fliegt ihr nicht mit mir? Habt ihr schon vergessen, wie wir auf die fremden Schiffe stürzten, wie wir die zitternden Schiffsknechte knebelten – und wie Wenige waren wir: Nur, weil wir Freie sind! – Warum schlaft ihr? Warum wache allein ich? Auf! Herauf zu uns! Löst euere Glieder! Vergeßt eure dunkle Nacht von gestern!

DRITTE SZENE

Der Mann und die Frau kommen.

DER MANN: Gestern, gestern: schwere Steine, Schüsse, Militärkolonnen, Mauern stürzen. Heute zischt die Luft um mich, ich rühre keinen Menschen an, ich ströme für euch dahin, wie das Wasser unterm Kiel. Ich bin für euch da, meine Brüder, ich will für euch arbeiten, ich wasche euch das Verdeck, ich koche euer Essen, ich trag euch in die Hängematte, wenn ihr krank seid. O, wie klein ist das alles, was ich für euch tue, meine Blutstropfen sind für euch da. NAUKE: Ein einziges Gläschen Magentropfen wäre mir lieber als die großmütigst vergossenen Blutstropfen. Wer für uns da ist, der genießt seine Freiheit und hilft uns bei unserem Spaß. Ich bin dafür, daß heute deine schöne Frau bei mir in der Kajüte bleibt. Hallo, Bruder, haperts da? Deine Frau bei mir! DIE FRAU: Ich gehör euch! Ich flicke euere Fetzen, ich kämme euch die Läuse aus den Haaren, ich singe euch eure müßigen Minuten vor. Was ist das alles? Seid ihr denn schon selig? Wir sind noch weit von den Menschen! Um uns muß die ganze Welt brennen, die Vergangenheit muß wie Munitionsstädte zum Himmel explodieren, wir müssen über die Erde rasen und die Menschen befreien, – und unser Leben ist so kurz! NAUKE: Freiheit: davon müssen wir was haben. Das Leben ist kurz; seit ich aus meiner Mutter gekrochen bin, weiß ich, daß es mit Essen und Trinken vorbeigeht; ein paar mal einem Weib um den Hals gefallen, und eines Tags fliegst du vom Schiff ins Wasser mit einem Schlag auf den Hinterkopf und bist tot. Die anderen Menschen sollens ebenso gut haben wie wir, aber wir müssen das fette Beispiel geben. Die Flaschen herauf, sag ich, die Flaschen, und die Eßnäpfe nicht vergessen! Einen Schinken hab ich unter der neuen Ladung entdeckt, einen Schinken, saftig wie Weiberbrust. Wer nicht für das große Freiheitsessen und -trinken ist, der ist ein Verräter! OFFIZIER *zu Anna:* Mach mit mir, was du willst. Ich bin die Planke für deinen Fuß. Für alle Menschen werd ich da sein, ewig in dir! NAUKE: Ihr da unten, Flaschen herauf, den Schinken herauf!

VIERTE SZENE

Erster und zweiter Wächter kommen beladen herauf.

ERSTER GEFANGENER: Zwanzig Jahre keine Weiberhand mehr gehalten. Wo ist meine Frau geblieben? Meine Schwester ist tot. Ich stand alle Tage zwölf Stunden an der Maschine. Ich habe für euch gedacht! Sind wir endlich da? Ich will vergessen, was war, lasse mir die Sonne in die Augen brennen. Dieser Geruch vom Wasser her, ich kenne das nicht. Sind wir frei?

Umschlingt mich, preßt eure Arme um mich, und dann hinein in alle Börsensäle der Welt, die Banken gesprengt, unsere Brüder befreit! – springt mit mir unter die Geldherren, jedes Wort erstickt, das noch mit Gelddienst über die Telegraphendrähte läuft! ZWEITER GEFANGENER: Ich wußte es immer, es gibt keinen Besitz! Wir gehören uns alle. Ich bin schwach. Ich habe nie in der Freude gelebt, seit meiner Jugend habe ich Pläne entworfen. Aber ich weiß heute, es gibt eine Freude, vielleicht kann ich allen helfen. Wollt ihr, daß ich für euch tanze? Ich bin alt. Meine Knochen sind weich vom Gefängnis. Soll ich unter euch springen, bis wir den Himmel herunterholen? Daß ich frei bin! Nun müssen alle frei sein. ERSTER WÄCHTER: Trinken, Brüder, hier! O ich weiß es, wie man die Gefangenen herausholt, vielleicht hab ich darum mein Leben lang die Mauern um mich gehabt. Zusammen mit euch brennen wir wie ein Blasfeuer die Zuchthäuser nieder, unsere Brüder sind frei! ERSTER GEFANGENER *zum ersten Wächter:* Ist das nicht deine Tochter, die da am Schiffsrand steht, als wollt sie in die Sonne fliegen? ERSTER WÄCHTER: Tochter? ich fühls kaum mehr. Sie geht so hoch und gerade, ist etwas Feines geworden, nicht mehr zu erkennen von früher; meine Tochter war anders. Die sieht keinen Menschen mehr, schaut durch mich hindurch, daß ich mich oft vor Schreck umdrehe und hinter mich blicke. Sie hört mich schon lange nicht mehr. Aber ich hab ihr nichts zu sagen seit meiner eigenen Flucht! NAUKE *erhebt sich halb, die Hand hohl vor den Augen:* Ein Schiff! Ein Schiff an der Flußmündung, dort hinten, in der Ferne. DER MANN: Wir sind nicht mehr allein auf dem Wasser! DER OFFIZIER: Ein Schiff. *Zu Anna:* O sprich, eh ich mit meinen Küssen zu dir falle, sag es mir. Hinauf auf das Schiff. Wünsch es von mir, verlang das! Wir springen von einem Verdeck aufs andere. Nieder mit der Besatzung, wir holen an Bord, was wir finden!

FÜNFTE SZENE

Der Gouverneur tritt auf. NAUKE: Die Waffen! Auf das Schiff! Wir rammen ein Leck, und dann in der Verwirrung hinüber, die Mannschaft gebunden, und jeden niedergemacht, der gegen uns ist! DER GOUVERNEUR: Nein! NAUKE: Nieder mit dem Sklavenschiff. Auf! Gestern hieß es noch Raub, heute heißt es Freiheit! DER GOUVERNEUR: Nein! OFFIZIER *zum Gouverneur:* Was willst du?

SECHSTE SZENE

KLOTZ *tritt auf, eilends:* Das Schiff, das Schiff! NAUKE: Wir sausen mit allen Kesseln darauf zu! DER GOUVERNEUR: Nein, nein, sag ich euch! Das ist nicht die Freiheit! Das ist das Tier. Das ist der Absturz! Die alte Welt der Feinde stirbt schwarz zerfressen an der Pest. – Und diese da, die Kameraden, rasen nach Besitz? KLOTZ: Laß sie. Sie folgen ihrem Zwang. DER GOUVERNEUR: Nein! Ich darf sie nicht lassen. Ich bin erweckt, ich kann nicht mehr zurück. Ich kann die Menschen nie mehr im Dumpfen lassen. Weißt du es noch nicht? Rings um uns tobt Seuche. Drüben fressen Besitz und Seuche brüderlich vereint an den Feinden. Aber hier unsere Brüder – nur die Reinheit kann sie noch retten! KLOTZ: Sieh, die Armen hier, wie zum ersten Male aus ihnen die Freiheit springt! DER GOUVERNEUR: Ich sehe graue Blitze unter ihnen. Die Verwirrung steigt wie Nebel um unser Schiff. Sie fallen in ihre Tierheit zurück. Sie schleudern sich zurück ins blinde Vergessen. – Kameraden, heraus aus der Befleckung. Unsere Kraft ist der reine Wille unseres Freiheitsschiffes, oder die Seuche von drüben stürzt sich über euch! NAUKE: Was willst du, Kamerad? Komm zu uns, küß mit uns! In einer Stunde springen wir drüben dem Schiff auf den Leib! Küßt mich, Frauen, küßt euch! Das ist ein Leben, ich habs gewußt, daß so ein Leben kommen wird. Musik! – ich hörte Musik schon im Mutterleib! Musik! O Freiheit!

KLOTZ *zum Gouverneur:* Dort, dort am Ufer – o sieh! sieh die dunklen Klumpen! Sind das Menschen? DER MANN: Tote! Die Seuche? DER GOUVERNEUR: Tote! Die Pest fraß sie. Ich sagt es euch! DER MANN: Die Pest – wir fahren durch die Pest! DER GOUVERNEUR: Die Pest um uns. Die Pest auf dem Feindesschiff. Und in unsern Brüdern: Das Tier! *Zu den andern:* Nun verlaß mich nicht, Menschenkraft in mir!

KLOTZ: Das Schiff, es kommt auf uns zu! ERSTER WÄCHTER: Mir ist unheimlich; ich seh, wie sie drüben Flaggen ziehen und Kanonen richten! ZWEITER WÄCHTER: Wir verfolgen sie nicht mehr, sie jagen auf uns! OFFIZIER: Sie verfolgen uns! NAUKE: Uns! ANNA: Ich ergebe mich nicht! DER MANN: Sie werden sich rächen. DIE FRAU: Sie verlangen unsere Auslieferung und lassen euch dann frei. Wollt ihr uns verraten? DER GOUVERNEUR: Ihr dürft nicht verzweifeln. Seid ihr nicht frei? NAUKE: Scherze nicht mit uns! ERSTER GEFANGENER: Sprich, ich verstehe dich. Schnell. Ich bin alt. Mein Leben ist billig. ZWEITER GEFANGENER: Was sollen wir tun? DER GOUVERNEUR: Seid ihr nicht die Führer? Rollt nicht die Zukunft aus unseren Händen als neue Welt? Wie dürft ihr das vergessen? NAUKE: Führer! Ich bin Führer! DER MANN: Gibt es Führer? Gibt es noch Führer in der letzten Not der Menschen? OFFIZIER: Sie verfolgen uns! Wie retten wir uns? KLOTZ: Gibt es Führer? fragst du – vorm Tode sagst du das? DER GOUVERNEUR: Ihr seid frei! Vorbild seid ihr für die Menschen! Unser Schiff fährt durch den schimmernden Himmel zu den Menschen, sie aufzurichten, ihr macht sie zu Brüdern, ihr erinnert sie an ihre

Heiligkeit. Aus euch wird die Menschheit strömen, ihr pflanzt das Morgenreich in die Länder. Und ihr habt Angst? Drüben folgt euch nur das Tier, die böse Dunkelheit. Ihr müßt nur wollen, und sie ist dahin! OFFIZIER: Es ist zu spät! Sie ziehen die Feindessignale. Sie richten ihre Riesengeschütze! DER GOUVERNEUR: Wir müssen nur wollen! ANNA: Nimm meinen Willen! Sag was ich soll! Hauch ihn unter die Brüder, wenn er euch retten kann. DIE FRAU: Nimm mein Leben. *Zu Anna:* Nimm du es, Schwester! Hier lieg ich zu deinen Füßen, dich stärker zu machen. OFFIZIER: Wollt ihr mich? Werft mich hinüber, sie hängen mich, oder sie schießen mich zusammen, oder sie hacken mich in Stücke, vielleicht kann jeder blutende Fetzen von meinem Fleisch einen von euch retten! ERSTER GEFANGENER: Ich bin es, sie wollen mich holen. Noch einen Zug von dieser Luft atmen, und sie können wieder das Gefängnis über meinen Schädel pressen. Ruft herüber, daß ich für euch gehe. ZWEITER GEFANGENER: Nein, ich! Ich bin älter als ihr alle! Ich habe mehr gemacht als ihr, ich war gefährlicher als ihr. ERSTER WÄCHTER: Ich weiß, wie man's macht! Schießt mich nieder, ruft, daß ich der Rädelsführer war, einem alten Beamten glauben sie, auch wenn er tot ist. Wozu ist mein Leben gut? Ich habe die Freiheit gespürt, nun kann ich sterben. ZWEITER WÄCHTER: Ich bin noch jung, mein ganzes Leben ist noch da, meine Freiheit aufgeben: das hat viel größeren Wert, als ihr alle; nehmt mich! NAUKE: Mich! Mich! Ich – ein Führer! Der Kamerad hats gesagt! Ihr liefert einen wirklichen Führer aus. Das ist ein Braten für die, knusprig, voll gegessen und getrunken, frisch, mit festen Sehnen! Liebe Brüder und Schwestern: den letzten Schluck, und dann – hopp! KLOTZ: Kann es einer allein? Ich war der Aufstand. DER MANN: Ich war der Wille! Mit mir ersticken sie den Geist, und ihr andern schlüpft ins Leben zurück. OFFIZIER: O wie spät ist es, was zögern wir! Ein Hauch noch, und wir sind alle verloren!

DIE SCHIFFSGEFANGENEN *unsichtbar, unten:* Heraus! Leben! OFFIZIER: Die Gefangenen! – Nun alle Kraft in uns zu Hilfe, sonst werden wir wie Tiere niedergemacht! DER GOUVERNEUR: Wir sind nicht verloren. Wir sind noch frei. Glaubt mit mir! Wille, Wille, brenne durch uns, Wille, schieße aus unseren Händen, kehr um in unserm Mund, fahre aus unseren Augen! Alle wollen! Wir stehen in starrer Mauer still, wir tauchen unter, wir verschwinden aus dem Leben, wir fliegen lautlos über uns herauf. Wir wollen! Auf! Aus uns steigt es herauf, heraus aus uns tritt unser Mensch, hinüber durch den Raum, es gibt keine Grenzen, furchtbar für die Gewalt! Mensch, herauf! Hervor aus uns allen, Wille. Die Gewalt prallt zu Staub! DER MANN: Wille! DER GOUVERNEUR: Brüder, Mut, wir schreiten hinaus aus unserem Leib. Unser Wille schwingt aus uns über den Raum hin. Wille, stoß in die Feinde! KLOTZ: Freiheit! DER GOUVERNEUR: Freiheit stößt aus uns! Jetzt wir alle: unser Wille heiß wie ein weißer Strahl ganz auf sie! ANNA: Wir Menschen gegen die Knechtschaft! OFFIZIER: Nieder die Gewalt! DIE FRAU: Gemeinschaft gegen die Gewalt! ALLE: Gemeinschaft! DER GOUVERNEUR: Menschen, unsere Gemeinschaft zerstört ihre Panzermacht! – Unsere Kraft! Sie wenden! – Da – sie fliehen! ALLE: Freiheit!

SIEBENTE SZENE

OFFIZIER: Sie fliehen! Freiheit siegt! DER GOUVERNEUR: Verwirrung unter die Gewalt! Gerettet! Die Gewalt sprang ab vor Menschenwillen. Seht, wie das Schiff klein dort unten schwindet! – Ihr, Sternbrüder, seid ihr nun Eurer Kraft gewiß? Das neue Leben liegt vor uns! ALLE: Gerettet – sie fliehen! NAUKE: Gerettet! Ich hab uns gerettet. Werd's mir merken. Allein durch meinen Willen. Man steht still, tut gar nichts, bläst durch die Lippen – und hast du nicht gesehen, ist der Andere auf und davon! In die feinsten Restaurants geh ich so! Zahlen? – ist nicht mehr! Kellner, eine gute Zigarre und eine Flasche Sekt: Mein Wille – pfft! Weg mit dir, Dummkopf! Mein Wille! Freiheit! KLOTZ: Wir sind frei. Ewig frei. Wir haben uns gerettet. Nun müssen wir die Menschheit retten. ERSTER WÄCHTER: An Land! Ich komme auf die neue Erde. Habe mich mein Leben lang geduckt, bin gekrochen, hab die Gefangenen gepeinigt. Wir legen an. Es gibt keine Vorgesetzten mehr, nur Brüder. OFFIZIER: Ich habe befohlen, habe die Soldaten gequält, ich war dumpf, hab Befehlen gehorcht, ich hab gemordet. Jeder Blutstropfen zerrt an mir, zu den Menschen herüber zu springen und zu helfen. An Land! ANNA: Ich strich an den Zellen des Gefängnisses vorbei, und jedes Stöhnen fand mich taub. Aber nun weiß ich, was das Licht ist, und ich will, daß die Reinheit wie ein Feuer durch die Menschen brennt! ALLE *außer Klotz, dem Mann und dem Gouverneur:* Freiheit, Hoffnung. An Land. Die Stadt! NAUKE: Ans Ufer. Anlegen! DER GOUVERNEUR: Nein! Wir können nicht anlegen! NAUKE: Wir können alles was wir wollen! An Land!

DER GOUVERNEUR, DER MANN, KLOTZ: Unmöglich! DIE FRAU: Unmöglich? KLOTZ: Wir können nicht an Land. Merkt ihr nicht längst, wo wir sind? Drüben am Ufer ist kein lebendes Wesen mehr. Tot, tot! Die Städte sind tot, verkommen, ausgestorben! DER MANN: Spürt, wo ihr seid, Mut, Kameraden. Aus dem Wasser um uns steigt Tod: Das ist der Untergang für uns, es dringt in alle Poren, wer kann noch atmen, ohne zu wanken! DER GOUVERNEUR: Brüder, Mut! Um uns ist Tod! Das Land ist tot! Wir fahren durch den Tod. Auf dem Wasser herrscht die Pest! NAUKE, ERSTER GEFANGENER, ZWEITER GEFANGENER, ERSTER WÄCHTER, OFFIZIER: Die Pest! Die Pest um uns! Hilfe! Hilfe! DER GOUVERNEUR: Uns hilft niemand, wir sind allein! OFFIZIER: Zu Hilfe: Die Pest! NAUKE: Teufel noch einmal, Zins und Kapital, die Pest! Und der Rum ist ausgetrunken. In keiner Flasche mehr ein Tropfen! DER GOUVERNEUR: Brüder, wir dürfen uns nicht verlieren. Unser Wille muß stärker sein als Todesgefahr. Jede Welle, durch die das Schiff schlägt, spritzt die Seuche um uns hoch. Aus den Turmspitzen der toten Städte drüben fliegt die Seuche zu uns herüber. Jede Mauer will uns zu klebrigem Moder machen. Um uns lebt nichts mehr, Seuchendunst steigt um uns, das Wasser ist zitterndes Grün. Wir sind Menschen. Nur die Zukunft hält uns stark. Wir müssen leben für die Freiheit. Glaubt eurem Willen; er rettet uns aus Einsamkeit der Todeshölle! OFFIZIER: Verloren, verloren! Mitten in der Seuche. Ich hasse mich, daß ich mich je von Worten hinreißen ließ. Ich hasse euch! ERSTER GEFANGENER: Du hassest mich, du Lump? Lieber zwanzig Jahre im Kettenkerker, als in der Seuche verrecken. Betrüger! ZWEITER GEFANGENER: *zum ersten Gefangenen:* Ich hab mir den Kopf zermartert für die Menschheit, du hast höhnisch dazu gemäkelt, verfluchter Zinsenhans! Ich, ich will nicht zurück ins Gefängnis, geh allein, du Schwindler. DER GOUVERNEUR: Kameraden, glaubt an euer Leben. Wir leben, wenn wir in diesem Todesrasen fest aneinander glauben! ERSTER WÄCHTER: Was hab ich von diesem Tod? Meine Tochter – eine Fremde! Mein Zimmer verlassen, meine Frau, mein Ansehen, mein Auskommen – für eure Freiheit! Ich will mein Vogelbauer zurückhaben, gebt mir mein Sofa wieder! KLOTZ: Ist alles vorbei? Zu spät! Im Stich gelassen von allen! Die Kameraden fallen ab wie Leichentücher! Hass! Wie allein, wie allein! Haßt nicht! Haßt nicht, ihr dürft nicht hassen! Erinnert euch, wer ihr seid! Von uns bleibt nichts in der Welt, wenn ihr noch haßt! ANNA: Sterben! Habe ich Liebe gehabt? Wo bleiben die Menschen? Tod, und nie die Menschenfreiheit gespürt! An Land, wenn wir an Land tot hinfallen, ist's gleich, so haben wir doch das ferne Land berührt! DER MANN: An der Seuche vermodern, wo es zur Freiheit ging! Noch ehe die Menschheit aus der Erde aufstehen konnte, werden meine Arme und Beine blau geschwollen abfallen, mein Kopf wird grinsen, dieses Gehirn soll stinkendschwarzer Teig sein? Ich kann nicht allein sterben. Wenn ich sterbe, wer wird dann noch leben? DIE FRAU: Hilft mir niemand? Ich will noch nicht sterben! Ich habe schwache Menschen verlassen, ich habe Menschen Unrecht getan für die Freiheit! Ich kann nicht sterben! DER GOUVERNEUR: Brüder, wir leben! Ihr seid nicht allein! Wir blicken uns in die Augen, und jeder von uns ist die ganze Erde bis an den Himmel! Wir schleudern den Tod von uns! NAUKE: Tod! Ihr habt alle den Tod verdient! Wenn ihr krepiert, ich will der Letzte sein! OFFIZIER, ERSTER GEFANGENER, ZWEITER GEFANGENER, ERSTER WÄCHTER, ZWEITER WÄCHTER: Ihr Verräter, nieder mit euch Verrätern. DER MANN, DIE FRAU, ANNA, KLOTZ: Anlegen. Leben! An Land! DER GOUVERNEUR: Wollt ihr meinen Tod? Ich geb ihn, er nützt euch nichts. Wir müssen unsern Weg fahren, wir müssen! Wo ihr hintretet, ist die Pest! ALLE *außer dem Gouverneur:* Zu Hilfe! Die Pest! *Sie sind im Begriff übereinander herzufallen.*

ACHTE SZENE

DIE SCHIFFSGEFANGENEN *unten, noch unsichtbar:* Die Pest! Zu Hilfe! NAUKE: Die Gefangenen! Sie schreien unten. Das ist das Ende! DIE GEFANGENEN *unten:* Laßt uns heraus! Die Pest! Laßt uns heraus! Wir sprengen die Tür! OFFIZIER: Die Gefangenen meutern. Wir sind ganz verloren! DIE GEFANGENEN: Laßt uns heraus! Wir sterben! EINE STIMME DER GEFANGENEN: Ein Kranker ist unter uns! NAUKE: Es kommt keiner herauf! Der erste, der das Verdeck betritt, muß dran glauben! DER GOUVERNEUR: Verbrechen! O, daß ich nun eure Verwirrung begreife! Welche Schuld! Sie sind Menschen! Wir hatten kein Recht, sie gefangen zu halten! Das brannte in uns! Welche Schuld! ERSTER UND ZWEITER WÄCHTER: Schnell, neue Schlösser vor die Tür, keiner darf herauf, der Kranke steckt uns an! ERSTER UND ZWEITER GEFANGENER: Die Treppe verbarrikadiert! DIE SCHIFFSGEFANGENEN: Heraus! *Sie sprengen unten die Tür.* NAUKE, OFFIZIER, ERSTER WÄCHTER, ZWEITER WÄCHTER, ERSTER GEFANGENER, ZWEITER GEFANGENER in Gewaltstellung: Tod wer das Verdeck betritt!

NEUNTE SZENE

DIE SCHIFFSGEFANGENEN *steigen langsam herauf:* Leben! NAUKE: O Verzweiflung: Platzen wir nicht an der Pest – erschlagen uns die Meuterer! DER GOUVERNEUR: Keine Gewalt! Wir alle werden leben.

ZEHNTE SZENE

DIE MEUTERNDEN SCHIFFSGEFANGENEN *sind auf dem Verdeck angelangt, in ihrer Mitte ein Kranker. Sie stehen zum Angriff bereit:* Luft! – Nieder mit den Schurken! DER GOUVERNEUR *Zur Schiffsbesatzung:* Kameraden, nehmt mein Leben, ich rette uns. Nicht Gewalt! DIE SCHIFFSBESATZUNG *läßt die erhobenen Arme sinken und steht regungslos da.* DIE MEUTERNDEN: Nieder mit euch! DER GOUVERNEUR: Menschen! Gemeinschaft! DIE MEUTERNDEN: Feinde! Tod! KLOTZ, DER MANN, DIE FRAU, ANNA *mit ausgestreckten Armen:* Gemeinschaft! DIE MEUTERNDEN *lassen entsetzt die Fäuste sinken.* DER KRANKE: Ich sterbe. Warum erschlagt ihr uns nicht! NAUKE, OFFIZIER, ERSTER WÄCHTER, ZWEITER WÄCHTER, ERSTER GEFANGENER, ZWEITER GEFANGENER *bewegungslos:* Rettung. Wir glauben. OFFIZIER: Wie konnte ich vergessen.

Brüderschaft! GOUVERNEUR *zu den Meuternden:* Ihr seid die Brüder! DIE MEUTERNDEN: Wir sterben! DER KRANKE: Warum wehrt ihr euch nicht. Wir sind krank. Ist das die Pest? Dann sterb ich wie ein Hund. Sie machen euch alle nieder. DER GOUVERNEUR: Sie tun uns nichts – Du stirbst nicht. Du wirst leben. Ich liebe euch, Brüder! DIE MEUTERNDEN: Brüder? DER GOUVERNEUR: *ergreift den Kranken:* Freund, Kamerad, mein Bruder! Du bist die Zukunft, wie wir die Zukunft sind. Nimm mein Leben, wenn ich es geben soll und lebe du! Alle Menschenkraft, die durch die Welt fließt, strömt jetzt durch mich. Alle Brüder geben ihre Liebe für dich. Unser Leben ist für dich da! KRANKER *zitternd, erstaunt:* Ich hab nur noch Stunden! DER GOUVERNEUR: Wer Bruder der Erde ist, wird leben. Ich umarme dich. Du bist nicht krank. Ich will es. Du bist nicht krank. Wir wollen es! *Er umschlingt ihn.* DIE MEUTERNDEN *leise:* Die Pest! KLOTZ, DER MANN, DIE FRAU, ANNA *umschlingen gemeinsam den Kranken:* Du bist nicht krank! DER GOUVERNEUR: O fühlt ihr, wie die Zukunft wieder durch euer Blut schießt? Du bist nicht krank! Du lebst in der Liebe! NAUKE, OFFIZIER, ERSTER GEFANGENER, ZWEITER GEFANGENER, ERSTER WÄCHTER, ZWEITER WÄCHTER *lösen sich aus ihrer Starre, umarmen Klotz, den Mann, Anna, die Frau, den Gouverneur, schwach, jeder in einem anderen Seufzer:* Liebe! DER GOUVERNEUR: O Kraft, wieder ist sie unter uns! Unser Wille trägt uns wie ein Sternenwind zur Freiheit der Menschen! DIE MEUTERNDEN *schwach:* Freiheit! KRANKER: Was habt ihr nur getan! Ich fühle meine Glieder stark. O Rettung! Soll ich euch dienen! DER GOUVERNEUR: Nein, du dienst uns nicht. Wir werden dir dienen! Spüre wie die Erde hell wird vor unserer Reinigung. DER OFFIZIER: Komm, ich wasche dich! O daß ich ins alte Dunkel zurückgefallen war! NAUKE *zu den Meuternden:* Brüder, ich hab zu trinken für euch, heimlich versteckt, Flaschen für mich, ihr sollt sie haben! DER GOUVERNEUR: Spürt ihr wie das Schiff über das Wasser saust! Unser neues Blut treibt seinen Lauf. Das Ziel ist nahe! KLOTZ UND DER MANN *zum Kranken:* Willst du meine Hände, meine Arme haben, meine Arbeit? Ich gebe mich für dich!

DER GOUVERNEUR: Was sind wir für die Menschen? Tragen wir schon die Freiheit in unseren Händen? Nein, so haben wir nur uns selbst gewonnen! Wir haben noch uns! Wir haben noch alles zu verlieren! ANNA *zum Gouverneur:* Ich war ferne von dir. Aber nun sage ich zu dir: Geliebter! DER GOUVERNEUR: Ich wollte aus uns allen: Liebe! Aber nun darf ich es nicht mehr sagen. Das ist noch Hochmut. Es ist zuviel. Wir sind noch zu reich. Wir müssen hinab, ganz tief hinab zur letzten Armut! ANNA: Geliebter, vernichte mich, zerstöre mich, dring in mich, tu mir Gewalt vor allen, ich will niedrig sein. Nicht einmal die Hand leg ich über die Augen! DER GOUVERNEUR: Nicht ich, Geist soll dich durchdringen. Ich bin ein armer Mensch, ich bin nur noch für die Menschheit da! ANNA: Bin ich nicht die Menschheit? DER GOUVERNEUR: O, wie tanzen wir alle noch in der Macht und der Gier der Gegenwart. Wir sind noch nicht arm genug für die Zukunft! NAUKE: Ich bin verloren, wenn ich nicht mehr in der Gegenwart leben soll. Die Zukunft ist hoffnungslos. DER GOUVERNEUR: So hoffnungslos, daß sie verzweifelt ist. Die Verzweiflung muß über uns sein. – Wir haben noch zu viel Hoffnung, noch schlafen wir! – Verzweiflung über die Welt: aus ihr die Kraft, das Äußerste zu wollen! Das Schiff tobt an den Städten vorbei, und wir fürchten noch ihre Gefahr für unser Leben, unsern Willen. Und jetzt sage ich euch, Kameraden, wir müssen an Land! NAUKE: An Land? In die Pest, in die toten Städte? DER GOUVERNEUR: So müssen wir die lebendige Stadt schaffen! Wir müssen durch den letzten Tod, durch den letzten Unrat, durch die erstickende Pestwolke. Wir müssen zu den Menschen!

DER KRANKE: O seht, wie lang ist es her, daß dies nicht mehr war: dort unten die Stadt! Türme und Häuser wie Kornähren dicht, und darunter klein: lebende Menschen! DIE MEUTERER: Die Stadt! Lebende Menschen! DER GOUVERNEUR: O meine Brüder, wir müssen hinein in das Schicksal, wissend! Was haben wir getan! Wir haben durch die Flucht und durch die Erniedrigung nur uns gewonnen. Nun müssen wir uns wieder verlieren. Wir sind zu sehr Selbst; wir haben noch ganz unser Ich. Wir müssen uns sprengen! Jetzt müssen wir zerstören! ANNA, DIE FRAU: Zerstören? DER GOUVERNEUR: Zerstören müssen wir unsere letzte Rettung. Zerstören müssen wir die Planken unter unseren Füßen. Wir müssen unsere letzte Sicherheit zerstören. Wir dürfen nicht mehr zurück. Wir dürfen nicht mehr fliehen können. ANNA: Was willst du tun? DER GOUVERNEUR: Wir müssen an Land und das Schiff zerstören. MEUTERER: Das Schiff zerstören! ANNA, DIE FRAU, KLOTZ, DER MANN: Nein! DER GOUVERNEUR: Wollen wir nicht die Befreiung! Wir befreien die Menschen nur, wenn wir als Freie zu ihnen kommen! ANNA: Aber das ist unser Tod! DER GOUVERNEUR: Nein, es ist unser Glaube für die Menschen! Wir müssen durch die größte Versuchung, um alles zu verlieren! DIE MEUTERER: Land, Land! Die Stadt! Der Hafen ist da! NAUKE: Der Hafen – Hilfe! Wir verrecken an der Pest! Fort vom Hafen! DER GOUVERNEUR: O ihr Brüder, zuerst müssen wir ganz verschmolzen sein, einig wie eine Wabe Honig, ein einziges aufblitzendes Feuerlicht in Liebe, eh wir den Menschen die Freiheit bringen. Brüder! Wir sind eins in Liebe! ALLE: Brüder! Liebe! DER GOUVERNEUR: Menschen! Wir glauben! ALLE: Wir glauben! NAUKE: Volldampf auf den Fluß! Rettung! – Nur weg vom Land! DER GOUVERNEUR: Welt! Unser Leib trägt die Freiheit um die Erde. Brüder, Kameraden, für die Menschheit werft ihr euer Leben fort, unser Glaube wirft uns in die Zukunft. ALLE: Freiheit! NAUKE: Freiheit zu leben – nicht zu sterben! Das Land kriecht schon über uns! Fort! Fort! DER GOUVERNEUR: Den letzten Besitz von uns Armen zerstör ich zur Freiheit. Frei geben wir uns der Welt hin. ALLE: Hingabe! DER GOUVERNEUR: Dieser Hebel sprengt unser Schiff – er ist heiße Glut. – Mut, Glaube! Wir können nicht mehr zurück. Vor uns die Stadt! Wir müssen an Land – wir dürfen uns nicht mehr aufs Schiff zurück retten! Ich sprenge das Schiff! – Hingabe! NAUKE: Nein! Um alles in der Welt: nicht der Hebel! Ich habs nicht für Ernst gehalten! Die Hand fort vom Hebel! *Stürzt hinauf zur Kommandobrücke, um dem Gouverneur in den Arm zu fallen.* DER MANN: Das Ufer! Hier ist das Land! Wir sind an Land! ALLE: Wir sind an Land! DER GOUVERNEUR: Zurück! Ich sprenge! Wer leben will: an Land!

ELFTE SZENE

Der Gouverneur reißt am Hebel der Kommandobrücke. Das Licht verlischt. Alle stürzen vom Schiff an Land, als Letzter der Gouverneur. Im Dunkel fliegt das Schiff in die Luft. Hell. Alle stehen am Ufer.

ALLE: Das Land! KRANKER: Steine unter meinen Füßen! Wir sind an Land. NAUKE: Hilfe, der Tod springt mir schon an den Hals! DER GOUVERNEUR: Du lebst, glaube an deinen Willen. NAUKE: Verloren! Das Schiff ist verloren, wir können nicht mehr zurück. DER GOUVERNEUR: Gerettet. Zum erstenmal frei! DER KRANKE: Da – die Stadt ist vor uns! NAUKE: Das ist die Wirklichkeit! Hilfe! Die Wirklichkeit! DER MANN: In die Stadt! In die erste Freiheit! ALLE: Die Stadt! – Die Freiheit!

Ende des zweiten Aktes.

DRITTER AKT

IN DER BELAGERTEN STADT

ERSTE SZENE

ERSTE REVOLUTIONÄRIN: Die letzte Schüssel Milch für alle. Was soll ich mit meinen Kranken machen! ZWEITE REVOLUTIONÄRIN: Wir selbst haben es noch gut. Aber meine Arbeiter in den Fabriken! DRITTE REVOLUTIONÄRIN: Ich bin schon ganz schwach. Und dabei die Männer immer wieder vertrösten, solang die Brotverteilung stockt! ERSTE REVOLUTIONÄRIN: Man kann keinem Menschen mehr ruhig ins Gesicht schauen, so kriecht diese Seuchenluft um einen. Die Männer fallen an den Barrikaden mit den Waffen in der Hand um vor Hunger, oder weil die Pest auf ihnen sitzt. DRITTE REVOLUTIONÄRIN: Kein Mensch hat mehr zu essen, wenn wir nicht sorgen! Wie lange können wir uns noch halten? Was sollen wir denn machen? ERSTE REVOLUTIONÄRIN: Wir müssen den Weg aus der Stadt finden. Sie verlieren sonst alles Vertrauen, das sie zu uns haben. DRITTE REVOLUTIONÄRIN: Wenn wir zu den Bürgerlichen hinüberkämen und mit denen verhandelten. ERSTE REVOLUTIONÄRIN: Wie sollen wir hinüberkommen? Ein Schritt über diese Barrikadenmauern und durch die Gräben, und wir sind erschossen wie unsere Männer! ZWEITE REVOLUTIONÄRIN: Ich kann diesen Hunden kein gutes Gesicht machen, selbst wenn sie den Angriff gegen die Stadt ließen. Achtzigtausend Menschen haben sie uns aus dem Land geschleppt, achtzigtausend als Sklaven in die Bergwerke gesteckt, in ihren Kloaken ersticken lassen, geschlagen, gefoltert, zu Tode getreten, als Sklaven! Was, dazu haben die Unsrigen sich das Blut in den Adern verdorren lassen, vor Arbeit und Hunger und Müdigkeit und Krankheit, daß wir nun mit den Bürgern verhandeln!? Alles soll für nichts gewesen sein! DRITTE REVOLUTIONÄRIN: Aber es geht nicht weiter! Was soll man machen? Die Unsrigen halten es nicht länger aus. Und heut war ein Tag, das war noch nie. So eine Schwäche kam plötzlich über alle. Eine sinnlose Hoffnung wie bei Sterbenden!

ZWEITE REVOLUTIONÄRIN: Zum erstenmal hörte ich heut Gerüchte in der Stadt – als wenn sich etwas Großes geändert hätte in diesem Elend! ERSTE REVOLUTIONÄRIN: Ich auch! ZWEITE REVOLUTIONÄRIN: Als ob ein Flieger aus der Luft hunderttausend Proklamationen abgeworfen hätte, die jedem das Glück versprechen. DRITTE REVOLUTIONÄRIN: Das ist viel unheimlicher als Fliegerzettel. Morgen sind sie alle aus Enttäuschung auf Gnade und Ungnade ausgeliefert! ERSTE REVOLUTIONÄRIN: Ausgeliefert, heißt „auf Ungnade". ZWEITE REVOLUTIONÄRIN: Es sollen Menschen in der Stadt sein, die keiner noch gesehen hat, sie gehen herum und muntern die Schwachen auf. Aber wer kann das glauben! Fiebergerüchte. Wie sollen die hereingekommen sein? DRITTE REVOLUTIONÄRIN: Hinauskommen! Wie kommen wir hinaus? Kämen wir nur einen Fuß breit hinaus, so wär schon Hoffnung! ERSTE REVOLUTIONÄRIN: Hinauskommen – unmöglich. Wir sind hier gefangen. ZWEITE REVOLUTIONÄRIN: Gefangen! ERSTE REVOLUTIONÄRIN: Das erleben wir nicht mehr: die Freiheit. ZWEITE UND DRITTE REVOLUTIONÄRIN: Die Freiheit! DRITTE REVOLUTIONÄRIN: Die Freiheit sag ich? Wie kommt das nur aus meinem Mund! Blumen wieder zu sehen? Den Himmel über mir, Luft um mich? Mein Kleid über eine Wiese wehen? ERSTE REVOLUTIONÄRIN: Wie sind aber die Bürger aus diesem Schloss entkommen! Die Unsrigen haben niemand gefangen, nur die paar Diener, die als Wachen an den Toren standen! ZWEITE REVOLUTIONÄRIN: Die Bürger sind entkommen, und am ersten Tag, als der Aufstand losbrach. ERSTE REVOLUTIONÄRIN: Dann müssen Ausgänge aus der Stadt heraus da sein! DRITTE REVOLUTIONÄRIN: Ich bin ganz schwach. Wir müssen suchen! ERSTE UND ZWEITE REVOLUTIONÄRIN: Suchen! Hinunter in die Gewölbe! DRITTE REVOLUTIONÄRIN: Hinunter. – Hast du Mut? ERSTE REVOLUTIONÄRIN: Jetzt fragt keine nach Mut. Hat auch keine von uns gefragt, als der Aufstand begann. Es ist das Letzte! ZWEITE UND DRITTE REVOLUTIONÄRIN: Hinunter! *Die drei Frauen sind im Begriff in die Versenkung hinabzusteigen.*

ZWEITE SZENE

Anna steigt aus der Versenkung herauf.

DIE DREI REVOLUTIONÄRINNEN: Wo sind wir? Dort ist es dunkel. – Halt, Geräusch! Ah! – Wer ist da? *Anna im Licht.* DIE DREI REVOLUTIONÄRINNEN: Wo kommst du her? ANNA: Vom Flusse! ZWEITE REVOLUTIONÄRIN: Wer bist du? Du bist nicht von uns! ANNA: Ich komme zu euch. Man hat uns gehetzt wie Fledermäuse im Licht. Wir schleichen tagelang durch Löcher, Schutthaufen von Häusern, durch Keller und Gänge zu euch. Unsere Brüder dringen durch die Mauern und Steine zu euch in die Stadt, wie Wassertropfen durch Erdreich. ERSTE REVOLUTIONÄRIN: Ihr kommt zu uns? Und wir wollen hinaus! ANNA: Ihr wollt hinaus? Wohin wollt ihr? DIE DREI REVOLUTIONÄRINNEN: Zur Freiheit. ANNA: Ich bringe euch die Freiheit! DIE DREI REVOLUTIONÄRINNEN: Die Freiheit? ANNA: Warum zweifelt ihr? Vor einer Wundersekunde nur wart ihr noch so sicher in eurer Freiheit. ERSTE REVOLUTIONÄRIN: Die Stadt ist bedeckt von schwarzer Luft, Tausenden, an glatter Haut, brechen plötzlich Wunden stinkend auf, Abgezehrte fallen in die Knie und bleiben tot liegen; die Seuchen wie vom Feind gesandt, blasen Signale durch die Häuser – und ich bin gewählt, für die Spitäler zu sorgen. Ich bin zu schwach. ANNA: Bist du zu schwach? Das ist gut. Dann wirst du einmal stärker sein als du jemals gehofft hast! ZWEITE REVOLUTIONÄRIN: Was kann ich noch tun? Wir haben in den Fabriken keine Kohle mehr, keinen Strom, die Treibriemen sind dürr und fettlos und reißen am Rad, die Sicherungen brechen im Metall und saugen die Arbeiter in den Tod. Können wir denn noch arbeiten? Was kann ich machen? DRITTE REVOLUTIONÄRIN: Brot brauchen sie! Brot! Nur dies erste. Das Brot. Es ist nichts da. Nichts mehr. Diese Freiheit ist die Verantwortung, die auf jedem Menschen liegt. – Ich kann nicht länger an ihr tragen. Wer bin ich noch? Ein Nichts. Für die andern – eine Lüge.

ANNA: Wo seid ihr, Schwestern? Ihr seid fern von euch. Ihr brecht zusammen unter Kindern, die nicht eure Geburten sind. Ihr seid nur noch die Buchstaben eurer Namen. Ihr seid Beamte, Minister, Leitende – aber rollte das aus euch? Müßt ihr erst euch noch mit eurem Hirn hersagen, daß ihr lebt und handelt für die Idee? O, dann seid ihr verloren! Das erste Geständnis vor euch selbst, und ihr seid verloren, die Stadt verloren, die Freiheit ist verloren! ERSTE REVOLUTIONÄRIN: Unser größter Mut war, daß wir die Verzweiflung verbargen. Da unten, das Volk glaubt uns stark – wüßten sie, wie wir uns fesseln, um nicht in den Wahnsinn des Nichts auszubrechen, so würden sie an Hoffnungslosigkeit sterben wie Regenwürmer auf ausgedörrtem Stein! ANNA: Aber ihr seid verloren, wenn ihr euch vom fremden Sinn lenken laßt! Ihr wollt die Freiheit? Ihr selbst seid die Freiheit: Ihr braucht nicht zu flüchten, ihr braucht nichts zu verbergen. Wie? Ihr leitet? ihr verfügt? Ihr versammelt, ordnet an, gebt Aufträge, seid Zahlen-Nenner, macht Zahlen? In welcher alten Welt lebt ihr? Wollt ihr die Kadaver eurer selbst bleiben? ERSTE, ZWEITE, DRITTE REVOLUTIONÄRIN: Was sollen wir tun? ANNA *zur ersten:* Laß deine Krankenhäuser. ERSTE REVOLUTIONÄRIN: Ah – aber sie werden zerfallen! ANNA: Die Kranken werden gesund, du wirst sie pflegen! – *zur zweiten:* Laß du deine Fabriken! ZWEITE REVOLUTIONÄRIN: Und die Arbeit, die stillsteht? die Leere, dieses Elend, wenn nichts mehr gemacht wird? ANNA: Sie soll stillstehen. Du selbst wirst arbeiten! – *zur dritten:* Kümmere du dich nicht mehr ums Brot! DRITTE REVOLUTIONÄRIN: Hunger! Hunger! Weißt du, was du herbeirufst: Hunger! ANNA: Du backe selbst Brot! Das Volk braucht euch nicht! Ihr brauchtet die Andern, weil ihr euch selbst braucht! ZWEITE REVOLUTIONÄRIN: Aber das ist Auflösung! ANNA: O wäre sie doch schon unter uns in der Stadt, die helle, ehrliche Stille, das Atemanhalten der Treibriemen! ERSTE REVOLUTIONÄRIN: Und sind wir dann noch nütze? Wird diese Stille nicht uns selbst verschlingen? ANNA: Wir sind nicht allein. Glaubt ihr, daß wir auch nur stehen könnten, wenn nicht aus allen Städten der Welt Arme zu uns sich herüberstreckten! In alle Mauern hinein bohren sich Augen, hinauf in den Himmel brennen Augen. Zu uns, zu uns! Zu uns blitzen sie her, verzweifelt, so wie ihr verzweifelt seid. Jeder Schrei, der aus uns auffliegt, kommt aus den Millionen Mündern. Glaubt nicht, wir hätten nur Kraft, wenn wir in Regimentern einherstampfen. Blickt hindurch durch die Mauern, springt über die Grenzen! Stürzt zu allen Frauen, die lieben! Millionen Frauen in jedem Land stehen wie auf einsamer Insel, um sie strudelt Verzweiflung, sie warten auf euch. Millionen sind da, bebend bereit zu unserem Kampf! Blickt hin, wie diese Erdkugel von Frauen, eng gedrängt starre Leiber, und doch noch unverbunden, aus dem Dunkel aufsteigt, noch geschlossene Augen, gekreuzte Hände, noch ein enger Riesenfriedhof von Haarkränzen, aber ein Schrei aus euch, ein Schrei zu Verwandten: die Arme breiten sich, Augen in tiefer Kraft finden euch, und ein Herzschlag gemeinsam zittert durch die Haut der Erde, daß einen Atemzug lang jede Hand still hält, jede Arbeit ruht, jede Fabrik versinkt, jeder Mörderschuß kraftlos vor den Lauf zu Boden fällt. ZWEITE REVOLUTIONÄRIN: O, und wie werden sie essen? ANNA: Du wirst es ihnen nicht geben, wenn du nichts anderes tun als sie nur führen willst! Treibe sie, meine Freundin, sei unter ihnen, hauche ihnen Erregung ins Gesicht, daß sie es einen Tag lang vergessen. Ein Tag nur, ein einziger Tag Ruhe, ein Tag Stille aller Menschen auf der Erde, und diese alte Welt ist verwischt; eure Mauern und Gräber treiben die Feinde selbst zurück, ohne daß einer von uns die Hand regt. Ein Tag nur ganz eure Kraft, euer Lächeln, euer Duft, euer Atem!

DRITTE SZENE

DAS VOLK *draußen Bewegung:* Hunger! DIE DREI REVOLUTIONÄRINNEN: Das Volk! Sie warten auf uns! Was rufen sie? DAS VOLK *draußen:* Hunger! ERSTE REVOLUTIONÄRIN: Ich höre: Hunger! ZWEITE REVOLUTIONÄRIN: Was sollen wir tun? DRITTE REVOLUTIONÄRIN: Sie hoffen auf uns. Wir können sie nicht im Stich lassen. ZWEITE REVOLUTIONÄRIN: Wir müssen an die Arbeit. DRITTE REVOLUTIONÄRIN: Wir können nicht hierbleiben. Sie warten auf die Neuordnung der Verteilung. ANNA: Ihr müßt zu ihnen. Ihr dürft sie nicht täuschen mit neuen Verfügungen. Ihr müßt unter ihnen sein und ihnen helfen. Helfen zum ersten neuen Tag der Welt. VOLK *draußen:* Hunger! *Schläge an der Tür.*

VIERTE SZENE

JUNGER MENSCH *tritt auf:* Wir können nicht länger warten. Alle Quartiere sind zur neuen Verteilung der Arbeit bereit. DRITTE REVOLUTIONÄRIN: Ich glaube, wir haben nichts zu verteilen. JUNGER MENSCH: Ihr habt nichts? ERSTE REVOLUTIONÄRIN: Nichts. JUNGER MENSCH: Ihr seid noch nicht fertig, während wir auf euch warten? DRITTE REVOLUTIONÄRIN: Wir wollen nicht. JUNGER MENSCH: Wollt nicht? Luft schägt an mein Ohr? ZWEITE REVOLUTIONÄRIN: Wir retten euch. JUNGER MENSCH: Mit nichts! ERSTE REVOLUTIONÄRIN: Wir Helfen! JUNGER MENSCH: Bin ich unter den Führerinnen? Wißt ihr, was euch erwartet? Auf euch haben wir unsere Verteidigung gestellt. Und nun nichts? ZWEITE REVOLUTIONÄRIN: Wir treten von der Leitung der Arbeit zurück. JUNGER MENSCH: Zu spät! ANNA: Nicht zu spät für die Menschheit! Jetzt seid ihr bereit. ERSTE REVOLUTIONÄRIN: Ich gehe. In mir brennt das Blut einer neuen Erde. Freundinnen, zum erstenmal bin ich glücklich!

Die drei Revolutionärinnen gehen ab. Nach einem Augenblick draußen: Ungeheurer Lärm des Volkes.

DIE STIMME DER ERSTEN REVOLUTIONÄRIN: Menschheit! DIE STIMME DER ZWEITEN REVOLUTIONÄRIN: Drüben ... leben ... die Schwestern! *Lärm des Volkes. Stille draußen.*

FÜNFTE SZENE

JUNGER MENSCH *zu Anna:* Du bist das! Was soll das! Wer bist du? Feinde werden beseitigt! ANNA: Du siehst aus wie ein Freund. JUNGER MENSCH: Du sprichst, als hättest du ein eigenes Recht – und bist doch genau wie alle anderen Frauen. Heute machen wir keinen Unterschied mehr! ANNA: Gerade weil ich bin wie alle andern, spreche ich mit meinem eigenen Recht zu dir. JUNGER MENSCH: Du bist nicht schön. Aber etwas an dir reizt einen Mann. Komm! ANNA: Du bist offen und schnell. JUNGER MENSCH: Was bleibt einem heute? Vielleicht ist man eine Stunde später tot. ANNA: Meine Zeit ist um. Leb wohl. Nun muß ich fort. JUNGER MENSCH: Schon? Warum schon? Komm zu mir, ich weiß einen Platz für uns. ANNA: Nein, ich kenne einen besseren als dich! JUNGER MENSCH: Oh. Alle sind wie ich, es ist gleich. ANNA: Weißt du nichts Besseres von dir? Alle Frauen sind wie ich. Auch das ist gleich. Du brauchst nicht mich. Aber ich suche einen, der leben will, nicht sterben. JUNGER MENSCH: Wie soll das einer heute wissen? Es ist gleich. ANNA: Du mußt es wollen. JUNGER MENSCH: Das kann unsereiner nicht mehr, dazu haben wir keine Zeit. ANNA: So schaff dir die Zeit. JUNGER MENSCH: Ich muß arbeiten.

ANNA: Wahnsinn, wenn ich euch höre! Du Armer. Hast du denn noch das Auge, mich anzusehen? JUNGER MENSCH: Es ist wahr. Ich habe mehr eine Lust von dir herüber gespürt. Ich sehe dich jetzt zum erstenmal an. ANNA: Hast du schon deine Hände zum erstenmal angesehen? Hast du schon deine Arbeit zum erstenmal angesehen? Deine Maschine? Deine Fabrik? Deinen Weg am Morgen bis zur Nacht? Deine Genossen? Deine Stadt? Die Welt draußen? JUNGER MENSCH: Und die Arbeit? ANNA: Die Arbeit ist euer Tod! JUNGER MENSCH: Ah – nein, das weiß ich schon: Wie sollen wir uns anders aufrechterhalten? ANNA: Ihr haltet eure Feunde aufrecht, die Bürger. JUNGER MENSCH: Wir können heute nicht mehr anders als arbeiten.

ANNA: Dazu hat dich deine Mutter geboren, daß du nicht mehr anders kannst, daß du gehorchst, daß du nicht weißt, was du tust? Du hast ja nicht einmal Zeit und Freiheit, mich anzuschauen und deine Arme um meinen

Hals zu legen! Deine Arme? Deine Arme wissen längst nichts mehr von dir seit deiner Kindheit – deine Beine sind nur noch zum Stehen an der Maschine gut, dein Bauch zum Verdauen, dein Glied zum Krankheitverbreiten und zum Zeugen von Kindern, die so jämmerlich leben wie du selbst, und dein Kopf um über der toten Beschäftigung deines Körpers zu wachen. Du weißt nichts von dir, du weißt nichts von mir. Was hast du vom Leben? JUNGER MENSCH: Und wenn ich heute aufhöre? Morgen ist es wieder das gleiche. Wir können nicht mehr heraus. ANNA: Nein! Du bist nicht allein. Ihr alle müßt aufhören. Ihr müßt alle einmal wieder wissen, woher ihr kommt, daß ihr lebt, daß ihr Freiheit habt, zu tun, was ihr wollt und nichts zu tun. Sieh mich an. Bei mir hast du mehr als Lust: Du hast die Freiheit.

JUNGER MENSCH: Ich höre schon in meinem Ohr eine andere Antwort rauschen, als ich dir sagen wollte. Aber ich bin nicht allein, ich halte fest. Wenn wir aufhören zu arbeiten, dann überrumpelt der Feind uns wie Kinder. Binden werden uns die Bürger, fortschleppen, ermorden oder in die Bergwerke schmeißen und zur Todesarbeit peitschen, sie würden in die Stadt dringen, ohne Widerstand zu finden. ANNA: Ja, mein Freund, mein Geliebter, laß mich deine Hüfte fühlen! Sie würden kommen, ohne Widerstand zu finden. Wie durch Kissen würden sie gehen, auf Weichem würden sie schreiten – und darin versinken! Auf unheimlich Weichem würden sie schreiten müssen! Einer nach dem andern aus ihrem Heer sinkt ein in eure Widerstandslosigkeit, einer nach dem andern läßt die Hände sinken vor euren ruhenden Händen. Einer nach dem andern hungert neben eurem Hunger. Einer nach dem andern wird umgurgelt von der steigenden und steigenden Flut der Gewaltlosigkeit. Schaut hin, ihr hattet die Feinde mitten unter euch, und während sie noch um sich schlugen, fielen ihnen die Waffen aus den schreckzitternden Händen. Sie waren wissend geworden. Sie waren wissend geworden von sich – durch euch. Die Feinde sind zersplittert, versunken, die Bürger sind verschwunden. – Ihr habt die neuen Brüder unter euch! JUNGER MENSCH: Komm, ich weiß einen grünen Rasen mit Büschen am Wasser. Dieser Abend wird so schön, die Sonne ist schon rötlich da. ANNA: Du weißt es heut zum erstenmal. Komm – ich muß bald fort, zu den Brüdern. JUNGER MENSCH: O, warum so schnell! Komm mit mir! Nimm dir doch Zeit, Zeit, Zeit! Was hindert uns? Mach dich frei, wie ich! ANNA: Nun weiß ich, daß die Erde nicht verloren ist! – Komm. *Beide ab.* JUNGER MENSCH *im Abgehen:* Frei! Frei! Keine Hand arbeitet mehr! *Ab.*

SECHSTE SZENE

Aus der Versenkung die Stimme des Nauke und des Bürgers.

STIMME DES FÜHRERS DER BÜRGER: Da ist Licht. STIMME DES NAUKE: Natürlich ist da der Ausgang, ich wußte es ja! STIMME DES FÜHRERS DER BÜRGER: Aber wenn wir mitten hinein unter sie geraten? Kann ich dir auch trauen? STIMME DES NAUKE: Ihr habt mir solang getraut, wenn ihr's jetzt nicht mehr tut, ist es zu spät! STIMME DES FÜHRERS DER BÜRGER: Geh du vor! STIMME DES NAUKE: Wieder zu spät. Ich bin dir durch den ganzen Gang vorausgekrochen, jetzt könnt ich beim besten Willen nicht hinter euch gehen! NAUKE *steigt aus der Versenkung herauf:* Niemand. Wir werden nicht überrascht. DER FÜHRER DER BÜRGER *steigt hinter Nauke herauf:* Das war eine verfluchte Wanderung, stundenlang durch den engen, schleimigen Gang! NAUKE: Was willst du? Was redest du? Ich hab vor euch den Dreck im Gang an meinen Kleidern aufgewischt, und jetzt ist es nicht fein genug gewesen. Bin ich dir vielleicht selbst zu schmutzig? FÜHRER DER BÜRGER: Du nennst mich du? NAUKE: Ho, Bürger, man nennt jeden du, mit dem man etwas durchgemacht hat. FÜHRER DER BÜRGER: Du hast mir versprochen, daß du mich zu den Führern bringst. NAUKE: Ich hab schon einmal gesagt, ich nehme keine Belohnung. Ich tu's aus reiner Menschenliebe. Verhandlungen, ja. Geheime Verhandlungen: wunderschön. Aber ihr wollt doch nicht etwa spionieren? FÜHRER DER BÜRGER: Spionieren, mein Freund, da hätt' ich dich gebeten – tätest du das nicht auch aus reiner Menschenliebe? NAUKE. Was heißt das? Was wird das? Bürger, du beleidigst! Du hast mich drüben am Ufer angeredet. Du hast mir gesagt, daß du zu den Revolutionären gehen willst, um sie mit euch zu versöhnen, aber ohne öffentlichen Lärm, ohne starre Haltung, als einfacher Mensch. Ich habe dir den geheimen Zugang zur Stadt gezeigt, denn du hast mir geschworen, daß du nicht Mißbrauch triebest. Alles um der Versöhnung willen. Du weißt es. Warum sprichst du nun krumm? Denke dir, hättest du es nicht mit mir zu tun, ein anderer hätte dir schon lang eine auf den Kopf gegeben. FÜHRER DER BÜRGER: Eben weil ich es mit dir zu tun habe! Selbst wenn ich spionieren würde, geschähe es nur zum Besten der Revolutionäre. NAUKE: Das ist mir zu hoch. Du bist doch ihr Feind? Warum rückt denn ihr Bürger aus und belagert sie? FÜHRER DER BÜRGER: Eben zum besten der armen, unwissenden Revolutionäre. NAUKE: Sie können selbst wählen, was ihnen zum besten ist. FÜHRER DER BÜRGER: Nein, dafür denken sie zu einfach. Sieh, man muß doppelt denken können, wie wir, dreifach denken muß man können, nach jeder Seite hin. Kannst du doppelt denken? NAUKE: Nein, ich kann nur ganz einfach denken, und auch das nur mit Mühe, ich gestehe!

FÜHRER DER BÜRGER: Siehst du! Wir haben gelernt, auf soviel Arten zu denken, wie es Zahlen und Menschen gibt. Für jeden etwas. Darum wissen wir Bürger besser, was für die Revolutionäre gut ist, als sie selbst. Sie müssen sich mit uns versöhnen. Aus Menschenliebe! NAUKE: Versöhnen, Menschenliebe? Das versteh ich. FÜHRER DER BÜRGER: Sie müssen damit anfangen, weil wir es besser wissen. NAUKE: Das versteh ich nicht mehr. Das ist gewiß schon das doppelte Denken. FÜHRER DER BÜRGER: Wir werden jedermann das doppelte Denken lehren, auch dich, mein Freund. Wenn erst alle Revolutionäre doppelt denken, nach rechts und nach links, dann ist die Revolution zu Ende, alle sind wie wir, und das Leben im Paradies beginnt. NAUKE: Das Leben im Paradies? Was muß ich tun, damit wir schnell dazu kommen?

FÜHRER DER BÜRGER: Du mußt zwei Gesichter machen. Eins für sie und eins für uns. Freund, ich kenne dich, ich weiß wie gut du es meinst. Damit das Glück bald kommt, müssen alle Revolutionäre auf unserer Seite sein. Damit sie auf unserer Seite sind, müssen sie in unseren Händen sein. Damit sie in unseren Händen sind, müssen sie uns ergeben sein. Das ist doch alles ganz klar. Und ergeben sind sie, wenn sie ahnen, wie stark wir sind, und wenn sie schwach werden. NAUKE: Stark sein – und schwach werden? Das hab ich schon gehört, das sagten schon die Brüder auf dem Schiff. Ich glaube, du bist mein Mann! FÜHRER DER BÜRGER: Das weiß ich längst. – Damit sie bereit werden, müssen sie Tag und Nacht unablässig an der Maschine liegen. Unterdessen beraten wir uns mit ihren Führern, und ziehen sie auf die Seite der Versöhnung. Wir erkunden die Hilfskräfte und die Zugänge der Stadt – warum gleich spionieren sagen?! – dann kommen wir. Dann haben wir sie, dann belehren wir sie und dann beginnt das Paradies. NAUKE: Dann beginnt das Paradies? Und was kann ich dazu tun? FÜHRER DER BÜRGER: O viel, mein Lieber. Du gehst in die Fabriken, und machst dein fröhlichstes Gesicht: hundertfache Arbeit. Und dann vor allem die Getreidespeicher, sehr wichtig, eine Zündschnur – puff, die ganze Bude fliegt auf! Sie müssen hungern, daß sie die Fliegen an der Wand beneiden. Dann gehst du zu den Kämpfern und machst ihnen begreiflich, wenn sie aufhören die Revolution zu verteidigen, und uns endlich herankommen lassen, oder wenn sie gar wie du, mein lieber Freund, – zu uns herüberkommen, dann beginnt das Paradies! Und vor allem: Wir liefern das Essen! Du sagst ihnen: Alles Essen, was nicht von uns kommt, ist vergiftet. Nur wir haben das gute Essen! NAUKE: So viel auf einmal, das ist gewiß das doppelte Denken! Du hast mich damals gewonnen, damit ich dich zu den Führern bringe, für die Versöhnung! FÜHRER DER BÜRGER: Aber wie? du willst dich davonmachen? Hast du denn kein Gewissen? Du mußt doch mitarbeiten am Paradies? Tu du, was ich dir gesagt habe, dann wirst du ein ganz großer Mann sein! NAUKE: Mein Gewissen, mir ist unheimlich. FÜHRER DER BÜRGER: Das ist noch dein altes, dummes billiges Gewissen. Ich lehre dich doch gerade unser neues, feines, doppeltes Gewissen! Jetzt den Weg zu den Führern. Mit denen werd ich schon fertig. NAUKE: Den Weg zu den Führern. Ich bring dich. FÜHRER DER BÜRGER: Zeig ihn mir, ich finde ihn. Du hast anderes zu tun! Sag du den Revolutionären, was ich dir gesagt habe. Dann werdet ihr alle glücklich. *Der Führer der Bürger und Nauke im Abgehen.* NAUKE *im Abgehen:* Hundertfache Arbeit, lustiges Gesicht in den Fabriken, Getreide hoch, Hunger, Versöhnung, den Anfang machen: das hab ich schnell gemerkt, das war wie auf dem Schiff. Aber dann: Ausliefern, zu den Bürgern übergehen! das kommt hinzu. Das doppelte Gewissen – das ist neu. Und dann kommt das Paradies! *Beide ab.*

SIEBENTE SZENE

Der Gouverneur und der Mann treten in Eile auf.

DER MANN: Hier gingen sie. Es ist kein Zweifel. DER GOUVERNEUR: Du bist sicher, daß es Nauke war? DER MANN: Mit einem Feinde! DER GOUVERNEUR: Was ist das? DER MANN: Verrat! Die Stadt ist verraten! DER GOUVERNEUR: Verraten? DER MANN: Verraten. Mehr noch, es ist nicht zu fassen: Von einem der Unsrigen. Wir sind verraten! DER GOUVERNEUR: Schlimmer! Wir sind auch die Verräter! DER MANN: Unmöglichkeit! Zusammensturz! Raserei! Woher kommen wir? Welches Recht haben wir, zu leben? Wenn das möglich war, hat alles keinen Sinn mehr! Wenn das möglich war, hat nichts je Sinn gehabt. Dann sind wir Betrüger, Betrüger! DER GOUVERNEUR: Du weißt, daß es Sinn hat, du weißt welchen Sinn. Aber vielleicht waren wir lässig, vielleicht hochmütig, Verrat ist Mißverständnis. Daß Mißverständnis möglich war? – vielleicht hatten wir zu wenig Liebe? – Immer wenn die Stunde groß wird, kommt Verrat. Gerade den Verrat muß man überwinden. DER MANN: Wie? DER GOUVERNEUR: Ihn unwichtig machen. Verrat kann nur gegen die Person gehen. Aber verrate du das Volk? Unmöglich. Wir müssen den Verrat aus der Welt schaffen. DER MANN: Aber er ist geschehen. DER GOUVERNEUR: Wir laufen ihm entgegen, wir kommen ihm zuvor, wir überbieten ihn. Wir stellen uns ihm. DER MANN: Verhandeln mit den Feinden, den Bürgern, den Generälen? DER GOUVERNEUR: Nein, nicht verhandeln. Wir geben uns dem Feind. Er fordert – wir geben alles. Er fordert Waffen, wir legen sie hin. Er will Geld, wir geben ihm, was da ist, er will Speise, wir geben ihm die unsere. Er will unser Leben, wir zeigen ihm, daß wir es opfern. Er kann nichts mehr fordern. Er ist allein, und ihm bleibt nur noch zu verlangen, daß er werde wie wir selbst. – DER MANN: Und das Volk? DER GOUVER-

NEUR: Wir geben zurück, was wir vom Volk empfingen. Wir bringen ihm Brüder, aber solange die Brüder noch Feinde sind, werfen wir uns vor sie, und wir opfern ihnen unser Schicksal! – Zu den Feinden! – Ich kreuze ihren Angriff. Ich laufe durch die Stadt, und wo ich nur einen Windstoß von bürgerlicher Luft wittre, da tret ich hin, als ein Mensch, der die Ehre der Vergangenheit nicht mehr hat. – Ich gehe zu den Feinden, den Gang der Selbstvernichtung. *Gouverneur ab.* DER MANN: Du gehst den Gang der Liebe. Ich gehe zum Volk, den Gang der Zerstörung.

ACHTE SZENE

KLOTZ *stürzt auf:* Ich bin zu euch quer durch die ganze Stadt gerannt. DER MANN: Daß du kommst! – Dein Auge, dein Mund, ob dieses Volk reif ist? – KLOTZ: Spring heraus aus deiner Hirnwelt, Freund! Wir müssen unter sie, arbeiten, als hätt' jeder von uns tausend Leiber – sonst wär alles verloren! Aus Kellerlöchern komm ich her, von Unratswinkeln, aus Versammlungen, suchte euch zusammen. Sie plündern, Menschen sind erschlagen, eigene Genossen auch. Raub wo ein Bissen. Ein Zündholz ist Besitz. Und dabei geht die Arbeit weiter. Eine unsichtbare Hand greift in die Massen und treibt sie gegen ein Haus. Durchsuchung. Zwei Schritte daneben läuft das Leben, als sei seit Unendlichkeit nichts verändert. DER MANN: Und alles spielt den Bürgern in die Hände? KLOTZ: Das alles spielt den Feinden in die Hände. Wenn nicht, eh noch die Bürger in die Stadt dringen, eine Umkehr kommt, ungeheure Umkehr geschieht, dann ist das Volk verloren. Zerhackt wird alles, erstickt die Freiheit. DER MANN: Kamerad, ist's jetzt nicht gleich, was geschieht? Wird nicht ewig in diesem Volk die Idee leben, wird nicht unsterblich unter ihnen die Freiheit umhergehen? KLOTZ: Nein, nein, nein! Das Schlimmste kommt, das Entsetzlichste: eine Sklavenhorde. Die Freiheit wird ewig gestorben sein. Wir taten noch nichts, nun müssen wir alles tun. DER MANN: Alles tun, Kamerad. Ja, alles in einem Augenblick. KLOTZ: Betrug! Wer das sagt: Alles oder nichts! – denkt alles und bleibt beim Nichts. Schritt für Schritt mußt du vorgehen. Dein Leben hingeben ganz an die Tat – selbst ohne Freude, nur um es zu geben!

DER MANN: Aber Plündern sagtest du! Raub! sie morden! Wo bleibt das ewige Bild des Menschen? wo bleibt unsere ewige göttliche Abkunft, wo bleibt das freie Menschenleben, dafür wir herkamen? Ich werfe mich ihnen in den Weg! KLOTZ: Nein, nie! Halte sie nicht. Wenn du sie hältst, wenn du ihnen Licht predigst, um sie zurückzuhalten, dienst du der Finsternis. DER MANN: Aber Mord? Sie dienen dem Teufel. KLOTZ: Nein, sie dienen Gott. Sie müssen hindurchgehen durch die Niedrigkeit, um die Niedrigkeit zu erkennen. Sie müssen sich beflecken, um Reinheit sehen zu können. DER

MANN: Aber wofür zertrümmern sie? Wir, wir sind Brüder der Gemeinschaft. Wir kämpfen für die Menschheit. Aber sie, ihr Leben ist eine Blutlache. Und wofür? KLOTZ: Auch sie für die Menschheit! DER MANN: Und wir? Was müssen wir also tun? KLOTZ: uns opfern. DER MANN: Untergehen? Befreit von der Welt? KLOTZ: Nein, nicht befreit von der Welt, sondern mit der Last aller Weltkugeln des Himmels auf den Schultern. Nicht untergehen, sondern unter sie gehen. Einer von ihnen werden. DER MANN: Wie – mit ihnen morden? In welchen reißenden Absturz setzte ich den Fuß! KLOTZ: Nicht das Morden! Wir morden nicht. Nein – breite die Arme und schwimm unter ihnen. Du mußt ihre Welle verstärken, daß ihr großer Gleichstoß durch dich rinnt und nur mit dir noch lebt! DER MANN: Aber wir sind die Führer. KLOTZ: Lausche auf die Stimmen, die aus dem Dunkel ans Tageslicht steigen. Höre das Geheimnis der Erde: Es gibt keine Führer. Führertum ist Betrug! Du mußt ein Teil sein, eine geringe Zelle von ihnen; ein Zucken nur in ihren Muskeln.

DER MANN: Und das Letzte? Die Ewigkeit? Das Unbedingte, daran nichts abzuschneiden ist? Die Freiheit? KLOTZ: Mann, nur zu ihm mußt du. Zum Letzten, Höchsten, wovon wir stammen. Aber hindurch mußt du zu ihm durch unsere endlichen, zeitlichen, befleckten Leiber, durch die Schwierigkeit des Kleinen, durch den Schweiß der Sünde. Alles mußt du wollen, die allerletzte größte Freiheit der Menschen, so groß, daß sie selber die Erdkugel durch den Raum schicken können – mußt es wollen, und mußt wissen, daß du es nach und nach erst machen wirst, von Volk zu Volk, Stadt zu Stadt, von Mensch zu Mensch. Hart ist das. Zu dem unendlichen Glück der Menschheit müssen wir durch den ganzen Trümmersturz des Menschseins. DER MANN: Und du meinst, das ginge so leicht? Die Idee umgibt uns mit einem Stachelpanzer, wir können ihr nicht folgen, ohne unsere Umgebung zu verwunden. KLOTZ: Dreh ihn um den Stachelpanzer; verwunde nicht die andern, stich dich selbst! Unser Opfer müssen wir bringen, unser eigenes Opfer. DER MANN: Abtreten? KLOTZ: Mehr, mehr, das ganze Dasein geben! Wir waren die Führer, wir ragten auf, sandten Ströme von uns, die die Massen bewegten. Das war unsere Sünde! Die Welt wird neu. Wir haben kein Recht mehr, zu sein. Wir dürfen nicht mehr da sein. Über uns hinweg muß die Freiheit kommen. Nicht wir mehr befreien die Menschen, sie selbst tun es auf unserem Leib. Das Opfer unseres Lebens ist unsre letzte Wahrheit – unsere erste Tat. Wir müssen dahingehen, verschwinden – durch das Volk.

DER MANN: Verschwinden durch das Volk. Die Welt, aus der wir kamen, ist versunken. KLOTZ: Das Opfer unseres Lebens durch das Volk: Das erst ist deine Liebe! Und nur dann wird unser Blut in ihnen kreisen, dann erst wird unser Herzschlag im Volke ein Riesenstoß zum göttlichen Geiste sein.

DER MANN: Durch unser Opfer wird die Welt neu! So lauf ich mit ihnen? Rase mit ihnen durch die Straßen, breche Türen auf? Schreie mit ihnen „Hunger!"? KLOTZ: Du schreist „Hunger!" mit ihnen, und du weißt: Freiheit.

NEUNTE SZENE

DAS VOLK *draußen:* Hunger!

Die Frau bricht herein, hinter ihr und um sie ein Knäuel von Volk. Im Volk: Junge Burschen, Greise, Männer, der Bucklige, der Krüppel und die beiden alten Gefangenen.

DIE FRAU: Verloren! Verloren, wenn wir nicht retten! Die Führer sind weich, verhandeln. Die Bürger sind in der Stadt: in allen Ecken stecken sie mit den Führern. Das Volk wird verraten, wie man eine Nuß vom Baum schüttelt. STIMMEN AUS DER EINEN GRUPPE DES VOLKES: Hierher. Ihr nach! STIMMEN AUS DER ANDEREN GRUPPE DES VOLKES: Warum ihr nach? Wir kennen sie nicht! STIMMEN AUS DER ERSTEN GRUPPE: Eine Frau! Die weiß immer wo es Essen gibt! STIMMEN AUS DER ANDEREN GRUPPE: Ihr seid Opfer bei jedem Verrat! STIMMEN AUS DER ERSTEN GRUPPE: Ihr seid Opfer bei jeder Lüge! DER MANN: Lüge und Verrat! Ihr seid mitten drin! EIN GREIS AUS DEM VOLK: Was können sie uns antun? Wir haben nichts zu geben. EIN JUNGE AUS DEM VOLK: Wir können's nur besser haben. DER KRÜPPEL: Lüge – war das erste freundliche Wort, das haben wir noch nie gehört. DER BUCKLIGE: Nie gehört? Wir haben nichts anderes gehört. So haben sie uns immer gefangen! DER JUNGE: Es ist gleich. Wir haben nichts zu verlieren! DER GREIS: Nichts zu verlieren! Du Nachschwätzer! Du Lügner! Alles, alles: Das Leben! Das Leben! Das Leben! Könnte man sich endlich doch ausruhen! DER MANN: Ausruhen! Ihr sollt ausruhen! Die Hände sinken lassen, sie beschauen. Nicht in gespanntem Zittern warten auf den nächsten Pfiff zur Arbeit. DER GREIS: Und leben? DER MANN: Dann gerade werdet ihr leben. Aber so leben die Feinde von euch!

DER BUCKLIGE *zu Mann, Klotz, Frau:* Was tretet ihr uns entgegen? Was wollt ihr von uns? DAS GANZE VOLK: Was wollt ihr von uns? DIE FRAU: Ah! Mißtrauen! DER MANN, KLOTZ: Mißtrauen! ERSTER GEFANGENER: Halt, es sind Kameraden! Ich bürge für sie. Ihr kennt mich. Meine Jahre sind im Gefängnis geblieben, für euch. Ihr wißt es. DER BUCKLIGE: Vergangenheit. Das gilt nicht mehr. Wir haben nichts von euren Gefängnissen. DER KRÜPPEL: Ihr seid selbst Bürger! Ihr seid so fern von uns wie die andern; ihr seid gerad so glatt und lau wie sie! KLOTZ: Lau? Wer ist lau? Du, Volk, bist weich und sie machen mit dir in ihren Händen was sie mögen! DAS VOLK: Wir wollen Leben! Leben!

ZEHNTE SZENE

NAUKE *stolpert herein mit einem Pack Papier in der Hand:* Ich habe es! Ich habe es! Ich habe es! Ich habe Essen für jeden. DAS VOLK *stürzt auf ihn:* Flugblätter. NAUKE: Ich weiß Essen! Ich weiß gute Leute! Es ist für jeden da! Wer kommt mit mir? Hier! *Er wirft die Flugblätter unters Volk, auch auf den Boden.* Daß ihr wißt, was ihr tun müßt! *Volk: leichtes Getümmel um die Flugblätter.* DER MANN: Du willst sie preisgeben! NAUKE: Ich will sie retten! KLOTZ *zum Volk:* Glaubt es nicht! Es ist nicht wahr! Ihr werdet betrogen! Sie lügen euch an. Nicht einmal das Essen, das sie euch versprechen, werden sie euch geben! Ich weiß es: Ihr rast in die Sklaverei! DER MANN: Ich beschwöre euch, haltet nur solang aus, bis ihr seht, daß die Bürger logen! NAUKE: Mit mir. Das Leiden ist aus! VOLK *Jubelgeschrei:* Leben! *Nauke ab. Das Volk um ihn, stürzt mit ihm hinaus.*

ELFTE SZENE

KLOTZ: Er führt sie zu den Bürgern. Nun ist der Augenblick. Jetzt darf unser Leben nichts mehr sein. Jetzt unsere Kraft ins Volk! DER MANN: Schnell, sie zurückhalten! KLOTZ: Wir können nicht mehr zurückhalten! Wir müssen die ganze Stadt umwerfen, sprengen! DER MANN: O, wenn sie nur ein Wort verhandeln, ist es zu spät! KLOTZ: Es darf nicht zu spät sein. Jeder einzelne von ihnen muß eine Sekunde lang nur von sich wieder wissen. Dann ist alles gewonnen. DER MANN: Unser Wille! Herauf! KLOTZ: Millionenfach müssen wir uns teilen, und jeder Blutstropfen von uns muß auf einen Menschen geschleudert werden und ihm Freund sein. DER MANN: Schnell, ihnen nach!

Klotz und der Mann ab.

ZWÖLFTE SZENE

DIE FRAU *allein:* Mißtrauen. – Hunger. – Die Luft um mich braust von Menschen, umkrampft halten sie sich keuchend ineinandergebissen im Kampf. Eine Höhle von Brausen ist um mich. Schwarzer Wind von Nachtstimmen. – Lärm, Schreie. Wie heraus? Zu den andern? – Hört ihr mich? Kann ich euch ein Wort von mir hinüber durch die Mauern werfen? Kann ich mich tausendfach durch den Sturm zu euch hinwehen? – Ah – hier ist eine Zunge, die für euch redet! *Sie hebt eines der Flugblätter, das Nauke zur Erde fallen ließ, auf.* Papier, Gedrucktes.

Ein Aufruf – ah, und das hilft? Hilft das? Wissen sie darnach, wohin sie gehen? *Liest:* „Volk! Die Stunde deines Glückes ist da! Nimm dir deine Rechte. Nimm dir selbst die Freiheit, deren du dich würdig fühlst." *Unterbricht sich im Lesen:* In diesen Buchstaben, das Schwarze zwischen dem Weißen, reckt sich dunkles Grinsen. – Betrug! – Da müßte stehen: „Mensch!" „Mensch" – dann hätte es mich gestoßen, dann würde ich es glauben! „Mensch, nimm dir selbst die Freiheit." Ich seh es, ich sehe, was da steht – Betrug! *Liest:* „... deinen Gegnern die Hand reichen ... sie sind nicht deine Gegner ... Arbeit aufnehmen ... Heute abend große Verteilung von Lebensmitteln ... Zeichen der Versöhnung ... Kampf ist beendet ..." *Sie knüllt den Zettel zusammen:* Betrug! Und ich bin inmitten, während hunderttausend Hände diese Blätter ergreifen. Diese Worte stürzen in müde, widerstandslose Augen, Männer sprechen sie zu Frauen, Frauen schreien sie als Hoffnung weiter! O, nur helfen, helfen, daß ein Wille mit Händen und brennenden Flammen über dieses Papier hinsaust und die Lüge herausätzt, eh sie die Adern der Menschen frißt! Mensch! Mensch nimm dir selbst die Freiheit!

Mensch, du bist im Dunkel. Die Finsternis ist deine Wohnung: Du öffnest den Mund heraus aus deiner schwarzen Höhle, um nur zu fressen, und du schluckst einen Tropfen Licht ein. Du ergießt dein Geschlecht in der bittersten Nacht, und ein Flammenlicht streicht an dir vorbei! Mensch, dein Geist fliegt im Licht! Ich rufe deinen Geist! Mensch, ich rufe deine Liebe! Mensch, fahr aus dir auf! Höre mich, Arbeiter! Du schlingst täglich, du weißlich zitternder Wurzelbaum, deine Arme um die Maschine; Arbeiter, Geist in dir, du bist Mensch! Du preßt dich täglich, wie ein kranker Zweig über den Tisch, und rechnest; Mensch, laß deine Bücher vor dir versinken! Du stehst täglich an einem Pult und redest zu den Armen, Mensch, hauche dein Licht in das Wort für die Brüder. Männer, Frauen, Arbeiter, Verfolgte, Getriebene, ihr im Dunkel, in den Fabriken, in den Stuben, am Hunger kaum daß ihr euch besinnt, herauf aus dem Dunkel. Ich rufe zu euch. Fliegt durch das Licht. Ihr seid das Licht. Herauf gegen das Dunkel. Brüder, Schwestern! Empörung gegen das Dunkel! Empörung! Freiheit! Menschen! Freiheit! *Sie stürzt nieder.*

DREIZEHNTE SZENE

DER MANN *tritt auf, von rechts:* Geliebte, meine Seele, mein Leib, meine Freundin! Laß mich dich halten, und fest an mich tun. Ich streichle dich.

Ich lege meinen Kopf auf dich und höre deinen Atem. O sprich zu mir. Du bist mit mir mein ganzes Leben gegangen, als ich aufgewacht bin. Du hast den Kopf zurückgeworfen, und über die Menschen geschaut, wenn ich schwach wurde. Du warst trotzig, dein Trotz hat mich vorwärts getrieben, wenn ich schwach wurde. Du warst fest, ob du auch krank und matt warst, wenn ich schwankte. Du hast geglaubt, und ich habe geglaubt. Mein Liebstes, mein Mensch, meine Schwester, meine Frau, meine Kameradin! Jetzt drück dich an mich, jetzt gib mir deine zärtliche Hand. Meine Stunde ist da. Unsere Stunde ist da. Ich werde hin müssen, mich aufgeben im Blut. Sterben. Ich weiß es. Nichts andres hilft mehr. Der Feind ist mitten unter uns. Mitten in der Stadt. Ich stoße überall auf ihn, ich kann ihn nicht greifen, er ist unsichtbar. Das ist nicht mehr Verrat! nicht mehr ein Einzelner ist abgefallen. Sie siegen! Sie zersetzen die Stadt; sie durchdringen die Leiber und die Willen und lähmen sie! Das ist Untergang. DIE FRAU: Mein Liebster. Das ist auch meine Stunde. Was tust du? DER MANN: Die Stadt oder ich! Und vielleicht, wenn ich mein Leben zersprenge, brechen sie auf mit mir, unsere Brüder von der Erweckung opfern sich ganz hin; und ich weiß, unser Atem wird in das Volk strömen, und sie alle zu freien Menschen emporbrennen! DIE FRAU: Du willst, und ich will!

VIERZEHNTE SZENE

Der kranke Schiffsgefangene tritt aus der Versenkung auf.

DER SCHIFFSGEFANGENE: Endlich finde ich euch. Aus dem Heer der Bürger schicken sie mich zu den Sternbrüdern. DER MANN: Du bist es? Du sahst uns am Schiff, wußtest du darnach nicht, daß wir nicht maklern und nicht verraten? Die Bürgerbotschaft ist unseren Ohren ein hohler Schall. Du warst in unserer Gemeinschaft. Warum tratest du zu den Bürgern, den Feinden? DER SCHIFFSGEFANGENE: Ich trat nicht zu den Bürgern. Ich gehöre zu euch. Ich bin von den Kleinen, nichts an mir fiel den Mißtrauischen auf. Ich bringe euch Gutes: Drüben die Armee der Feinde ist nicht mehr fest, die ist nicht mehr ein drohender Wald mit den zahllosen Stahlbäumen. Das Heer wird schwach. Tausende der Frauen aus dem Volk der Bürgerarmee rufen heute ihren Soldaten das Wort nach: „Menschen!" Die Männer recken die Fäuste zur Empörung, und man kann sie nicht mehr niederschlagen. Redner stehen plötzlich vor den Massen und rufen Hohn und Warnung über die Waffen. Das Heer der Bürger ist schwankend. Wir, die im stillen ihnen Zweifel einflüstern, haben Freunde. Ihr in der Stadt habt draußen Freunde. Hört mich: Sammelt alle Kraft, die ihr hier noch findet, macht einen Ausfall. Ein großer Angriff von euch, der letzte Tag der Gewalt, und ihr habt den Sieg über die Bürger! DER MANN: Du kamst als Freund. Aber du irrst: Wir bleiben.

DER SCHIFFSGEFANGENE: Ihr bleibt? Ihr seid zu schwach? Das meint ihr nur. Ich sag euch dies: Auch die schwächste Macht, wenn ihr sie jetzt entschlossen aus der Stadt vorwärts treibt, hat den Sieg über dies Heer. DER MANN: Wir bleiben. DER SCHIFFSGEFANGENE *zur Frau:* Hilf du mir. Die Frauen drüben sind nicht aufzuhalten in ihrem Ausbruch. DIE FRAU: Die Mauern fallen. DER SCHIFFSGEFANGENE *zur Frau:* Sie halten das Heer zurück. Ihr müßt sie bezwingen. Eifere du, daß eure Männer kämpfen. DIE FRAU: Ich rief sie. Ich weiß, daß es andere Mächte gibt, als den Sieg. Ich rufe nicht zum Kampf. DER SCHIFFSGEFANGENE: Ihr wollt nicht kämpfen? Dann kommt zu uns. Ruft die Brüder zusammen. Alle müssen herüber zu uns. Verlaßt die Stadt in Verkleidungen durch den unterirdischen Gang. Mischt euch unter das Volk drüben und in die Herzen der Soldaten. Ihr könnt das. Macht, daß sie zerfallen, daß sie untereinander sich morden. DER MANN: Nicht das ist unser Wille. Wir bleiben. DER SCHIFFSGEFANGENE: So hört mein letztes Wort, vom Freund, den ihr brüderlich gerettet habt. Kommt, kommt! Und sei es nur, um die Stadt zu verlassen. Wir verstecken euch. Wir retten euch. Bei uns drüben jenseits der Wälle und der Gräben, auf den weiten Ländern, seid ihr gerettet. Hier, inmitten der Tatenlosigkeit, findet ihr den gewissen Tod, mitsammen dem Tod der Stadt. DER MANN: Unsere Tat ist anders als die der Faust. Unsere Tat ist: Zu bleiben. DER SCHIFFSGEFANGENE: Ich kenne nur eure Bruderliebe, ich weiß nicht, wie stark ihr seid. Ich bin nur Einer aus den Vielen, ich habe euch Bericht zu sagen. Mehr vermag ich nicht. Aber daß ihr nicht kämpft, daß ihr bleibt, ist euer Verderben! DIE FRAU: Geh zurück und sag ihnen, daß wir nicht kämpfen. Sag es jedem, der noch lebendig hört. Ich weiß: dies wird größer sein als eine Schlacht. DER MANN: Sag ihnen, daß du uns den Tod gezeigt hast. Wir bleiben.

FÜNFZEHNTE SZENE

ANNA *tritt auf:* Freunde, es beginnt! Die ersten Fabriken stehen still! DER MANN: Endlich! *Zum Schiffsgefangenen:* Eile! Schnell du zu den Deinen. Ruf ihnen zu von uns: „Die Arbeit ruht!" Nehmt eure Hände von den Maschinen und streckt sie uns herüber! – Auf der ganzen Erde, bald, umarmen sich Brüder! – Nun mehr als je, bleiben wir. Es ist der letzte Feuergang: Hindurch!

Ende des dritten Aktes.

VIERTER AKT

SCHAUPLATZ WIE IM DRITTEN AKT

ERSTE SZENE

Nauke tritt auf. Mit ihm der Führer der Bürger und drei andere Bürger.

NAUKE *zu den Bürgern:* Ihr werdet es sehen, ihr werdet es glauben! Ich sag es euch! Ich besitze die große Macht, ich befehle dem Willen. Ihr seht mir das nicht an? Ihr zweifelt an mir? Ihr haltet mich für einen einfachen Mann? Ich sage euch, ich kann es, ich hab es gelernt; ich weiß, wie man's macht, ich war oft genug dabei auf unserer Fahrt. Nur gut wollen, und man hat jeden. Das Volk? Ihr wollt, daß das Volk nachgibt, die Arbeit aufnimmt, und daß sie milchzahm wie Kälber hinter euch herlaufen!? Sofort. Ich streife mir die Ärmel auf, ich rufe an, ich beschwöre – und eine Minute später habt ihr's! DER FÜHRER DER BÜRGER: Wir verstehen das nicht. Wenn du tun kannst, wie du redest, wirst du belohnt. Aber es ist das letzte Mal, daß wir auf dich hören. Wir irren seit Stunden durch die Stadt, und wir wissen nicht, warum wir nichts ausrichten. Wir haben den Besitz, wir haben die Macht, wir haben die Waffen, wir können alle zugrunde gehen lassen, die Widerstand leisten, – und wir sehen nicht, wohin. Der Widerstand rückt breiig weich zurück. Wir sind am Ende. Jetzt, jetzt müssen wir siegen, sonst haben wir ums Nichts gekämpft.

ZWEITE SZENE

Der Mann und die Frau treten unbemerkt auf.

DER MANN *im Hintergrund:* Ah, – dort, die Bürger! Endlich, endlich zu greifen! Endlich ihnen gegenüber! NAUKE *zu den Bürgern:* Bürger, ich helf euch, wie ich es versprach. Und nun bin ich Gouverneur und Sohn des Geistes! *Macht wichtige Gebärden.* Auf, Volk, höre mich! Ich befehle deinem Geiste! Hier stehe ich, ein Sohn des Geistes, und ich gebiete dir mit meinem Willen! *Wichtige Gebärden im Kreise. – Stille.* – Alles bleibt still. Gutes Zeichen. – Auf, Volk, tu, was ich dir sage und was ich will. Ich beschwöre dich bei Totenkopf und gekreuzten Knochen: Folge mir! Hier stehen deine Wohltäter! Sie sind reich, und können dich beschenken, sie sind mächtig und können dich in ihre Dienste nehmen, sie sind bewaffnet und können dir das Leben lassen! Auf, Volk, Geist des Volkes, gehorch ihnen, folge ihnen! Erscheine, erscheine! DER MANN *tritt hervor:* Schweig mit deinem Kram. NAUKE: Ich wußte es! Gewonnen, sie kommen! Das ist der Wille. DER

MANN: Das ist nicht der Wille, das ist Mißverstand! Ein Verräter weiß nie das Ziel, das die Herzen der Menschen emporreißt. Geh! was du treibst, ist Jahrmarkt! DER FÜHRER DER BÜRGER: Wer bist du? Bist du zu packen? DER MANN: Ihr da, Bürger! Ihr steht in euren Masken, als wäret ihr erfundene Maschinen, um die Welt schauern zu lehren! Was ihr seid, wissen wir. Bomben tragt ihr auf dem Rücken, und wenn ihr sie gegen uns werft, springt nur diese Erde entzwei in ärmlichen Schutt und ewige Verwesung. Ihr könnt uns morden; ihr erstickt nicht den ewigen Menschen! FÜHRER DER BÜRGER: Bist du die Macht, die in der Stadt gegen uns wirkt, die wir nicht sehen und nicht finden können? DER MANN: Die Macht? Die Macht seid ihr! Ich bin die Machtlosigkeit! Wir sind die heilige Machtlosigkeit, in die ihr ohne Halt hineinstürzt, und je mehr ihr preßt und mordet, um so mehr umhüllt euch unsere göttliche Machtlosigkeit und ihr gleitet eine glatte Schräge hinab in die Hölle, aus der ihr nicht mehr herausfindet! Wer seid ihr? Schlagt eure Masken zurück, die finsteren Masken, die ihr zum Schutz vor uns tragt! Herunter mit euren widerlichen Grauens-Masken, Bürger, daß man euch ins Gesicht sieht. Herunter! Und man sieht: aus eurer Furcht- und Schreckensrüstung quillt das ganz gewöhnliche, platte, niedrig fleischige Bürgergesicht!

DRITTE SZENE

Es treten auf: der Gouverneur, Klotz, Anna, Offizier, die beiden alten Gefangenen.

FÜHRER DER BÜRGER: Du sprichst als Feind. Ich weiß nicht, warum du feindlich bist, – was wollt ihr? Wir verstehen es nicht. Wir wollen eure Freundschaft. Wir wollen euch glücklich machen! DER MANN: Ihr hört in uns nur den Feind, weil ihr uns nicht versteht. Ihr versteht uns nicht, weil ihr nicht wissen wollt, daß wir die ewige Wahrheit des Lichts in alle Zukunft sind! FÜHRER DER BÜRGER: Ah, nur ihr seid die Wahrheit, und wir sind nichts. Ist das eure Gerechtigkeit? DER MANN: Die höchste Gerechtigkeit, göttliche Erden-Gerechtigkeit! Wir, die Söhne der Erde, wir, das Volk, sind die Wahrheit. Und ihr, nein, ihr seid es nicht, ihr seid die Gewalt, und die Bestechung, und die Knebelung, und der Verrat, und die Maske der Finsternis! FÜHRER DER BÜRGER: Wir wollen euch glücklich machen. Und euer Glück ist das nichts? DER MANN: Nichts! Wir brauchen euer Glück nicht. Es gibt kein Glück. Es gibt nur unser Leben und unsere Arbeit und unsere Schöpfung. Das Glück ist euer Köder. Glück, das habt ihr erdacht, um uns zu kaufen! FÜHRER DER BÜRGER: Nenn es kaufen – wir sagen Vertrag. DIE ANDEREN BÜRGER: Vertrag! FÜHRER DER BÜRGER: Fordert. Wir geben euch. Wir machen euch reich und satt. Wir geben euch Ämter und Wagen, wir zahlen euch zu und geben euch Macht. DIE ANDEREN

BÜRGER: Ämter! Macht! DER MANN: Was wollt ihr dafür? FÜHRER DER BÜRGER: Endlich, dieses Wort! – Wir wollen das Volk. Sprecht zum Volk. Macht, daß es ist, wie es früher war, wie es immer war! Dann hat es das Glück. DER MANN: Wir dürfen nicht. FÜHRER DER BÜRGER: Dürft nicht? Ihr? Und seid doch die Führer! DER MANN: Wir sind nicht die Führer. FÜHRER DER BÜRGER: Ihr seid nicht die Führer? – Dann – wo sind die Führer? DIE ANDEREN BÜRGER: Eile. Die Führer!

DER MANN: Irgendwo gab es einmal Führer. Es gibt keine Führer mehr. Wir sind Menschen. Wir sind vom Volk. Ihr wollt uns kaufen? Ihr kauftet nur Einzelne, Wesen, die absterben, wie ihr im Moment, da ihr sie kauft. Nie werdet ihr das Volk kaufen! FÜHRER DER BÜRGER: Und wenn ihr die Führer nicht seid, wenn Führer nicht mehr sind – was will das Volk? DER MANN: Das Volk will leben. Leben miteinander. Freiheit. Neue Völker zeugen. Die Erde, auf der wir stehen, zu einem einzigen Leib machen, zum Leib des Himmels, der empfängt und gebiert, der seine Nahrung strömt für alle, die er gebar. FÜHRER DER BÜRGER: Schwärmt. Aber wir haben die Macht. DIE ANDEREN BÜRGER: Macht! DER MANN: Ich schwärme nicht mehr. Die Wirklichkeit hat begonnen – die Macht ist aus. Wir wollen die Macht nicht, wir brauchen die Macht nicht mehr. Eure Macht hat verloren. Wir, die Machtlosen, wir, die nichts haben als unser Leben, unsern Willen, unsere Hände, Millionen Menschenhände, wir kneten schon an unserer neuen Erde – und ihr droht uns die Macht? Ich zerblase eure Macht, eure Rüstungen, eure schweren Fleischklumpen, wir zerblasen eure Drohung! FÜHRER DER BÜRGER: Das sind Fremde. DER MANN: Euch ist jeder fremd, der die Zukunft schafft. Ihr seid Einzelne, ihr wollt die ruchlose Macht für den Einzelnen. Wir sind das Volk, wir wollen nur das Leben.

FÜHRER DER BÜRGER: Feindschaft also? DER MANN: Eure Feindschaft zerstört euch selbst. Eure Feindschaft lebt nur noch bei euch; uns ist sie vergangen, uns ist sie verweht und vergessen, wie eure Giftgase, die einmal noch unsere Freunde morden konnten, aber die dann in die Luft zerströmten und rück auf euch euer eigenes Gewissen zerätzten. Ihr seid uns nicht mehr Gefahr. Wir haben das neue künftige Leben uns selbst abzukämpfen. Zurück mit euch in die Reihen eurer Auflösung, hinab mit euch in die Dunkelheit eurer Gewalt. Vernichtet seid ihr. Geht! DIE ANDEREN BÜRGER: Kampf! DER MANN: Zu spät! *Die drei Bürger tauchen in die Versenkung:* DIE FRAU, ANNA, GOUVERNEUR, KLOTZ, OFFIZIER, DIE BEIDEN ALTEN GEFANGENEN *jubelnd:* Zu spät! FÜHRER DER BÜRGER *zu Nauke:* Du vermochtest nichts. Prahlerei. Du hast gelogen. Du hast uns betrogen! *Zu den Brüdern:* Ihr kamt selbst vom Bürger – nun bekämpft ihr den Bürger! Aber hütet euch vor der Stunde eures Lebens, wo ihr hinter den Kampf blickt und erkennen werde., daß der Sturz der Bürger euer eigener Fall ist! DER MANN: Das ist nicht Drohung, das ist Hoffnung! Geht eure Vernichtung nur über unsern eignen Sturz? So reißen wir unser Leben heraus aus dieser Welt! FÜHRER DER BÜRGER: Die Zeit reißt ihr mit den Wurzeln aus der Erde! DER MANN: Deine Zeit ist verwest! Eine neue Ewigkeit beginnt! FÜHRER DER BÜRGER: Ihr lehrt uns Gewaltlosigkeit – und damit habt ihr alle Gewalt der Welt gegen euch! Stirb in deiner neuen Ewigkeit! *Den andern Bürgern nach. Ab. Nauke bleibt.*

VIERTE SZENE

DER MANN: Die Gewalt gegen uns – die letzte Gewalt! NAUKE *hinter den Bürgern her:* Ich verstehe nicht. Auf dem Schiff ist es immer gegangen. So bleibe doch, so höre doch. Ich versuch es noch einmal – früher ist es doch immer geglückt! – Er ist fort! Was ist denn das? Was mach ich denn? Ich verstehe nicht! *Erblickt die Brüder:* Ah, ihr! Sagt mir, wie kommt es, daß ich's nicht traf? Ich fühlte, wie mein Wille an die Luft prallte und zerbrach. Was geschah? Ich versteh nicht. Ich tat, was wir auf dem Schiffe taten, und diesmal ging es nicht! Sagt mir! – DIE FRAU: Uns fragst du? Du? Ein Verräter! NAUKE: Ah – ja! Ich vergaß! Ihr nennt mich Verräter. Aber wenn ich tue wie ihr – ist es dann nicht gleich, wozu? KLOTZ: Nein, es ist nicht gleich. Du nahmst unsere Worte – aber ohne unser Ziel sind sie Leichenhüllen – und dientest mit ihnen den Feinden! Verräter! NAUKE: Verräter! – Verräter! So leicht wird das gesagt, Verräter? Aber ich verstehe nicht! DER GOUVERNEUR: Was wir in Gemeinschaft tun müssen für alle, in höchster Liebe und in der Hingabe des Herzens und des Lebens, das tatest du allein, als Einzelner, aus Machtlust und Betrug. Um Lohn. Für die Gewalt! Darum Verräter! NAUKE: Ich verstehe nicht. Ich tat wie ihr. Wo ist der Betrug? *Sieht auf die beiden alten Gefangenen.* Sind die beiden Alten mehr als ich! *Sieht auf den Offizier.* Ist der Junge stärker als ich? *Auf Anna.* Bei der lag ich – ist die größer als ich? Ihr sagt, ich ein Verräter? Ah, es wird klar, ihr habt mich heimlich umstellt, ihr habt mich in eine Falle gelockt, um mich schwach zu machen, um mir mein Echo zu zerschneiden, um mich bloßzustellen! Ich Betrug!? Ihr seid die Betrüger! Ihr habt vor mir gegaukelt und habt mich glauben lassen, auch ich könnte wie ihr. Betrüger! Verräter, Verräter – ihr! Feinde sagt ihr? Den Feinden dien ich? Den Bürgern? Und ihr? – ihr Lügner! Bürger seid ihr, ihr selbst! Bürger! Ausbeuter. *Zum Mann:* Du! Du bist ein Bürgersöhnchen! *Zu Klotz:* Du bist ein Geheimredner und treibst Volksschacher! *Zum Gouverneur:* Du bist ein ehemaliger Gouverneur – das kannst du nie vergessen! Ihr habt mich verlockt, ihr habt mich betrogen, ihr habt mich um mein frohes Leben gebracht. Ich verfluche euch. Ich hasse euch! Ihr sollt es zahlen! Volk, Volk, hier sind deine Feinde, hier sind deine

Ausbeuter, hier sind die Bürger. Die Betrüger. Die Verräter. *Er stürzt hinaus. Von draußen:* Volk, Volk! Greif die Betrüger!

FÜNFTE SZENE

ERSTER ALTER GEFANGENER: Einmal war er ein Kamerad! DER MANN: Waren wir selbst nicht damals in Verwesung, Grab, Irre? KLOTZ: Das Gewesene ist abgefallen wie der alte Leib aus der Vergangenheit. Heut sind wir sehnig. Nicht einmal Verzweiflung treibt uns heut mehr. Wir haben die Gewißheit. Heut gilt es unser Letztes, unsern Willen, und das höchste Wunder oder den Untergang! ERSTER ALTER GEFANGENER *lauschend:* Sie kommen. Das Volk. Sein Puls beginnt zu schlagen!

SECHSTE SZENE

Einige vom Volk kommen: Ich feiere heute. – Ich arbeite nicht weiter. – Nein, ich rühre keine Hand mehr! JUNGER MENSCH *stürzt auf:* Eine Zeitung, ich will eine Zeitung haben! Ich habe endlos lange keine Zeitung mehr gesehen! Wer hat eine Zeitung! ERSTER ALTER GEFANGENER: Was soll jetzt eine Zeitung? JUNGER MENSCH: O du begreifst nicht! Ich muß sehen, was in der Welt vorgeht! ERSTER ALTER GEFANGENER: Hier unter euch geht am meisten vor! JUNGER MENSCH: Wir wissen das nicht. Die Gerüchte sausen wie die Wolken über unsere Köpfe hin. Einige sagen, die Bürger sind mitten unter uns und haben unsichtbar jeden Punkt der Stadt besetzt, um uns alle niederzumachen. Dann heißt es wieder, wir hätten Beistand bekommen; eine Gemeinschaft von Männern und Frauen, die keiner kennt, sei da. Sie bringen Licht und Heizung und Essen, soviel man nur braucht – Brot! Und dann haben sie unendliche Mengen Munition und neue Waffen, mit denen man die größten Heere niederschlägt. DER MANN: Brot, sagst du, hätten die Brüder. JUNGER MENSCH: Ja, die Brüder, das sind sie! GOUVERNEUR: Und Waffen? JUNGER MENSCH: Wüßten wir nur, wo wir zu ihnen stoßen könnten, wir wären gerettet: Essen und Waffen! KLOTZ: Bist du sicher, daß ihr mit den Waffen über die Bürger siegen würdet? JUNGER MENSCH: Wir sind am Zusammenfall. Schlimmer wird es nicht.

SIEBENTE SZENE

GREIS *stürzt auf, mit ihm Volk:* Waffen! Waffen! Irgendwo sollen Waffen sein! Die Bürger sind in der Stadt. Um uns rückt die schwarze Mauer von Stahl und Gas heran und würgt uns zusammen! JUNGER MENSCH: Weißt du nicht, wo Waffen sind? Ich weiß es nicht!

ACHTE SZENE

JUNGER MENSCH *zum Volk:* Wir finden sie nicht. Es ist nur ein Gerücht. Die Brüder sind nicht da. GREIS: Es gibt keine Waffen. VOLK *Wehgeschrei:* Untergang! JUNGER MENSCH: Es gibt kein Brot! VOLK: Hungertod! *STIMMEN AUS DEM VOLK:* Alles zu Ende! DER BUCKLIGE: Es lohnt nichts mehr. Wir sterben doch. Verrecken vor Hunger oder werden erschlagen. DER KRÜPPEL: Dann sterben wir lustig! Die Weiber sollen lachen, da erstickt sich's leichter in der Lust! DIE FRAU: Der Zerfall ist im Volk. Bin ich das, bist du das, waren wir das? O armes, lebendes Geschwür, das verwesend von der Erde abblättert! Kann ich noch helfen? DER MANN: Verfaulung. Ganz tiefer Sturz – und ich sehe den Aufstieg. Wir können helfen. Neues Blut in sie. Unser Blut! *Zu Klotz:* Hilf auch du! *Zum Volk:* Freunde, heute feiern wir! KLOTZ: Alle Arbeit, Brüder, alle Arbeit liegt still! VOLK *Gelächter. Plötzlicher Jubel. Drängt hin und her:* Alle Arbeit still. – Wir feiern schon lang! JUNGER MENSCH: Sterben, und keine Freundschaft; ohne Freundschaft sterben müssen! EINE FRAU AUS DER MENGE: Ach, ich mag nicht mehr. Laßt mich. Genug. Ich will sterben. JUNGER MENSCH *auf dem Boden, schwach:* Ich kann nicht mehr. GREIS: Ich friere so. Wärme mich. VOLK *wird schnell starr und schwach:* Sterben? GREIS: Sterben. Alles ist hell und kalt wie Kristall! DER MANN *zum Volk:* Brüder! Haltet aus. Verzweifelt nicht! STIMME AUS DEM VOLK: Was willst du? DER MANN: Eure Rettung! DER BUCKLIGE: Wer spricht zu uns von Rettung? DER MANN: Die Brüder! DAS VOLK *springt auf:* Rettung! Brot! Waffen! Sieg! DER GOUVERNEUR: Ja, Sieg! Aber Sieg ohne Waffen! DER BUCKLIGE: Ohne Waffen? DER GOUVERNEUR: Wir haben keine Waffen. DER KRÜPPEL: Ihr bringt uns Brot? KLOTZ: Wir haben kein Brot! DER MANN: Wir bringen euch die Kraft!

ACHTE SZENE

NAUKE *stürzt auf:* Betrug! Da sind sie! Greift sie! Nieder mit den Schwindlern. Schlagt sie nieder, die Schufte, sie bringen euch Unglück, sie bringen jedem Menschen Unglück! Schlagt sie tot! Sie lügen euch an. Sie sind schuld, daß ihr vor Hunger zugrunde geht. Sie sind schuld, daß ihr mit den Bürgern im Kampf seid. Ohne sie hättet ihr Essen und ruhiges Leben! Die Bürger sind über euch, ihr seid besiegt! Erschlagt die falschen Brüder, das ist eure einzige Rettung vor den Bürgern, sonst werdet ihr selbst niedergemacht. DER MANN: Volk, hör mich! Die Bürger sind besiegt! NAUKE: Lüge, sie sind auf dem Marsch gegen euch. DER MANN: Wir alle, ihr und wir, sind stärker als alle Bürger der Welt! DER KRÜPPEL: Wem kann man glauben?

DER BUCKLIGE: „Wir?" Wer ist das – „wir"? KLOTZ: „Wir", das sind wir alle hier, alle Völker der Erde, alle, die arbeiten, denken, leben wollen!

NAUKE: Spion! Agent! STIMMEN AUS DEM VOLK: Zurücknehmen! Nimm das zurück! Beweis! NAUKE *holt zum Reden aus:* Volk! Helden! ... STIMMEN AUS DEM VOLK: Es gibt keine Helden! Nieder mit dem Kerl! Nimm das Wort zurück! ANDERE STIMMEN: Nieder mit dem Kerl! Seine Worte lügen uns an! DIE FRAU: Er ist euer Verräter! ANNA: Er hat die Bürger in die Stadt geführt! NAUKE: Sie brachten euch Essen! VOLK: Essen! KLOTZ: Lüge! Sie brachten euch nichts, ihr habt es erfahren – nichts! Ihr hungert, weil sie es wollten! NAUKE: Volk, Sieger ... VOLK: Wir sind nicht Sieger. Er lügt. Nieder.

DER GOUVERNEUR: Laßt ihn! Er ist nur schwach und zweifelnd! Wir sind die Schuldigen, wir die Söhne der Erde, wir die Sternbrüder, wir die Erweckten. Opfert uns – so werdet ihr den Sieg haben! JUNGER MENSCH: Seid ihr die Retter? DER GOUVERNEUR: Wir haben keine Waffen. Wir haben kein Brot! JUNGER MENSCH: Wie retten wir uns? DER GOUVERNEUR: Noch schweben wir zu fern von euch. Nehmt uns: erschlagt uns, wenn ihr wollt. Tötet uns, wenn ihr sehen müßt, wie unsere Seele in euch lebt: Die Menschheit! Schluckt uns auf. Laßt uns verschwinden unter euren Füßen und Fäusten – und ihr habt unsere Waffen. JUNGER MENSCH: Eure Waffen? KLOTZ: Unsern Willen. DER MANN: Unser Denken, unsre Arbeit: Euer Brot! DIE FRAU *stürzt dazwischen, zu den Brüdern:* Nein! Nein! Zu viel! Haltet zurück. Nicht das Opfer! Noch lebt ihr, Freunde. Wir sind gemeinsam durch die Schrecken der Welt gegangen, und nun sollt ihr sterben! Dies eine Mal laßt euer Denken nicht den Schritt zur Wirklichkeit machen. Bleibt! Es ist zu grauenhaft auf dieser letzten Schwelle! DER MANN: Nein, Frau, wir bleiben nicht zurück. Unser Weg kostet unser Leben. DIE FRAU: Und deine Schöpfung? Ist sie, wenn du stirbst? DER MANN: Sie wird erst, wenn ich nichts mehr vor ihr bin! DIE FRAU: Sterben – Opfer? Wenn nichts anderes herrscht, dann ist die Erde eine Wüste! DER MANN: Nein, das neue Morgenreich! Nur zu wollen brauchen wir und zu tun! DER GOUVERNEUR: Ich hab das Wort gesprochen: Opferung. Ich sprach das Gesetz aus. Nun war ich wieder ein Tier, wie ehemals. Gab Gesetze. Ungeläutert immer noch. Das war Sünde, wenn auch zur Rettung. Das letzte Mal, es bleibt nichts anderes. Wir müssen hinab.

NAUKE *zum Volk:* Seht ihr, wie sie beraten? Seht da den Feind – fort müssen sie! Hört auf mich! Sie helfen euch nicht, wenn sie leben. Es sind Fremde! Sie sprechen eine andere Sprache als ihr. Ihr seht die Feinde nicht? Hört ihre Sprache, seht ihre Gestalt! DAS VOLK: Sie sprechen eine andere

Sprache. Sie sind Fremde. KLOTZ: Volk, du zögerst. Glaube uns dies letzte Wort, daß wir nicht Schonung brauchen. STIMMEN AUS DEM VOLK: Verlaßt die Stadt! DER MANN: Und euer Kampf? Ihr wollt unterliegen? Die Bürger fallen über euch her und schlagen euch zu wehrlosen Sklaven! DAS VOLK: Die Bürger?!

DER GOUVERNEUR: Wer seid ihr? Denkt, wer ihr wart vor eurer Geburt! Taucht hinab in euch – kommt über uns, weil wir euch fremd sind, und blickt in euch selbst: Da – einmal wußtet ihr, daß die Erde euch gehört, das Feld, die Fabrik euch, wie euer eigener Arm! Vergessen habt ihr. Habt euch heut hinübergehungert über den letzten Verfall. Seid im Greisenalter. Hinein müßt ihr in neue Jugend, hören wieder die Schilfgräser summen an eurem Fluß. Hinab tauchen müßt ihr in euch. Hinaus springen über uns, ohne Dienerscheu; nie sonst werdet ihr befreit von eurer schielenden Zweideutigkeit. Volk, deine Gewißheit und deine Kraft geht über uns! Dann habt ihr Kraft über die Bürger. VOLK *in großer Angst:* Die Bürger! NAUKE: Was habt ihr Angst vor den Bürgern, die ihr nicht seht? Die hier sind gegen euch! Ihr flieht vor den Bürgern? Das da sind eure Bürger! KLOTZ: Volk, wir sind es, wir. Ihr wartet auf die Gewalt? Übt sie an uns! Ihr hungert? Fort mit unseren Mäulern! Ihr meint noch, wir seien euch Führer? Wollt ihr wissen, wer wir sind? Ich sag euch alles, das Verruchteste! Heut Nacht hatt' ich einen Traum – ich bin nur einer von uns – und ich träumte unsere Wahrheit, denn der Traum schob die Riegel fort von meiner Verstellung. Da war in einem Saal mit glattem, weitem Boden ein Befehlsmensch, ein Blutherrscher. Ich stand gekrümmt vor ihm. Was ich dabei dachte? Ich dachte an das Ehrenregiment, das mir verliehen wurde. „Hol mir ein Auto!" rief der Herrscher. Ich fand mich sehr geehrt und lief unterwürfig hinaus wie ein Diener. Ich hätt es geholt, da erwachte ich. Das bin ich, das sind wir. Hab ich nach diesem Traum noch das Recht für die Menschen zu arbeiten? STIMMEN AUS DEM VOLK: Verräterei! Sie verkaufen uns an die Herrscher! Nein, tut ihnen nichts, es ist nur ein Traum! KLOTZ: Nur ein Traum? Aber das Schlimmste wißt ihr noch nicht. Jetzt zeig ich es euch. *Er ballt die Hände hohl übereinander und streckt sie vor, als enthielten sie etwas.* Wißt ihr, was ich in meinen Händen bewahre? Hier? Orden, Auszeichnungen, Dokumente, Freundschaftsbriefe und Pläne feindlicher Herrscher! *Das Volk in wütender Unruhe.* DER MANN *leise zu Klotz:* Was hast du in den Händen? KLOTZ *leise zum Mann:* Du weißt es – nichts! *Laut zum Volk:* Volk, so werf ich diese Schätze von Ehre und Reichtum unter dich! Verachte sie, sie sind deine größte Gefahr! *Er macht mit beiden Händen eine weite Wurfbewegung über die Köpfe des Volkes hin. Das Volk blickt in die Höhe und streckt alle Hände fangbereit hoch.* DIE EINE GRUPPE DES VOLKES: Gefahr, er verkauft uns! Niedertracht! DIE ANDERE GRUPPE DES VOLKES: Wo ist es? Wer hat etwas bekommen? Hast du's gefangen? DAS GANZE VOLK: Es ist nichts da! *Wutgebrüll.* Lüge!

NAUKE *schrill:* Sie haben gemacht, daß ihr hungert! STIMMEN AUS DEM VOLK: Wer sind sie? Fremde. Lügner. Verräter. Sie wissen nichts von uns. Sie mästen sich an uns. DER BUCKLIGE: Seht ihre Sitten! DER KRÜPPEL: Seht ihre unverschämte Leichtigkeit. NAUKE: Volk, sie haben verhindert, daß ihr Essen findet! Sie sind am Fortzug unserer Retter schuld. Sie haben die Bürger besiegt. *Im Volk anschwellender Lärm.* DER GOUVERNEUR *über dem Lärm:* Nicht besiegt. Wir siegen nicht. Es gibt keinen Sieg! Hinaus mit dem Sieg aus der Welt! Wir sind nicht Soldaten, wir sind Menschen! Nicht Sieg befreit euch – nur eure Erkenntnis! VOLK *anschwellend:* Tod!

NEUNTE SZENE

Die Volksmenge stürzt sich auf den Mann, Klotz, den Gouverneur und zerrt sie in ihre Mitte.

ANNA *hervorbrechend:* Wie sie geschlachtet werden! Ich ertrag es nicht länger, dieses Opfern! Ich bin bei euch. Ich will mit euch sterben! DIE FRAU: Befreiung! Warum bleiben wir so still? Wir befreien sie! ERSTER GEFANGENER: Wir sind zu wenige! DIE FRAU: Dann sterben wir mit ihnen. ANNA, DIE FRAU, DIE BEIDEN GEFANGENEN, DER OFFIZIER: Brüder, wir sterben mit euch. *Wollen zu den Gefangenen.* KLOTZ *aus dem Haufen:* Nein, bleibt! Ihr müßt leben! Dazu ist unser Opfer, daß ihr unter alles Volk der Erde geht und die Hingabe lehrt für die Menschheit! JUNGER MENSCH: O, Strom in mir! Wußten wir das je? Durch uns rinnt Willen! DER MANN *zum Volk:* Noch einen letzten Schritt, dann bin ich geworden wie ihr. Nun werdet ihr wie ich! VOLK: Hohn! Er höhnt uns! *Dem Mann werden die Hände gebunden.* DER GOUVERNEUR *zum Mann:* Das ist deine Sünde, auch wenn du recht hast. Dein letzter Hochmut! DER MANN *mit gebundenen Händen:* Ich habe Todesangst. Aber ich sterbe für euch. Aus Jahrtausenden fiel ein Funke in mich, ich warf ihn weiter – laßt ihn brennen in euch!

DAS VOLK *plötzliche Angst:* Kein Blut mehr, Brüder! *Zu den Brüdern:* Ein Wunder, tut doch ein Wunder mit eurem Willen! DER GOUVERNEUR: Es muß sein. Das Wunder, Volk, und der Wille sind nicht mehr bei uns, jetzt sind sie bei euch. GREIS: Bei uns ist das Wunder? Dann müssen wir nicht sterben, dann können wir leben! DER MANN: Volk, du hast uns bezwungen, nun feire dein Fest. KLOTZ: Weltfeiertag! Volk, du bist frei. In allen Ländern ruht die Arbeit. Nun atme neue Kraft für morgen! DER GOUVER-

NEUR: Weltfeiertag! Weltfreudentag! Unser Opfer – dein Spiel zum Fest! Jetzt spring und tanze! *Über die Menge hin:* Unser Opfer – darnach wachst du auf zur reinen Morgenkraft! JUNGER MENSCH: Weltfeiertag! VOLK *in Bewegung:* Weltruhetag! *Von hier an im Volk anschwellende Rausch-Bewegung.*

JUNGER MENSCH *in halbliegender Stellung auf dem Boden:* Weltfeiertag! Ich feire! Weltruhetag! Meine Hände spielen. O wie lang war das nicht. Endlich seh ich wieder um mich die Halme wachsen; hoch über den weißen Wolken schwebt blauer Luftglanz! Weltfeiertag! O Freundschaft, Freundschaft zu allen Menschen! VOLK: Weltfeiertag! *Es erhebt sich ein orgiastischer Taumel. Sie dringen immer wilder aufeinander ein, bedrohen sich, umhalsen sich, stoßen, schieben sich, fallen durcheinander.* NAUKE *mitten anfeuernd zwischen dem immer toller bewegten Volk:* Zu trinken! GREIS: Es gibt nichts zu trinken! NAUKE: Dann unser Vergnügen, dann unser Spiel! Die Opferung – ihr vergeßt! Die Opferung, sie haben es selbst gewollt! Die Opferung, es ist versprochen! DER BUCKLIGE: Die Hinrichtung! Haben wir nichts zu essen – so wollen wir was zu schauen haben! DAS VOLK *die Orgie schwillt immer mehr an:* Ja, ja! Die Hinrichtung! KLOTZ: Volk, du erkennst deine Kraft! DER MANN: Volk, dein neues Leben beginnt! Die letzte Gewalt gegen uns! DER GOUVERNEUR: Volk, nun brauchst du nicht Führer mehr. Wir treten ab. Zum letztenmal von mir dieses Wort des Befehls: Zerstör und schaffe! VOLK: Nieder mit den Führern! Wir haben selbst die Kraft! *Das ganze Volk stürzt sich auf die drei.*

ZEHNTE SZENE

Trommelwirbel. Das Volk umgibt den Mann, Klotz, den Gouverneur und schlägt auf sie.

DAS VOLK: Sie fallen. – Sie sind tot. JUNGER MENSCH: Tot! – Meine Brüder! – tot! DER BUCKLIGE: Wo sind sie? Ich seh sie nicht mehr! *Die drei, der Mann, Klotz, der Gouverneur, sind unter den Fäusten der Menge verschwunden. Das Volk reißt ihnen die Kleider vom Leibe, schlägt auf die leeren Kleider weiter los und drängt die drei zur Bühne hinaus.* DER KRÜPPEL: Sie sind verschwunden! GREIS: Was macht ihr? Schaut doch! Halt! Ihr Verblendeten! Ihr schlagt los auf leere Kleider und Fetzen! *Die Orgie des Volkes nimmt schnell ab.* JUNGER MENSCH: Wo sind sie? tot? Ich sehe nichts! DAS VOLK *hält voll Grauen die leeren Röcke, auf die es eingeschlagen hat. Mächtiger Aufschrei des Entsetzens:* Ah! Gewalt! – NAUKE: Schnell die Taschen durchsuchen, ob Geld drin ist! *Er greift in die Taschen der leeren Röcke, holt mit beiden Händen Geld heraus.* Aha; endlich – meine Zukunft ist gesichert! *Läuft ab.* ERSTER ALTER GEFANGENER *hinter ihm:* Du

Lump, was tust du? Du Dieb! O du Dummkopf – es gibt ja morgen gar kein Geld mehr! VOLK: Gewalt! Wir sind verloren! Das Ende!

ELFTE SZENE

DER JUNGE MENSCH: Mord! Mord! Ihr habt sie erschlagen! Ein Weltgemetzel ist geschehen. Rache! Rache für die Führer. Rache für den Mord! STIMMEN AUS DER MENGE: Mord! – Rache für den Mord! DER KRÜPPEL: Wir sind unschuldig, sie haben es selbst gewollt! DER BUCKLIGE: Aufruhr! Hilfe, schlagt sie nieder. Nieder mit den Aufrührern! ZWEITER GEFANGENER: Kinder und Weiber erschlagt ihr. Mörder ihr, aber ihr könnt den Menschen nicht töten! DER JUNGE MENSCH: Rache! Nieder mit den Mördern! Tot sind sie, tot die Führer! ZWEITER GEFANGENER: Mehr als Rache! Sie ließen uns Höheres: Aus ihren zerfetzten Hüllen erhebt sich die Menschheit! ERSTER WÄCHTER: Die Führer sind tot. Aber spür in deiner Hingabe ihren Geist: ewig lebend unter uns handelt ihr unsterblicher Wille! DER JUNGE MENSCH: Tot, tot die Großen! ERSTER GEFANGENER: Sie starben für uns. Wir Kleinen leben. In uns Kleinen leben sie weiter! Die Zeit der Kleinen ist gekommen. ERSTER WÄCHTER: Millionen Leben beginnen. Das Volk – zum erstenmal das Volk! Das Wunder kam über die Welt! ZWEITER GEFANGENER: Nicht das Wunder – die Tat! Wir sind nicht mehr die Kleinen. Wir sind aus dem Dunkel ans Licht gestiegen – die Kameraden unter allen Völkern der Erde. – Nun rücken die Mächtigen der Welt zum Kampf gegen uns, wie gegen den furchtbarsten Feind! DER JUNGE MENSCH: Mit euch! Meine Arbeit beginnt!

ZWÖLFTE SZENE

Die drei Revolutionärinnen eilen auf.

ERSTE REVOLUTIONÄRIN: Ein Wunder ist geschehen! ZWEITE REVOLUTIONÄRIN: Das Glück ist da! DRITTE REVOLUTIONÄRIN: Die Freiheit kommt! JUNGER MENSCH: Wißt ihr nicht, daß hier Mord wütet? – Glück? Was ist das? Wir kennen nur noch die Zukunft und unseren Willen! ERSTE REVOLUTIONÄRIN: Sie reißen die Wälle um die Stadt nieder! ZWEITE REVOLUTIONÄRIN: Sie schütten die Gräben zu! DRITTE REVOLUTIONÄRIN: Die Menschen stürzen aus der Stadt durch die Felder und rufen allem Volk „Freiheit" und „Brüderschaft" zu! ZWEITE REVOLUTIONÄRIN: Funksprüche sind hinübergesandt zu uns, und Boten kommen: in allen Ländern der Erde grüßt sich das Volk! ERSTE REVOLUTIONÄRIN: Rauch steigt wieder aus den Häusern. DRITTE REVOLUTIONÄRIN: Aus den Wäldern kommen unendliche Scharen von Fremden, dicht wie Laub. Sie schwenken unsere Fahnen, und wo die Unsrigen ihnen begegnen, umarmen sie einander! ERSTE REVOLUTIONÄRIN: Hört ihr? Hört ihr über uns, um uns, hoch das Summen? Die Telegraphen strömen unsere Botschaft zu allen Freunden um die Erde! OFFIZIER: Wir sind von euch. Ihr seid wir. Wir sind Volk. Alle kräftigen Arme her: Wir wollen arbeiten! Als freie Menschen arbeiten! ERSTER GEFANGENER: Alle kräftigen Arme her: Wir backen Brot! DAS VOLK: Wir! Kameraden! Freiheit! Leben! *Der zweite Gefangene, die drei Revolutionärinnen und das Volk ab.*

DREIZEHNTE SZENE

DER JUNGE MENSCH: Ihr backt Brot? Werdet glücklich? Zeugt Kinder, habt Familien? Dafür starben die Brüder? – Ihr wollt die Erde umwuchern mit eurem Arbeitssamen. – Ich muß euch stören! Heraus aus der Ruhe eures Lebens, noch eh sie beginnt! Nieder mit eurem dicken Glück! Zur Freiheit, zur Ewigkeit! OFFIZIER: Wohin in die Ewigkeit? JUNGER MENSCH: Zur neuen Schöpfung! DAS VOLK *unsichtbar, Rufe:* Brot! Brot! ERSTER GEFANGENER: Einen einzigen Laib Brot backen mit Freude – darin strömt für uns Menschen alle Schöpfung zusammen! DER JUNGE MENSCH: O Bruder, in jedem Stück Eisen, das ihr aus der Erde holt, in jedem Fetzen Leder, das Kameraden wissend damit schneiden, holt ihr ein Stück von eurem Morgenreich zu euch. Aber immer muß neue Bitternis sein. Immer müssen Menschen jagen über die ganze Welt, die euch treiben, daß ihr nicht vergeßt ewig aufs neue den Sprung zum Morgenreich zu wagen! OFFIZIER: Wiedergeburt des Menschen! DER JUNGE MENSCH: Mehr! Alles. Das Höchste! Neugeburt! Neugeburt der Erde! Neugeburt der ganzen Welt! DER ERSTE GEFANGENE: Wir Arbeiter der Welt – die Arbeit beginnt! *Ab.*

VIERZEHNTE SZENE

DIE FRAU: Zu Ende diese Welt. Ermordet mein Blut. Tot mein Weg! – Und ich half nicht. Ich stand dabei! – Ich lebe noch! – Die Glieder dorren schlaff an meinem Leib. – Versunken sind die Häuser. Hier ist Wald; dunkler Wald rings. Meine Haare wehen um die Stämme, daß ich weiß: hier endet mein Leben. – Ich gehe von euch. DER OFFIZIER: Ich bin mit dir. DIE FRAU: O täusche dich nicht. Was du an mir sahst, ist zu Ende. Ich bin über alle Stufen des dunkelsten Lebens geschritten, nun werde ich vergessen, was ich wußte, und in das zweite Leben sinken. Ihr seid höher als ich. Vergeßt mich. Ich bin euch verschwunden. DER OFFIZIER: Ich bin nicht höher. Ich warf meine Gewalt hin. Ich bin nur ein einfacher Mensch noch. Ich lebe mit dir. DIE FRAU: Wölfin bin ich geworden. Laßt mich allein. Die Wölfin beißt. DER OFFIZIER: Mit dir bleibe ich allein. Mit dir grabe ich die Erde. Mit dir in der Arbeit der Hände weiß ich nichts mehr von den Strömen der Vergangenheit. Auf der harten Erde schaffen wir von Jahreszeit zu Jahreszeit. Auf engem Raum, fern von großen Stunden. Klein und unscheinbar sind wir geworden. Vergessen vom Morgenreich, an dem wir schufen. DIE FRAU: Ein einfacher Mensch. Die große Hölle ist vorüber. Alle Menschen sehen den Stern. Komm zu mir, du Vergessensein! DER JUNGE MENSCH *zum Offizier:* Bauer wirst du sein. Still sitzen. Vergangenheit brüten; die Welt zurückhalten! Hindern! – Und also – sind wir Gegner? DER OFFIZIER: Nicht Gegner! – Morgen leben andere an meiner Statt. Ich bin nur ein Geringer. Ich will vergessen sein in meiner Arbeit für euch. *Die Frau und der Offizier ab.*

FÜNFZEHNTE SZENE

ANNA: Ah – niemals vergessen! Nie vergessen Trümmerwut und Mord! – Neue Menschheit, du hebst dein Morgengesicht aus dem Dunkel. Wissend seid ihr: Verbrannt und neu gezeugt im Blut. – Eure Kraft treibt mich weiter. Ich gehe. DER JUNGE MENSCH: Mit uns! ANNA: Ein Zeitalter ist zu Ende. DER JUNGE MENSCH: Ich bin am Anfang. In dieser Stunde bin ich geboren. ANNA: Du hast die Welt um dich. Aber wo bleibt mein Leben? DER JUNGE MENSCH: Komm, dein Leben beginnt heute neu. Wir sind Kameraden. Und spür ich auch nie mehr deinen Arm um meinen Hals, wir müssen weiter. Unser Weg geht noch durch viele Länder.

ENDE

Die Erneuerung

(1919)

Jetzt bist du so weit. Es dauert nicht mehr lang. Jetzt beginnt deine wahre Arbeit, du Freund, Kamerad, Genosse – oder Feind. Jetzt hast du dich zu bewähren, jetzt beginnt dein wirklicher Kampf, und du kannst nicht vorhersagen, wie du aus ihm gehen wirst. Nur entziehen kannst du dich ihm nicht, und würdest du Turmgebirge der Einsamkeit entdecken. Du weißt – Mensch, dem ich die Hand drücke – daß jetzt deine ganze Kraft hervorbrechen wird. Die Kraft, ganz, die sonst nur Strahlentrümmer von sich schleuderte in plötzlichem Zorn oder jäher Hingabe. Jetzt wird sie dich in unseren Kampf werfen. Und es wird dir dann sogar nebensächlich erscheinen müssen, wie sich dein Charakter enthüllt: Vielleicht wirst du dir selbst als Feind entgegentreten, vielleicht kannst du nicht mehr bekennen, was du so lange gefordert hast. Vielleicht zeigt sich, daß du nur eine Rolle spielen wolltest, und schnell in die letzte Führerparole hineingeschlüpft bist; jetzt gehst du schon vor dir als hohler Kadaver herum. Vielleicht, daß du nur ein Unzufriedener warst, ein bloßes Gegenstück des Vereinsbegeisterten. Oder vielleicht merkst du – und dein Herzschlag richtet sich gegen dich selbst – daß du überhaupt nur ein Kläffer warst, ein Oppositionspinscher; oder zuletzt nur ein unablässig wuterfüllter, beamtenhafter Registrator von Dokumenten, Briefen, Meinungen, Taten – Anderer! – der in stillen Zeiten von Amüsiereindruck wünschte, mit seiner drohenden Geheimsammlung von Abhub könne man dereinst die große Stunde der neuen Zukunft beschleunigen. Vielleicht auch erscheinst du in dem ungeheuren Licht, das nun wieder die Menschen erhellt, als ein gestaltloser Klumpen, den die Menschheit ausgeschieden hat. Gleichviel. Du bist noch nicht fertig. Du hast den Weg der Gerechtigkeit, den du einmal beschritten hast – und selbst wenn dein Schritt geschauspielert war! – bis ans Ende zu gehen. Du darfst uns nicht verlassen.

Nur eines kannst du nicht mehr. Du kannst nicht mehr spielen. Spielst du heute noch einmal, dann bist du schnell ein Schatten: vielleicht gilt es dann sogar dein Leben. Du kannst nicht mehr spielen, nicht mehr bloß so tun als ob; nicht mehr zwischen den Meinungen und den Taten schlendern; nicht mehr zwischen deiner Hingabe und der tötensten Ablenkung sitzen; nicht mehr Freund sagen und Feind tun. Das ist aus! Der Dualismus ist aus. Der Dualismus zwischen deiner ungeheuer vorgeschrittenen Erkenntnis und deiner ungeheuer vergangenheitshaften Sympathie. Dieser Dualismus, der dir alle Hintertüren der Passivität aufschloß. Dieser Dualismus, der dir erlaubte, dich allen Taten zu entziehen und die Taten anderer schlau und gerissen zu begutachten. Diese ganze hochmütige Schwindelei ist aus, die sich selbst gern Rebellion nennen hört, aber die ganze Arbeit andern überlassen will, die Arbeit stets andern überlassen hat. Aus! – Heute mußt du dein Leben mit der großen Sache, die du dachtest und aussprachst, identifizieren. Mit unserer Sache. Du mußt mit uns gehen. Mit wem? Mit der Masse.

Wir werden es schwerer haben als andere Völker: Wir werden vielleicht in ganz kurzer Zeit den Freiheitsweg durchrasen müssen, den die anderen in einer geschichtlich größeren Bahn zurücklegen konnten. Das wird uns nicht mehr erspart bleiben können, den gesetzmäßigen Weg der Geschichte der Freiheit zu gehen, denn wir haben bis heute jede Gelegenheit versäumt, außerhalb unserer Entwicklung, außerhalb der Geschichte, den großen Sprung zu machen, den Sprung in die Freiheit, den Sprung in das neue Reich. Unser Weg, unser langsamer, schwerer Weg, hat schon begonnen: Conventikel flüstern im Lande, die den Individualismus lehren. Einzelaktion, reißende Klugheit, Rettung der Person vor der Auflösung. Gut – für die Phase, die autoritätsfrei machen wird. Unterlassen sei der Vorwurf: Kleinbürgertum! Nur dies ist nicht zu vergessen, daß wir in solchem Zustande anderen Völkern (die ihn längst los sind) genau so novellistisch komisch erscheinen, wie uns selbst unser halb vergessener individueller Ahn im Schlafrock mit langer Pfeife. Aber dieser Weg der Selbstvervollkommung, der kleine Weg, hat nur dann ein Recht, wenn wir nicht auf ihm bleiben. Wenn wir in der Masse landen.

Der Augenblick, da ganz ernstlich auf der Welt die große Erneuerung beginnt, wird an einer Schein-Enttäuschung zu erkennen sein. Daran, daß die großen Köpfe, die großen Sprecher, die großen Propheten und die unerbittlichen Richter – nicht mehr mitmachen werden. Die Führer werden nicht mehr mitmachen. Die Führer werden zur Gegenbewegung laufen, sie werden den Stillstand beschwören, die alte zusammengerammte Welt zu halten suchen. Ein Friedenstönen wird laut, die Schar der Führer rückt auf Hand in Hand mit ihren ältesten, härtesten Feinden, und ihre Versöhnungsflöten schrillen zum Kampf gegen diese neue Welt, an deren Schöpfung anonyme, besitzlose Massen in stetester Gefahr des Zusammengehauenwerdens arbeiten.

Es ist eine Schein-Enttäuschung. Alte Gewöhnung aus stillen Zeiten fragt immer noch bei jeder Krise: sind die Männer da, die die Ordnung der Zukunft lenken können? Aber die Männer sind immer da, diese Beauftragten, Denker, Genies, Volksvertreter, diese Führer. Nur ihr Volk ist nicht da. Warum das Volk nicht da sei? Weil sie es nicht wollen. – Der Führer tritt auf, er erklärt, er fordert. Aber er erklärt, daß eine mechanisch und passiv heraufrollende Welle die Ereignisse gebracht hätte: die „Umstände", und er fordert: Abwarten. Wer hört ihn? Publikum, nicht Volk. Das Volk, noch eine Millionenzahl von einzelnen, unverbundenen, stecknadelgroßen Individuen, strömt aus unendlich vielen Flußläufen seine Willenskräfte zusammen, mächtig steigt sein Wille auf, ein riesenhafter griffbereiter Arm aus zahllosen Menschenleibern. Die Führer sind verstört: Hier will etwas, das mehr ist als sie, höher, sicherer und drängender ungeduldig nach vorwärts. Weiß nicht dieser Schrei der Masse, der in die Welt auffliegt, unendlich genau das Ohr, zu dem er stößt: das Ohr der Masse irgendwo auf Erden, der Brüder, Kameraden, Helfer? Weiß nicht der Riesenfuß der Masse, der über die Straßen stampft, warum er Häuser zertritt, die Hindernis zum Ziel sind? Weiß nicht die gespannte Riesenhand so sicher, wohin sie greift, was sie zerdrückt und was sie bewahrt, um es über ihre Menschen auszuschütten? Hier ist das Volk, und der strahlende lebendige Gigantenkörper seines Willens ist unendlich mehr als das Geschöpf eines einzigen, zufälligen Moments: Ein Wesen ist dieser Wille, aufgebaut aus allen Willensgeschöpfen der unvollendet versunkenen Geschlechter. Ein Geschöpf, gebildet aus allen Willensgeschöpfen, die seit dem Tage der letzten großen Erhebung des Massenwillens in die leere, unfruchtbare Welt hineinwachsen mußten. Ein Organismus, in dem wie Adern, Blut und Muskeln alle Willensorganismen leben, die seit der letzten großen Willensspannung man nicht leben lassen wollte. Und das ist das Ziel der Masse: die endliche Lösung dort zu bringen, wo der Tag der letzten großen Volksbewegung ahnend mächtig Gewolltes abgebrochen und ungelöst liegen lassen mußte.

Aber wo ist da der Führer? Der Führer war in der langen Zwischenzeit der erzwungenen Ruhe, der Niederhaltung des Volkes, jenem Fackelläufer gleich in antiken Spielen, der im Wettlauf die Fackel brennend dem nächsten Läufer reichen mußte. Der Führer sah atemlos nur den nächsten Führer, er rannte, gebannt ganz in Gedanken an das Brennen seiner Fackel; keiner wußte mehr, warum der Fackellauf war; ein Rennen gab es um die Führerehre. – Der Führer denkt und lebt noch mit seiner Vergangenheit. Zur Zeit, da er längst schon vorstoßen müßte, wie einer der kleinen Namenlosen neben ihm, steht er noch in bloßer Opposition. Seht diesen großen Ringelreihen der Erde. Die Mitspieler das Gesicht unablässig einander zugewandt im innern Kreis: die Führer! Draußen wanken schon die Berge von Menschen auf und ab. Der Führer ist gestört vom Draußen. – Ah, es wurde ernst? Der Führer ist zum Gegner geworden. Denn der Gegner, das ist der Autoritätsmensch. – Eine Schein-Enttäuschung. Er konnte nie wirklich enttäuschen. Das Volk beging die Sünde, sich blind auf ihn zu verlassen – was sollte es machen, wenn er sprach? es war noch wirr zerspalten in ein Millionenfeld einzelner Würmer. Notgedrungen dem trauen, der sich selbst für ehrlich hielt. Schlimmer: notgedrungen ihm folgen! – Aber es wird ernst? Es gibt keine Führer mehr. Auf kein fremdes Einzelwesen hat man jemals mehr sich zu verlassen. Auf kein fremdes Einzelwesen hat das Volk jemals mehr sein Leben zu stellen. Es gibt keine Führer! –

Du würdest dies nicht lesen, mein Freund, wenn du nicht die Erneuerung wolltest: Die Erneuerung der ganzen Welt, die Austreibung des bösen Giftblutes aus den Adern und die Durchströmung mit neuem Lebensfluß. Die Erneuerung kommt aus dem Volk, wo es wirkendes Volk ist. Wirkendes Volk ist die Masse. Die Masse baut auf. Wo die Masse ihre Aktion entfaltet, wird ein neuer Menschheitsbegriff aus der Vorstellung in die Wirklichkeit hinein gestaltet. Wie langsam das oft geht, und oft wie schnell! Den Querschnitt dessen, was zustande kommt, muß man anblicken: In abgelegenen Provinzen kämpfen kleine Sondergruppen zäh; in den großen Knotenstationen entladet alles sich plötzlich in einem Augenblick. Zusammengesehen gingen alle aufs selbe Ziel los. Und die Massenaktionen des Volkes unterscheiden sich von allen befehlsmäßig kommandierten politischen und kriegerischen Zügen ganz scharf dadurch, daß bei ihnen die höchste, gerechteste, geistigste, menschheitliche Ideen-Forderung mit der allerdringendsten, allerunkompliziertesten, allerlebensbrennendsten Interessen-Forderung zusammenfällt. Hier hört die Diskussion auf: Wo in der Welt, in der Geschichte, die Masse den Schritt tat, der zur Lösung der unmittelbarsten Lebensfrage des Menschen ging, wo ein Versuch zur Verwirklichung des Sozialismus begonnen wurde, da ist Ungeheures geschehen, auf rohestem Bauplatze menschheitlich Göttlich-Geistiges. Und es kann sogar kommen, daß die Tat in die höchsten Stufen der Erkenntnis und des menschlichen Willens reicht, doch jenes rein theoretische Denkprogramm, das Agitationshilfe zu dieser Tat war, auf ganz unfreiem, mechanistischfatalistischem Denkgebiet blieb. In unserer Zeit haben die ersten Verwirklicher des Kommunismus einer materialistischen Philosophie angehört, die nichts anderes, als das längst Abgetane veralteter Naturwissenschaft sagte, der Mensch sei ohne freien Willen und das Produkt der Verhältnisse und eben sie haben mit dem mächtigsten Griff des freien Willens in der unbeschreiblich kurzen Spanne eines Jahres die neuen Verhältnisse der kommenden Welt geschaffen und vorgeformt. Denn nicht das Agitationsprogramm ist die Idee, die die Masse zum Handeln treibt, sondern jener große Denk- und Willenskreis, der aus der bloßen Tatsache der Existenz des Menschen entspringt, und in dem die Interessen-Agitation (also der materialistische Unterbau) nur den kleinen Abschnitt des Aktuellen bildet. Die Menschen tun ihre Taten nach den Ideen. Die Menschen setzen die Ideen in die Welt; lauter Einzelpersönlichkeiten der Masse setzen die Ideen in die Welt. Aber die Idee ist weder etwas ausgedacht Konstruiertes, noch an das bestimmte Individuum gebunden, sondern die größte Schöpfung des Menschen, eine über ihn hinaus: Ein Organismus, der gleichzeitig jener Mensch ist, der ihn mitschuf, und das Lebensverhältnis, die Welt dieses Menschen. Das große Reich der Ewigkeit des Handelns, schon losgelöst von ihrem Urheber, doch rückwirkend auf ihn. –

Die wir an den Weg des Geistes glauben, wir sehen: Vor der Erneuerung wird eine große Bekehrung kommen müssen. Aber Bekehrung, das kann man nicht mit Jammern machen, nicht passiv, nicht mit Abwarten. Zusehen und Abwälzen der drohenden Dinge auf die anderen. Bekehrung ist bewußtes und willentliches Hindurchgehen durch ein Leben, das wir für niedriger halten als jenes, das vermeintlich unserer würdig wäre. Abstieg auf ein Niveau, das scheinbar tiefer als das unsrige ist. Nämlich genau zu dem Leben und zu dem Niveau, das unsere erfüllte Wirklichkeit ist, das uns nicht mehr den Schutz des Sich-Erhaben-Dünkens gewährt, den Schutz nicht mehr des geistigen Reservates; nicht mehr den tödlichen Weltschwindel zuläßt, in dem System des Intellektes durchaus menschlich zu denken, aber sich mit dem bloßen System zufriedenzugeben; mit Hochmut auf den Handelnden zu sehen, – also noch selbst: außermenschlich zu handeln. – Hindurchgehen durch unser tiefstes Niveau – und das geistige Ziel? Das Ziel ist ewig und absolut – wir selbst sind endlich und unsere Mittel endlich. Bekehrung ist der Weg des Handelns mit allen, mit allen unseren endlichen Mitteln zum ewigen Ziel. Der Weg der Bekehrung: Untertauchen in die Masse. Masse sein. Masse sein, heißt nicht: hinter dem Rücken des Vorderen verschwinden. Es heißt: Verantwortlich mit der brennendsten Spannung deines Willens in den Willen deiner zahllosen Kameraden stürzen.

Ein Augenblick kommt, da bist du nicht mehr Klasse: nicht mehr Bürger. Wer führt die Massenaktionen aus? Die Arbeitenden. Das Proletariat. Sie handeln, die andern schauen zu. Es gibt aber keine Zuschauer mehr. Du sympathisierst mit den Handelnden, den Arbeitern, dem Proletariat? Man braucht keine bloßen Sympathiekundgeber mehr. Du hast heute zu handeln. Mein Freund, dein Weg geht zum Proletariat. Proletariat! darum kommt kein Gehirn von morgen mehr herum. Klammere dich nicht an den albernen Einwurf vom gutverdienenden Munitions-Vorarbeiter. Auch du warst ja in deinem Leben nicht jeden Augenblick tätiger Demokrat. Morgen gibt es keine Konjunktur mehr, keine neuen Kleinbürger mehr, und nicht einmal Kriegsgewinner gibt es morgen mehr. Morgen gibt es nur noch: die Weltgeschwüre, die Seuchenträger, den Versuch zur endgültigen Ausbeutung der Menschheit – oder die Arbeitenden; oder jene, die endlich das große Werk der Abdankung des Überflüssigen beginnen; die Neubauenden; das Proletariat. Das Proletariat also sei heilig, und wir nur Schund? Nein der Proletarier ist nicht heilig, weil er zu einer Klasse gehört. Aber heilig ist, wer zu den Handelnden gehört. Du, Zuschauer, hast nicht einmal sein Vertrauen. Du hast sein Vertrauen erst, wenn er in dein Leben blickt, wenn er sieht, daß du nicht ihm schöntust und anderwärts mit den Augen zwinkerst. Du kannst ihn nicht belehren, du kannst ihm keine Weisheit von oben bringen (um dich dann ruhevoll in die Gemütlichkeit zurückzuziehen.) Du kannst nur mit ihm arbeiten. – Aber das Ende des Klassenkampfes? die Gewaltlosigkeit? das dritte Reich der Menschheit? Beginne, der die Forderung erhebt! Der Weg geht durch die Solidarität. Du kannst nur noch Masse sein. Hier ist die Erneuerung. Hier wirfst du aus deiner Brust eine neue Erde in den Raum, die in unserem menschengezeugten Kosmos als millionste in Sternenbahnen und Sternenzusammenprall fliegt, und unter einer Staubwolke von Trümmern dir deinen neuen Boden unter die Füße breitet.

[*Das Forum,* 3(1918/19), S. 59-67]

Nachwort: Die Gemeinschaft

(1919)

Warum wird noch Blut vergossen? Warum wälzt sich Mord über die Welt, ungeheurer, teuflisch grausamer in diesem internationalen Riesenbürgerkrieg aller Länder, millionenmal wüster als im großen Staatenkriege? Aber dieser geregelte Staatenkrieg war in Wirklichkeit nur das dumpfe, aus trübem Ahnungsdunkel kommende Vorspiel zum heutigen Weltrevolutionskrieg. In Wahrheit setzte hier der erste Stoß einer noch organisierten Riesen-Selbstabschlachtung des Weltkapitalismus ein. – Gewalt kämpft heute gegen Geistiges, überall auf der Erde. Gewalt, die Anhäufung der Trägheit; Gewalt, der Ausdruck leichnamhaften Besitzaberglaubens; Gewalt, Zerfaulendes, ausgelaugt Entwertetes, Zerfallendes, das sich gegen die unaufhaltsame Verwesung, gegen den Zerfall, gegen seine Wertlosigkeit, gegen seinen eigenen Tod erbittert wehren will, indem es den jungen keimenden Wesen kräftigeren Lebens den Tod geben will: Die alte Welt kämpft gegen die neue. Der Besitz gegen die Ablehnung des Besitzes. Ausbeutung gegen die Arbeit. Das Kapital gegen das Proletariat. Das Bürgertum gegen das Schöpfertum.

Dieser Revolutionskampf ist ein riesenhafter Weltprozeß. Hier wird nicht mit einem Schlage gesiegt, durch Schlachten oder durch eine Lösung, sondern in allen Beziehungen des menschlichen Lebens, unter Milliarden Wesen tritt Durchdringung mit der Kampfkrisis auf. Die Weltrevolution ist ein Weltkrisis. So wie es schon im ablaufenden Nebeneinander der menschlichen Geschichte Weltkrisen gab, die eine sterbende und eine junge Erdgeneration schieden. Wie – uns gerade noch dämmerhaft zugänglich – im dritten Jahrtausend vor Christus die Krise einer Welt um den Kulturkreis des alten Orients ausgekämpft wurde. Im sechsten Jahrhundert vor Christus die neue Krise gegen jene zur hieratischen Macht erstarrte alte Welt – die kommunistische Bewegung über China, Indien, nach Europa, das geistige Bett zur Vorbereitung des Christentums. Im dritten Jahrhundert nach Christus der Zusammenbruch der Antike in der Völkerwanderung, und der Beginn einer unterirdischen Geschichte des Sozialismus: die Geschichte der Ketzergemeinden. Und geht man auf den Mythos zurück: die Sintflut; und Atlantis, die inmitten wilden, dummen Lebens versank – Mythos der Weltkrise, darnach durch Chaos der Versuch begann, das Leben einfach, in Gemeinschaft neu zu bauen. Doch allein festzustellen, daß der Ablauf der heutigen Weltrevolution Ausdruck der neuen Jahrhundert-Weltkrise ist, genügt nicht. Nach dem Inhalt der Weltkrise muß gefragt werden.

Die alte Kulturmasse, die abgebaut wird, ist, mit dem Vorgange des Abbaus, von komplizierter Gestalt. Die Vergangenheit, diese Häufung von unendlich vielen Einmaligkeiten, die Vergangenheit, die kämpfende und bekämpfte, ist wie jedes Zersetzungsgebilde kompliziert. Aber der Weg der Zukunft, dieser ewige Weg, der lebentragende Weg über Jahrhunderte hin, ist einfach. Der Inhalt der weltändernden Antriebe für das Handeln der Menschen ist von mächtiger Einfachheit. Diese Einfachheit gilt es.

Der Inhalt der Weltkrise, ihr Ausgangspunkt und ihr Ziel, ist die Erde. Überbaut, zugedeckt im Licht mit Hochstockwerken von Betrieben, unter Tage ausgepumpt, ausgekratzt, ausgeschöpft scheint diese Erde, überzogen mit einer Kulturkruste, die nur zu Stande kommt, um Generationen Erdgeborener von der Erde zu vertreiben, von der Erde fernzuhalten, im Kultur-Vacuum arbeiten zu lassen, ohne je Berührung dieser Arbeiter mit dem Endziel ihrer Arbeit zu dulden. Und dann bricht in den Menschen das Bewußtsein ihrer Erdabkunft durch. Der Kampf um die Erde beginnt. Der Wille, teilzuhaben an der Bestimmung der Erde. Eine Gewißheit, die nicht zu morden ist, steht in den Massen da: Die niedergehaltenen Mitmenschen, die Sklaven, die Arbeitenden sind die wahren Erdsöhne, die Schöpfer dieser Welt. Und so wie, im Neben- und Nacheinander der Geschichte, in jedem der großen Kulturkreise ein Aufstieg und ein Zusammenbruch des Kapitalismus sich vollzieht, in der geschichtlichen Idee gleich, nur in der Form, im Zivilisationsausdruck, in der zeitlichen Ideologie verschieden, gemäß den durch Jahrtausende voneinander entfernten und verschiedenen Verkehrsformen, Produktionsformen, Lebensformen – so neigt sich der Kapitalismus unseres Kulturkreises seinem Ende zu unter dem heutigen Willen der Massen: Die schöpferischen Mittel der Erde in allen Händen der Schöpfer zu wissen; die Arbeitsmittel in den Händen der Arbeiter; die Produktionsmittel in der Verfügung und Bestimmung der direkt Produzierenden: Und die sind heute international die Proletarier dieser Erde.

Das Vergehende und Absterbende sieht nicht ein, daß es am Tode ist. Es meint, von einer Schar Gewissenloser und von einer Masse Dummer angegriffen zu sein. Die bürgerliche Welt will nicht gestehen, daß sie selbst, ebenso geschüttelt wie das Proletariat von dem neuen Bewußtsein der Erdzugehörigkeit – nur im teuflisch entgegengesetzten, im Besitzersinne – der Angreifer ist und das Riesenmetzeln, den Anfang des eigenen Todes, begonnen hat. Und nur in den Minuten aufsteigender Wachheit ahnt das Bürgertum den Weltzusammenbruch und die Zukünftigkeit der proletarischen Forderung. Dann erhebt sich, als letztes Kampfargument des Kapitalismus, der Schrei: Die Kultur geht zugrunde, wenn die Proletarische Kultur siegt.

Was ist der Inhalt der zugrundegehenden Kultur? Was verlieren wir beim Verlust dieser Kultur des Bürgertums, Kultur des Kapitalismus? Es ist eine Kultur nicht der Schöpfung, sondern der Wiederholung. Der Besitz, das materielle Leben, ist eine ungeheure Angelegenheit von Addition und Subtraktion, die Fülle des Lebens ist nur Fülle des Besitzers; wird die Masse des Besitzes größer oder kleiner, der Besitzer bleibt; die Starre, die Leichenstarre dieser Zivilisation bleibt. Das geistige und das seelische Leben, das einfache lebenswerte Leben des Menschen ist leer. Leer von Ideen, denn die Ideen sind ersetzt durch die Tatsachen des gegebenen Besitzes; leer von Willensimpulsen, denn an ihre Stelle tritt der mächtige Zwang der Besitzwirtschaft, und an Stelle des menschlichen Antriebs um der Menschlichkeit willen tritt als Ersatz die Konkurrenz um der Gesellschaft willen. Die Wissenschaft dient dem Besitz: Ein guter Chemiker oder Physiker wird von dieser Kultur ein Forscher genannt – nicht, der gut ist und dessen Ergebnisse Lebenseinsicht und Lebensweg der Menschheit klären und vereinfachen – sondern der Hilfsmittel findet, um den Besitzerkampf erfolgreicher zu machen. Der Dichter gilt als gut, wenn er die Empfindungen dieser Gesellschaft darstellt. Der Musiker, wenn er ihre Gefühle erregt und betäubt. Der Maler, wenn er den Lebensraum dieser Gesellschaft bejaht, schmückt, oder aus ihr persönliche Konstruktionen zum wissenden Genuß ihrer hochbezahlenden Kapitalsherrscher herausholt. Der Denker gilt als groß, der ihre Notwendigkeit und die aller ihrer Diener erweist. Sie alle leben auf dem Riesenberge des Kapitalismus, und diese Kultur, um deren Verlust man so zittert, ist eine Parasitenkultur. Sie ist leer. Tragt ihren Berg ab, und von ihren Werken bleiben die hohlen Gehäuse, die in sich zusammensinken.

Der Sinn des Kampfes um die Zukunft ist Schöpfung. Schöpfung um des Schöpfers willen, des Menschen. Nicht der Besitz und sein Betrieb ist mehr die Mitte der Welt, sondern der Mensch. Die Gemeinschaft der Erde arbeitet für den Menschen; je inniger verbunden der Mensch mit der Arbeit ist, je mehr er ihr Resultat, vom Anbeginn an, ganz real im Gesamtsinne beherrscht, um so mehr Kraft und Raum hat sein Leben. Es ist eine neue Generation in der Welt, in allen Ländern, die das weiß. Sie weiß es nicht aus Verzweiflung oder aus Gier nach Begriffen, sondern aus der tiefen Verbundenheit mit dem Wiedererwachen der Kräfte, die überall sich auf ihre Erdkindschaft besinnen. Dieses junge Geschlecht, ganz geistig an das Ziel hingegeben und ganz real kämpfend, hat mit der alten Kultur abgeschlossen; ihr Schicksal geben diese Menschen für die Gemeinschaft: Eine neue Grundkrise der Welt brennt in ihrem Leben. Ihre Musik ist der Gesang der Gemeinschaft. Ihr Gedicht ruft auf zur Gemeinschaft. Ihr Epos ist die Anleitung zur Gemeinschaft. Ihr Drama entwirrt das Handeln für die Gemeinschaft. Ihr Bild ist das Vorbild zum Leben in der Gemeinschaft. Ihre Wissenschaft ist das Denken von der schöpferischen Gemeinschaft.

Aber noch die Schöpfung ist endlich, vergänglich, zeitlich. Unvergänglich, ewig ist uns der Schöpfer, der Mensch. Für ihn geht der Kampf um die Erde. Aus dem Trümmerhaufen der letzten, großen, nun abgewelkten Jahrtausendschöpfung der Menschheit, steigt unvergänglich, unsterblich, neu der Mensch. Das ist der Inhalt der Weltkrise. –

Plato läßt im dritten Buch vom „Staat" den Sokrates einen uralten, östlichen Wahrheitsmythos aussprechen: „Ich möchte den Mut haben und die richtigen Worte finden, um die Regierenden und die Krieger und auch alle übrigen Bürger zu überzeugen, daß das eigentliche Erziehungs- und Bildungswerk, das wir an ihnen taten, kurz alles, was sie zu erleben glaubten und an sich vorgehen sahen, nur gleich einem Traum war, während sie selbst in Wahrheit tief drinnen in der Erde geschaffen und geformt wurden; und auch ihr ganzes Rüstzeug stammt daher. Nun sie aber vollständig fertig da sind und die Erde, ihre Mutter, sie im rechten Augenblick heraufgesandt hat, müssen sie für die Erde, also für ihre Mutter und Bildnerin, mit ganzer Kraft einstehen, denn ein Feind tritt auf. Und sie müssen unter den übrigen Mitmenschen die Gesinnung des Wissens haben, daß auch die ihre Brüder und gleichfalls Erdgeborene sind."

[Ludwig Rubiner, Hrsg., *Die Gemeinschaft,* Potsdam 1919, S. 275-278]

Bibliographie zu den Schriften Rubiners

1904

Zu den Höhen [Gedicht], *Der Kampf,* N. F. (1904), S. 775.

1905

Der Brunnen [Gedicht], *Charon,* 2(1905), S. 103.

Nach dem Streit [Gedicht], *Charon,* 2(1905), S. 234/35.

1906

Das Peter Hille-Buch [Kritik zu: Else Lasker-Schüler, *Das Peter Hille-Buch,* Stuttgart, Berlin 1906], *Die Gegenwart,* 35(1906), S. 233–235.

Varieté und Kultur [Feuilleton], *Das Leben,* 2(1906), S. 887–889.

[Libretto zu Herwarth Waldens Oper „Die Nachtwächter" (unveröffentlicht)], Hs. verschollen.

1907

Joris Karl Huysmans [Aufsatz], *Die Gegenwart,* 36(1907), Nr. 22, S. 344/45.

1908

Das Problem der Oper [Kritik zu Puccinis *Manon Lescaut* und Debussys *Pelleas und Melisande*], *Masken,* Jg. 1908, S. 207–212.

Ausstellung älterer englischer Maler [Glosse], *Das Magazin,* 77(1908), S. 115/16.

Puccini [Glosse], *Morgen,* 2(1908), S. 1440.

Sarah Bernhardt [Glosse], *Morgen,* 2(1908), S. 1471/72.

Bülow [Glosse], *Morgen,* 2(1908), S. 1504.

Debussy: Pelleas und Melisande [Kritik], *Morgen,* 2(1908), S. 1533.

Anton von Werner [Glosse], *Morgen,* 2(1908), S. 1574.

Balalaika [Glosse], *Morgen,* 2(1908), S. 1609/10.

Politisierung des Theaters [Glosse], *Morgen,* 2(1908), S. 1637.

„Gesichte der erwachten Augen", [Vier Prosastücke, erwähnt in einem Brief Rubiners vom 22. März 1908 an Herwarth Walden], Hs. verschollen.

1909

Ein Dichter des neuen Russland: Fjodor Sollogub [Aufsatz], *Die Gegenwart,* 38(1909), S. 593–595; Nachrucke in: *Der Demokrat,* 2(1910), Nr. 13, Beil. *Der Sturm,* 1(1910/11), S. 84/85.

„Über das Jüdische Theater in Russland", [Aufsatz, erwähnt in einem Brief Rubiners vom 14. Oktober 1909 an Herwarth Walden], Hs. verschollen.

Übersetzungen:

Fjodor Sollogub, „Zwei Herrscher", „Die Phantasie", [Gedichte], *Die Gegenwart,* 38 (1909), S. 343.

Fjodor Sollogub, „Der Scharfrichter von Nürnberg", [Gedicht], *Die Schauhühne,* 5(1909), S. 621; Nachdruck in: *Der Demokrat,* 2(1910), Nr. 41, Beil.

1909/10

Operette [Glosse], *Das Theater,* 1(1909/10), S. 16.

Debütantin [Gedicht], *Das Theater,* 1(1909/10), S. 17.

Küchenjung Léon in Grillparzers „Weh dem der lügt" [Theaterkritik], *Das Theater,* 1(1909/10), S. 19.

Man spielt nicht mit der Liebe [Kritik zur Aufführung des gleichnamigen Stücks von Paul Lindau], *Das Theater,* 1(1909/10), S. 35.

[Theaterkritik zu Ernst Hardts *Tantris der Narr*], *Das Theater,* 1(1909/10), S. 112.

Eduard Stucken [Aufsatz], *Das Theater,* 1(1909/10), S. 149.

Don Carlos [Theaterkritik], *Das Theater,* 1(1909/10), S. 176.

Im Taubenschlag [Theaterkritik], *Das Theater,* 1(1909/10), S. 178.

Übersetzung:

Paul Verlaine, „Madame Aubin" [Erzählung], *Das Theater,* 1(1909/10), S. 146–148 und 170–172.

1910

Kriminalität und Sittlichkeit [Glosse], *Der Demokrat,* 2(1910), Nr. 7, Beil.

Die Verzauberten [Glosse], *Der Demokrat,* 2(1910), Nr. 14, Beil.

Aus der Dichtung des jungen Belgiens: Crommelynck [Aufsatz], *Der Demokrat,* 2(1910), Nr. 27, Beil.; Nachruck in: *Der Sturm,* 1(1910/11), S. 11–12.

Ferruccio Busonis Musikästhetik [Kritik], *Der Demokrat,* 2(1910), Nr. 28, Beil. Nachdruck in: *Die Gegenwart,* 39(1910), S. 29–31.

Die Liebenden [Glosse], *Der Demokrat,* 2(1910), Nr. 30, Beil.

Brief an ein Orchestermitglied der Gura-Oper, Der Demokrat, 2(1910), Nr. 32, Beil.

Kammerspiele des Deutschen Theaters zu Berlin [Kritik zu einer Theateraufführung von Eduard Stuckens *Gawân], Die Gegenwart,* 39(1910), Nr. 15, S. 294.

Bemerkung über den Sinn der Tanzkunst [Kritik zum Gastspiel des Kaiserlich-Russischen Balletts in Berlin], *Die Gegenwart,* 39(1910), S. 456.

Das Schicksal der Maschine [Glosse], *Die Fackel,* 11(1910), Nr. 294/95, S. 12–16; Nachdruck in: *Der Demokrat,* 2(1910), Nr. 26, Beil.

Henri Matisse [Würdigung], *Die Fackel,* 12(1910), Nr. 305/06, S. 31–36.

Die Indischen Opale [Kriminalroman, erschienen unter dem Pseudonym „Ernst Ludwig Grombeck"], Berlin, Leipzig 1910.

Madame Butterfly. Die Kleine Frau Schmetterling. Tragödie einer Japanerin in drei Akten, von Illica und Giacosa. Musik von Giacomo Puccini. Erläutert von Herwarth Walden und Ludwig Rubiner. Berlin, Wien 1910. Schlesinger'sche Musikbibliothek: Opernführer Bd. 121.

Übersetzungen:

Fjodor Sollogub, „Der Traum" [Gedicht], *Der Demokrat,* 2(1910), Nr. 13, Beil.

Michael Kusmin, *Taten des grossen Alexander* [Roman], München 1910.

Nikolaus Gogol, „Abende auf dem Gutshof bei Dikanka" [Novellen], übers. zusammen mit Frida Ichak. N. Gogol, *Sämtliche Werke,* Bd. 3, München, Leipzig 1910.

1910/11

Dichter der Unwirklichkeit. Anmerkungen zu Büchern des Max Brod. Der Sturm, 1(1910/11), H. 14, S. 107/08.

Pelleas-Sinfonie [Kritik zu Arnold Schönbergs Sinfonie zu „Pelleas und Melisande"], *Pan,* 1(1910/11), S. 64–67.

Die Wartenden [Kritik zu Arthur Holitschers Roman *Worauf wartest du?*], *Pan,* 1(1910/11), S. 133/34.

Kultur, Musik und Pfitzner [Aufsatz], *Pan,* 1(1910/11), S. 210/11.

Rosenkavalier [Kritik], *Pan,* 1(1910/11), S. 276–279.

Die Stadt [Gedicht], *Pan,* 1(1910/11), S. 666/67; Nachdruck in: *Der Kondor,* hrsg. von Kurt Hiller. Heidelberg 1912, S. 111–113.

Kulturkonservativ [Glosse], *Pan,* 1(1910/11), S. 708/09.

1911

[Antwort auf eine Umfrage nach den besten Büchern des Jahres 1910], *Die Gegenwart,* 40(1911), S. 67.

Max Brod: Tagebuch in Versen [Kritik], *Die Gegenwart,* 40(1911), S. 294–296.

[Antwort auf die Umfrage: „Was bedeutet Alfred Kerr für die zeitgenössische Literatur?"], *Die Aktion,* 1(1911), Sp. 620–622.

Kraus' „Heinefolgen" [Kritik], *Die Aktion,* 1(1911), Sp. 970.

1911/12

In der Italienischen Oper [Feuilleton], *Pan,* 2(1911/12), S. 276–282.

Attentat in der Rue ... [Gedicht, Ferdinand Hardekopf gewidmet], *Pan,* 2(1911/12), S. 1208/09.

1912

Der Herrscher [Gedicht], *Der Kondor,* S. 110.

Der Tänzer Nijinski [Gedicht], *Der Kondor,* S. 114; Nachrucke in: *Lyrik des expressionistischen Jahrzehnts,* hrsg. v. Gottfried Benn, Wiesbaden 1955, S. 110/20; *Expressionismus, Lyrik,* hrsg. v. Martin Reso und Silvia Schlenstedt. Berlin, Weimar 1969. S. 211.

Paris [Bericht], *Die Schaubühne,* 8(1912), Bd. 2, S. 635–637.

Die Anonymen [Aufsatz], *Die Aktion*, 2(1912), Sp. 299–302.

Der Dichter greift in die Politik [Programmatischer Aufsatz], *Die Aktion,* 2(1912), Sp. 645–652 und 709–715; Nachdrucke in: *Der Mensch in der Mitte,* hrsg. v. L. Rubiner, Berlin 1917, S. 17–32; 2. Aufl., Berlin 1920, S. 17–30; *Ich schneide die Zeit aus. Expressionismus und Politik in Franz Pfemferts „Aktion" 1911–1918,* Hrsg. P. Raabe, München 1964, S. 64–76; *Literatur und Gesellschaft. Zur Sozialgeschichte der Literatur seit der Jahrhundertwende. Eine Dokumentation.* Hrsg. Beate Pinkerneil et. al. Frankfurt/Main 1973, S. 77–87.

Die Krise der Französischen Musik [Aufsatz], *Kölnische Zeitung,* 18. August 1912, Nr. 924, Unterhaltungsblatt.

1913

Brief an einen Aufrührer [Aufsatz], *Die Aktion,* 3(1913), Sp. 341–347. Nachdruck in: *Der Mensch in der Mitte,* 1917, S. 37–46; 2. Aufl., 1920, S. 35–43.

Mein Haus [Gedicht], *Die Aktion,* 3(1913), Sp. 350/51; Nachdrucke in: *Ich schneide die Zeit aus.* Hrsg. P. Raabe, S. 112–114; *Zet,* 2(1974), H. 8, S. 36.

Eine Zeitschrift ist etwas Wichtiges [Aufsatz], *Die Aktion,* 3(1913), Sp. 413–415.

Psychoanalyse [Glosse], *Die Aktion,* 3(1913), Sp. 483; Nachdruck in: *Ich schneide die Zeit aus.* Hrsg. Paul Raabe, S. 120/21.

Intensität [Nachbemerkung zu den Aufsätzen „Der Dichter greift in die Politik" und „Brief an einen Aufrührer"], *Die Aktion,* 3(1913), Sp. 511/12.

Uff ... Die Psychoanalyse [Glosse], *Die Aktion,* 3(1913), Sp. 565–568.

Der Aristokrat [Aufsatz], *Die Aktion,* 3(1913), Sp. 590/91.

Erwähnung zur Psychoanalyse [Glosse], *Die Aktion,* 3(1913), Sp. 607/08.

Manuskripte [Kritik zu Blaise Cendrars *Prose du Transsibérien]*, *Die Aktion*, 3(1913), Sp. 940–942.

Internationale Gesellschaft für Sexualwissenschaft [Glosse], *Die Aktion*, 3(1913), Sp. 1139/40.

Aufruf an Literaten. Die Aktion, 3(1913), Sp. 1175–1180.

[Protest gegen die Internierung von Otto Gross], *Revolution* (1913), Nr. 5, S. 2.

Das Buch vom Zöllner Rousseau [Aufsatz], *März*, 7, I(1913), S. 362–364.

Gedichte des Jungen Ernst Blass [Kritik], *März*, 7, II(1913), S. 200/01.

Lyrische Erfahrungen [Aufsatz], *März*, 7, III(1913), S. 71/72; Nachdruck in: *Literatur-Revolution 1910–1925. Dokumente, Manifeste Programme*. Bd. I, „Zur Ästhetik und Poetik", Hrsg. Paul Pörtner, Darmstadt, Neuwied, Berlin 1960, S. 238–240.

Der Kopf der Colette Willy [Theaterkritik], *Die Schaubühne*, 9(1913), S. 231–233.

Kriminalsonette [Zusammen mit Friedrich Eisenlohr und Livingstone Hahn], Leipzig: Kurt Wolff, 1913; Nachruck: Stuttgart, Bern, Wien: Scherz, 1962.

Übersetzung:

Landstreicherleben. Denkwürdigkeiten Vidocqs, des Mannes mit hundert Namen. München: Thespis-Verlag, 1920 („Vorwort", 1913)

1914

Der Aufstand [Pantomime für das Kino], *Das Kinobuch*. Hrsg. Kurt Pinthus. Leipzig: Kurt Wolff, 1914, S. 107–117.

Untertan [Glosse zu Heinrich Manns Roman „Der Untertan"], *Die Aktion*, 4(1914), Sp. 335–337.

Maler bauen Barrikaden [Polemik], *Die Aktion*, 4(1914), Sp. 353–364; Nachdruck in: *Ich schneide die Zeit aus*, Hrsg. P. Raabe, S. 176–181.

Um die „Neue Secession" [Kritik], *Die Aktion*, 4(1914), Sp. 405–410.

Homer und Monte Christo [Programmatischer Aufsatz], *Die Weissen Blätter*, 1(1914), H. 11/12, S. 1143–1156; erweiterte Neufassung in: *Der Mensch in der Mitte*, 1917, S. 48–66; 2. Aufl., 1920, S. 46–62.

1916

Der Maler vor der Arche. André Derein gestorben im Kriege [Nachruf], *Die Aktion*, 6(1916), Sp. 1–7; Nachdruck in: *Der Mensch in der Mitte*, 1917, S. 72–81; 2. Aufl., 1920, S. 68–76.

Paul Adler: Elohim [Kritik], *Die Aktion*, 6(1916), Sp. 310.

Hören Sie! [Manifest], *Die Aktion*, 6(1916), Sp. 377–380; Nachdrucke in: *Der Mensch in der Mitte*, 1917, S. 14–16; 2. Aufl., 1920, S. 14–16; *Der Schrey*, 1(1919), Nr. 3, Sp. 22; *Ich schneide die Zeit aus*. Hrsg. P. Raabe, S. 246–248.

Die Bilder Else von zur Mühlens [Aufsatz], *Die Aktion*, 6(1916), Sp. 577/78.

Zur Krise des geistigen Lebens [Aufsatz], *Zeitschrift für Individualpsychologie,* 1(1916), S. 231–240.

Die Änderung der Welt [Manifest], *Das Ziel. Aufrufe zu tätigem Geist.* Hrsg. Kurt Hiller. München und Berlin: Georg Müller Verlag, 1916, S. 99–120. Nachdrucke in: *Der Mensch in der Mitte,* 1917, S. 84–111; 2. Aufl., 1920, S. 78–102; *Der Aktivismus 1915–1920.* Hrsg. Wolfgang Rothe. München, 1969, S. 54–72. Auszug unter dem Titel „Dichtung?" in: *Contra* (Budapest), 2(1960/61), S. 6.

Ihr seid Menschen [Kritik zu P. J. Jouves Gedichtband *Vous étes des Hommes], Die Weissen Blätter,* 3(1916), H. 3, S. 389–391.

Legende vom Orient [Aufsatz], *Die Weissen Blätter,* 3(1916), H. 4, S. 252–275. Nachdruck in: *Der Mensch in der Mitte,* 1917, S. 112–146; 2. Aufl., 1920, S. 103–132.

Tröster [Würdigung Ferruccio Busonis], *Die Weissen Blätter,* 3(1916), H. 5, S.180–182. Nachdruck in: *Der Mensch in der Mitte,* 1917, S. 67–71; 2. Aufl., 1920, S. 63–67.

Das Paradies in Verzweiflung [Kritik zu Ferdinand Hardekopfs *Lesestücken], Die Weissen Blätter,* 3(1916), H. 7, S. 97–101. Nachdruck in: *Expressionismus. Literatur und Kunst 1910–1923. Ausstellungskatalog.* Hrsg. P. Raabe und H. L. Greve. München 1960, S. 125/26.

Aktualismus [Manifest], *Die weissen Blätter,* 3(1916), H. 10, S. 70–72. Nachdrucke in: *Der Mensch in der Mitte,* 1917, S. 10–13; 2. Aufl., 1920, S. 10–13; *Literatur-Revolution 1910–1925.* Hrsg. P. Pörtner. Bd. II, 1961, S. 461–464.

Das Himmlische Licht [Gedichtzyklus, Ferdinand Hardekopf gewidmet], *Die Weissen Blätter,* 3(1916), H. 5, S. 91–114. Als Buch: Ludwig Rubiner, *Das Himmlische Licht (Der Jüngste Tag,* Bd. 33), Leizpig: Kurt Wolff, 1916; Reprint: Frankfurt/Main: Heinrich Scheffler, 1970.

Die einzelnen Gedichte:

„Das himmlische Licht", *Die Weissen Blätter* (hier ohne Titel), S. 91/92; *Das Himmlische Licht,* S. 5/6; *Expressionismus: Lyrik,* Hrsg. Martin Reso (1969), S. 428.

„Geburt", *Die Weissen Blätter,* S. 92–95; *Das Himmlische Licht,* S. 7–11.

„Das Licht", *Die Weissen Blätter,* S. 96/97; *Das Himmlische Licht,* S. 13–15; *Zet,* 2(1974), H. 8, S. 37.

„Dieser Nachmittag", *Die Weissen Blätter,* S. 98–100; *Das Himmlische Licht,* S. 17–20; *Kameraden der Menschheit* hrsg. von Ludwig Rubiner, Potsdam 1919, S. 117–120 (unter dem Titel „Der Marsch"); *Expressionismus: Lyrik,* hrsg. von Martin Reso (1969), S. 452–454.

„Die feindliche Erde", *Die Weissen Blätter,* S. 100/01; *Das Himmlische Licht,* S. 21/22; *Kameraden der Menschheit,* S. 120/21.

„Sieg der Trägheit", *Die Weissen Blätter,* S. 101–103; *Das Himmlische Licht,* S. 23–25; *Kameraden der Menschheit,* S. 122/23.

„Der Mensch", *Die Weissen Blätter,* S. 103–106; *Das Himmlische Licht,* S. 27–29; *Menschheitsdämmerung,* hrsg. von Kurt Pinthus (1920), S. 234/35.

„Die Stimme", *Die Weissen Blätter,* S. 106–108; *Das Himmlische Licht,* S. 31–35; *Menschheitsdämmerung,* S. 188–190.

„Die Frühen", *Die Weissen Blätter,* S. 109–111; *Das Himmlische Licht,* S. 37–40; *Expressionismus: Lyrik,* Hrsg. Martin Reso (1969), S. 395–397.

„Die Ankunft", *Die Weissen Blätter,* S. 111–114; *Das Himmlische Licht,* S. 41–45; *Der Orkan,* 1(1917), H. 1, S. 37; *Menschliche Gedichte im Krieg,* hrsg. von René Schickele, Zürich: Rascher, 1918, S. 41–44; *Kameraden der Menschheit,* S. 149–152; *Menschheitsdämmerung,* S. 263–266; *Von unten auf. Das Buch der Freiheit,* gesammelt und gestaltet von Franz Dietrich, 3. Aufl. hrsg. von Anna Siemsen, Dresden: Kaden, 1928, S. 513/14.

1917

[Kritik zu: Theodor Däublers *Lucidarius in arte musicae,*], *Die Weissen Blätter,* 4(1917), H. 1, S. 81/82.

Das Mittel [Programmschrift], *Die Aktion,* 7(1917), Sp. 27/28; *Der Mensch in der Mitte* (1917), S. 153/54; 2. Aufl., (1920), S. 139/40.

Ursprache [Glosse], Die Aktion, 7(1917), Sp. 53/54.

Die zweite Erde [Glosse], *Die Aktion,* 7(1917), Sp. 54.

Der Kampf mit dem Engel [Programmschrift], *Die Aktion,* 7(1917) Sonderheft Ludwig Rubiner, Sp. 211–232; *Der Mensch in der Mitte,* (1917), S. 155–190; 2. Aufl. (1920), S. 141–172.

Über Alfred Wolfenstein [Würdigung], *Die Aktion,* 7(1917), Sp. 336.

Organ [Aufsatz], *Zeit-Echo,* 3(1917), Maiheft, S. 1/2.

Neuer Inhalt [Aufsatz], *Zeit-Echo,* 3(1917), Maiheft, S. 2–5. Teilabdruck in: *Die Weissen Blätter,* 4(1917), H. 2, S. 264/65.

Europäische Gesellschaft [Aufsatz], *Zeit-Echo,* 3(1917, Maiheft, S. 6–9.

Mitmensch [Aufsatz], *Zeit-Echo,* 3(1917), Maiheft, S. 10–13. Nachdrucke in: *Das Ziel,* II(1918), S. 344–348; *Der Aktivismus 1915–1920,* hrsg. von W. Rothe (1969), S. 84–88; *Deutsche Schriftsteller in der Entscheidung,* hrsg. von Friedrich Albrecht, Berlin und Weimar 1970, S. 517–420.

Der ehrliche Gegner [Glosse], *Zeit-Echo,* 3(1917), Maiheft, S. 14.

Blätter für die Kunst [Kritik], *Zeit-Echo,* 3(1917), Maiheft, S. 14–17.

Carl Sternheim: Meta [Kritik], *Zeit-Echo,* 3(1917), Maiheft, S. 18/19.

Leonhard Frank: Der Kellner [Kritik], *Zeit-Echo,* Maiheft, S. 19/20.

Alfred Döblin: Die drei Sprünge des Wang-Lun [Kritik], *Zeit-Echo,* 3(1917), Maiheft, S. 20.

G. F. Nicolai: Biologie unserer Zeit [Kritik], *Zeit-Echo,* 3(1917), Maiheft, S. 21.

Bühne der Geistigen [Über Walter Hasenclevers „Das Theater von morgen"], *Zeit-Echo,* 3(1917), Maiheft S. 22–24.

Nach Friedensschluss [Manifest], *Zeit-Echo,* 3(1917), Juniheft, S. 1–5.

Schriftsteller [Polemik], *Zeit-Echo,* 3(1917), Juniheft, S. 24/25, Nachdruck in: *Die deutsche Literatur. Texte und Zeugnisse,* hrsg. von Walter Killy, Bd. 7, München 1967, S. 563/64.

Demain [Kritik], *Zeit-Echo,* 3(1917), Juniheft, S. 28/29.

Salut á la Revolution Russe 1917 [Kritik], *Zeit-Echo,* 3(1917), Juniheft, S. 30.

Frankreichs andere Seite [Polemik], *Zeit-Echo,* 3(1917), Juniheft, S. 30/31.

G. F. Nicolai: Biologie des Krieges [Kritik], *Zeit-Echo,* 3(1917), Juniheft, S. 31/32.

Konjunkturbuben [Polemik], *Zeit-Echo,* Juniheft, S. 32.

Nachschrift des Zeit-Echo, Zeit-Echo, 3(1917), Juliheft, S. 8/9.

Ihr wollt es nicht gewesen sein [Polemik], *Zeit-Echo,* 3(1917), Juliheft, S. 18/19.

Opportunisten [Polemik], *Zeit-Echo,* 3(1917), Juliheft, S. 19.

Die Weissen Blätter [Hinweis], *Zeit-Echo,* Juliheft, S. 19/20.

Charlot Strasser: In Völker zerissen [Kritik], *Zeit-Echo,* 3(1917), Juliheft, S. 20.

Paul Wiegler: Figuren [Kritik], *Zeit-Echo,* 3(1917), Juliheft, S. 20–22.

Europa lebt noch [Kritik], *Zeit-Echo,* 3(1917), Juliheft, S. 22–24.

Die neue Schar [Aufsatz], *Zeit-Echo,* 3(1917), Aug.-Septh., S. 1–12; ohne den letzten Absatz und unter dem Titel „Heinrich Mann und Stefan George" in: *Die Aktion,* 8(1918), Sp. 29–39.

Iwan Goll [Hinweis], *Zeit-Echo,* 3(1917), Aug.-Septh., S. 48.

Dem Zeichner Franz Masarel [Würdigung], *Zeit-Echo,* 3(1917), Aug.-Septh., S. 49.

Theodor Tagger [Kritik], *Zeit-Echo,* 3(1917), Aug.-Septh., S. 49.

Dokumente des Irrsinns [Zwei Polemiken mit den Überschriften „Zweihänder" und „Bring uns, Herr, ins Paradies!"], *Zeit-Echo,* 3(1917), Aug.-Septh., S. 50–52.

Schweizer [Vier Kritiken mit den Überschriften „Robert Faesi," „Jean Debrit", „Kameradenstimme", „Neue Wege"], *Zeit-Echo,* 3(1917), Aug.-Septh., S. 52–56.

Zurufe an die Freunde [Fünf Gedichte], *Das Aktionsbuch,* hrsg. v. Franz Pfemfert, Berlin 1917, S. 15–22.

Die einzelnen Gedichte:

„Führer", *Das Aktionsbuch,* S. 15; *Die Aktion,* 7(1917), Sp. 232; *Der Mensch in der Mitte,* (1917), S. 189; *Kameraden der Menschheit,* S. 129/30.

„Wort", *Das Aktionsbuch,* S. 16.

„Eine Botschaft", *Das Aktionsbuch,* S. 17–19; *Kameraden der Menschheit,* S. 17–20.

„Die Engel", *Das Aktionsbuch,* S. 20; *Kameraden der Menschheit,* S. 130/31; *Menschheitsdämmerung* (1920), S. 204/05; *Die Bücherkiste,* 2(1920), H. 1, S. 11–12.

„Denke", *Das Aktionsbuch,* S. 21/22; *Menschheitsdämmerung* (1920), S. 205/06;

unter dem Titel „Der Denker" in: *Kameraden der Menschheit,* S. 131/32 und *Deutsche Dichter im Kampf,* hrsg. von Heinz Cagan, Moskau: Völker Verlag, 1930, S. 138/39.

Der Mensch in der Mitte [Anthologie eigener, in der Mehrzahl bereits vorher veröffentlichter Aufsätze]. Hrsg. Ludwig Rubiner. Berlin-Wilmersdorf: Verlag der Wochenschrift Die Aktion, 1917. 2. Aufl., Potsdam: Gustav Kiepenheuer, 1920.

Die einzelnen Beiträge:

„Vorbemerkungen", S. 5–9.

„Aktualismus", S. 10–13 (vorher: *Die Weissen Blätter,* 1916).

„Hören Sie!" S. 14–16 (voher: *Die Aktion,* 1916).

„Der Dichter greift in die Politik" S. 17–32 (vorher: *Die Aktion,* 1912).

„Exkurs zur Intensität", S. 33–36.

„Brief an einen Aufrührer", S. 37–47 (vorher: *Die Aktion,* 1913).

„Homer und Monte Christo", S. 48–66 (vorher: *Die Weissen Blätter,* 1914).

„Tröster", S. 67–71 (vorher: *Die Weissen Blätter,* 1916).

„Der Maler vor der Arche", S. 72–83 (vorher: *Die Aktion,* 1916).

„Die Änderung der Welt", S. 84–111 (vorher: *Das Ziel,* 1916).

„Legende vom Orient", S. 112–146 (vorher: *Die Weissen Blätter,* 1916).

„Der Bruder", S. 147–150.

[„Aber zu uns . . .," dithyrambisches Gedicht auf den französischen Dichter Pierre-Jean Jouve], S. 151/52; Nachdruck in: *Expressionismus: Lyrik,* hrsg. von Martin Reso (1969), S. 91/92.

„Das Mittel", S. 153–154 (vorher: *Die Aktion,* 1917).

„Der Kampf mit dem Engel", S. 155–190 (vorher: *Die Aktion,* 1917).

„Neuer Beginn", S. 191.

„Erinnerung", S. 192.

Übersetzung:

Briefe aus Tolstois Freundeskreis, unter dem Titel „Revolutionstage in Russland", *Zeit-Echo,* 3(1917), Juniheft, S. 6–13.

1918

Herausgabe:

Leo Tolstoi. Tagebuch 1895–1899. Nach dem geistigen Zusammenhang ausgewählt, herausgegeben und eingeleitet von Ludwig Rubiner, übersetzt von Frida Ichak-Rubiner. Zürich: Max Rascher, 1918. Nachdruck der gekürzten Einleitung in: *Die Aktion,* 8(1918), Sp. 1–7.

1918/19

Die Erneuerung [Manifest], *Das Forum,* 3(1918/19), S. 59–67. Nachdrucke in: *Die Gemeinschaft,* hrsg. von Ludwig Rubiner (1919), S. 71–77; *Deutsche Schriftsteller in der Entscheidung,* hrsg. von Friedrich Albrecht (1970), S. 520–526.

1919

Der Dichter Voltaire [Aufsatz], *Die Weissen Blätter,* 6(1919), H. 1, S. 9–16. Neufassung als „Dichter Voltaire" in: *Die Gemeinschaft,* hrsg. von Ludwig Rubiner (1919), S. 176–184; als „Einleitung" in: *Voltaire. Die Romane und Erzählungen,* hrsg. von Ludwig Rubiner (1920), Bd. I, S.IX–XX.

Die Gewaltlosen [Drama in vier Akten], Potsdam: Gustav Kiepenheuer, 1919 (Der Dramatische Wille, Bd. I). Nachdrucke: *Das Forum,* 4(1919/20), S. 25–55 und 109–146; *Schrei und Bekenntnis. Expressionistisches Theater,* hrsg. von Karl Otten, 2. Aufl., Darmstadt, Neuwied, Berlin 1959, S. 304–380; *Expressionismus. Dramen II,* hrsg. von Klaus Kändler, Berlin und Weimar o. J., S. 209–321; *Zeit und Theater. Vom Kaiserreich zur Republik, Bd. I: 1913–1925,* hrsg. von Günther Rühle, Berlin 1973, S. 447–520. Die 8. Szene des 1. Aktes abgedr. in: *Die Gemeinschaft,* hrsg. von Ludwig Rubiner (1919), S. 121–132.

Kameraden der Menschheit. Dichtungen zur Weltrevolution. Eine Sammlung, hrsg. von Ludwig Rubiner, Potsdam: Gustav Kiepenheuer, 1919.

Beiträge von Rubiner:

„Eine Botschaft", S. 17–20.

„Der Marsch", S. 117–120.

„Die feindliche Erde", S. 120–121.

„Sieg der Trägheit", S. 122–123.

„Der Führer", S. 129–130.

„Die Engel", S. 130–131.

„Der Denker", S. 131–132.

„Nachwort", S. 173–176.

Vorrede, zu: A. Lunatscharskij, *Die Kulturaufgaben der Arbeiterklasse,* Berlin 1919 (Der Rote Hahn, Bd. 36), S. 2. Nachdruck in: *Literatur im Klassenkampf. Zur proletarisch- revolutionären Literaturtheorie 1919–1923,* hrsg. von W. Fähnders und M. Rector, München 1971, S. 104.

Die Gemeinschaft. Dokumente der geistigen Weltwende, hrsg. von Ludwig Rubiner (als Jahrbuch des Verlages Gustav Kiepenheuer): Potsdam 1919.

Beiträge von Rubiner:

„Vorbemerkung", S. 5–6.

„Die Erneuerung", S. 71–72.

„Die Gewaltlosen", (8. Szene des 1. Aktes), S. 121–127.

„Dichter Voltaire", S. 176–184.

„Nachwort", S. 275–278.

Die kulturelle Stellung des Schauspielers [Aufsatz], *Freie Deutsche Bühne,* (1919), S. 5–12. Nachdruck in: *Der Gegner,* 2(1920/21), S. 153–159.

1920

Herausgabe:

Volaire. Die Romane und Erzählungen. Vollständige Ausgabe mit einem Porträtkupfer Voltaires. Herausgegeben und eingeleitet von Ludwig Rubiner. Bd. I übertragen von Frida Ichak und Ludwig Rubiner; Bd. II übertragen von Else von Hollander, Potsdam: Gustav Kiepenheuer, 1920.

Alphabetischer Index zur Rubiner-Bibliographie

Nikolaus Gogol: „Abende auf dem Gutshof bei Dikanka"	1910
Operette	1909/10
Opportunisten	1917
Organ	1917
Das Paradies in Verzweiflung	1916
Paris	1912
Paul Adler: „Elohim"	1916
Paul Verlaine: „Madame Aubin"	1909/10
Paul Wiegler: Figuren	1917
Pelleas-Sinfonie	1910/11
Das Peter Hille-Buch	1906
Politisierung des Theaters	1908
Probleme der Oper	1908
Psychoanalyse	1913
Puccini	1908
Revolutionstage in Russland	1917
Robert Faesi	1917
Rosenkavalier	1910/11
Salut á la revolution russe 1917	1917
Sarah Bernhardt	1908
Das Schicksal der Maschine	1910
Schriftsteller	1917
Schweizer	1917
Sieg der Trägheit	1916
Sollogub	1910/11
Sollogub: „Scharfrichter von Nürnberg"	1909
Die Stadt	1910/11
Die Stimme	1916
Der Tänzer Nijinski	1912
Theoder Däubler	1917
Theodor Tagger	1917
Tolstois Tagebuch 1895–1899	1918
Tröster	1916
Über Alfred Wolfenstein	1917
Über das jüdische Theater in Russland	1909
Über Otto Gross	1913
Uff ... die Psychoanalyse	1913
Um die „Neue Secession"	1914
„Untertan"	1914
Ursprache	1917
Varieté und Kultur	1906
Die Verzauberten	1910
Voltaire. Die Romane und Erzählungen	1920
Vorrede zu A. Lunatscharskij: *Die Kulturaufgaben der Arbeiterklasse*	1919
Die Wartenden	1910/11
Die Weissen Blätter	1917
Wort	1917
Dem Zeichner Frans Masarel	1917

Personenregister